QUEDA LIVRE

OTAVIO FRIAS FILHO

Queda livre
Ensaios de risco

Copyright © 2003 by Otavio Frias Filho

Capa
Raul Loureiro

Foto de capa
Lenise Pinheiro

Preparação
Paulo Werneck

Revisão
Isabel Jorge Cury
Renato Potenza Rodrigues

Os textos "Queda livre", "Viagem ao Mapiá" e "A bordo do Tapajó" foram publicados em versão parcial na revista República *nas edições de setembro de 1998 e de janeiro e agosto de 2000.*

Dados Internacionais de Catalogação na Publicação (CIP)
(Câmara Brasileira do Livro, SP, Brasil)

Frias Filho, Otavio
　　Queda livre : ensaios de risco / Otavio Frias Filho. —
São Paulo : Companhia das Letras, 2003.

ISBN 85-359-0447-6

1. Frias Filho, Otavio 2. Repórteres e reportagens 3. Saltos de pára-quedas I. Título.

03-6683　　　　　　　　　　　　　　　　　　CDD-070.44979756

Índice para catálogo sistemático:
1. Saltos de pára-quedas : Reportagens : Jornalismo
070.44979756

[2003]
Todos os direitos desta edição reservados à
EDITORA SCHWARCZ LTDA.
Rua Bandeira Paulista 702 cj. 32
04532-002 — São Paulo — SP
Telefone (11) 3707-3500
Fax (11) 3707-3501
www.companhiadasletras.com.br

Sumário

Queda livre 9
Viagem ao Mapiá 27
A bordo do *Tapajó* 67
O terceiro sinal 89
No caminho das estrelas 129
Casal procura 178
O abismo 241

Para Dag e Octavio

Queda livre

Adorava voar quando criança. As recordações mais nítidas sempre parecem as mais inatingíveis, as que estão enterradas mais fundo na memória. É assim que me lembro de uma viagem que tomou o dia inteiro, de uma ponta dos Estados Unidos à outra. Tinha oito anos. O avião estava vazio, o céu absolutamente claro, as aeromoças — na época elas usavam uniforme azul-marinho com um Ícaro na lapela — me pareciam deslumbrantes. Como não tinham o que fazer, passaram a viagem brincando comigo, levadas pelo delicioso despudor das mulheres em abordar crianças desconhecidas.

Em algum momento que não sei precisar, passei a ter pavor de avião. Sim, houve um fato objetivo. Certa vez, na ponte aérea, peguei o último lugar disponível, justamente ao lado de Pelé. Enquanto o avião taxiava na pista, passageiros iam e vinham recolhendo autógrafos. Estava envergonhado por desdenhar a oportunidade de sentar-me ao lado do grande astro sem lhe dirigir a palavra e me esforçava, por isso, para arriscar uma pergunta qualquer. Quando enfim me voltei para falar, o avião decolou e Pelé — como se seu sistema neurológico estivesse ligado a algum fio terra da aeronave — dormiu de um só golpe. Pois bem, esse avião passou por maus bocados ao tentar o pouso em São Paulo. Sei porque testemunhei o clamor de bandejas, o corre-corre na passarela, um carrinho de bebidas desgovernado como na cena das escadarias em *Encouraçado Potemkin*, o pânico a desfigurar o rosto das comissárias. Apareceu a voz do comandante, pedia calma aos presentes, tentaria nova aproximação, que foi bem-sucedida e saudada com aplausos dignos de uma diva. No instante em que as rodas rasparam a pista, um segundo antes da ovação retumbante, Pelé acordou. Acho que ele nunca se inteirou do ocorrido; brasileiros têm o costume de aplaudir aterrissagens.

A idéia de tomar carona anonimamente (com direito a lugar de honra ao lado da celebridade) numa catástrofe a ser noticiada em todos os meios de comunicação do mundo dava uma sensação viva, por assim dizer, da morte. Mas o episódio só veio calcificar um medo que surgira antes, junto com as espinhas e os pêlos, da mesma forma gradual e inexorável que eles. Passei a manter sérias reservas em relação a voar, e ao me ver adulto descobri que uma insidiosa claustrofobia, aliada a uma já então severa acrofobia *y otras cositas más*, faziam do avião o pior dos mundos para mim.

Digo isso para que se possa ter idéia do meu estado de espírito ao entrar num monomotor com a sombria disposição de abandoná-lo a 10 mil pés de altitude — três quilômetros e quarenta metros —, atado por cintas e ganchos a um pára-quedas de provável fabricação nacional. Da mesma forma que o medo de avião, a necessidade de saltar de pára-quedas foi se insinuando lenta e inexplicavelmente. Quando me dei conta, estava ciente de que algum dia teria de fazer a coisa, mais ou menos como parar de fumar, só restando o consolo dos adiamentos. Por causa de uma série de acasos, fiquei amigo de uma mulher inteligente e destemida que já tinha saltado e planejava saltar outra vez. *Vamos sal-*

tar?/ Vamos/ Posso marcar?/ Pode/ Pensou bem?/ Acho que sim/ Se desistir na hora H, morre entre nós/ Não dá pra usar outra palavra?/ É só um passeio/ Claro.

O que mais aterrorizava nas semanas que antecederam o dia D nem era saltar. Saltar, então, ainda era uma irrealidade, algo que só poderia ocorrer nos clichês de desenho animado em que o pára-quedas é trocado por uma mochila de talheres, não na vida real. O que aterrorizava era a certeza de que a partir de determinado ponto eu não voltaria atrás, como os pilotos que não podem abortar a decolagem depois de uma dada velocidade. Tempos antes, outra amiga, que tinha feito o curso de pára-quedismo e estava habilitada a saltar sozinha, propôs me levar (leia-se "me arrastar"), mas antes que eu me acovardasse definitivamente ela se mudou para a Escócia. Não vêm ao caso as razões que me convenceram de uma vez por todas. O fato é que a sensação íntima, nem digo de algo já decidido, mas secretamente inevitável, permitiu enfrentar as últimas noites com resignação espantosa. Percorri todo um ritual: liquidei assuntos, fiz "pela última vez" uma porção de coisas de que gosto, achei excessivo deixar bilhete, mas, sem revelar o plano a ninguém (fazia parte do ritual), organizei despedidas das quais só eu estava a par.

Ainda me agarrava à esperança de que amanhecesse chovendo um dilúvio, ou que houvesse estalado a Terceira Guerra Mundial, ou que durante a madrugada uma sessão extraordinária do Congresso tivesse aprovado alguma lei proibindo o pára-quedismo no território nacional. Mas amanheceu um domingo medonhamente radioso. Meu último despertar. Meu último café-da-manhã. Meu último primeiro cigarro do dia. Simplesmente esqueci de olhar o jornal, como horas mais tarde esqueceria de ver meu equipamento sendo dobrado, mas a amiga Laura checou ambas as coisas; não, não havia notícia de mais um acidente de pára-quedas. Formada em física (não era isso o que nós íamos fazer, burlar uma lei da física, a da gravidade?) e materialista por convicção, ela verificou até o horóscopo, pela mais peculiar das razões: somos gêmeos, fazemos aniversário no mesmo dia. Tudo limpo. Na estrada, só bons presságios, embora a moça do pedágio não tenha retribuído o meu bom-dia e um guarda me parasse por excesso de velocidade (quanto mais rápido isso acabar, melhor). Pára-quedismo é seguro, alpinismo e mergulho também; estatisticamente, tudo é seguro. O problema é que a estatística não tem muito a dizer para cada caso individual. Aí é como se as possibilidades fossem iguais, isto ou aquilo, tudo ou nada, *fifty-fifty*, à maneira da aposta de Pascal. Diante da enormidade da morte, as chances pró ou contra como que se equiparam, neutralizadas. Pense em explicar para uma pessoa que perdeu alguém no desastre de Orly, por exemplo, quando em 1973 um Boeing da Varig caiu perto de Paris, que aquilo simplesmente não era para ter acontecido. E daí? A lei da probabilidade é uma abstração. Ela só passa a ter validade se fizermos do nosso corpo uma amostragem ampla o bastante, ou seja, quando nos expomos o tempo todo — não uma vez na vida — ao risco. Profissionais até podem imaginar algum conforto na estatística, não os diletantes.

Bem menos abstrata que a lei da probabilidade é a que rege a queda dos corpos. A gravidade existe, apesar de sua substância intangível e controvertida. Foi concebida por Newton como um magnetismo misterioso que atrai corpos entre si. Depois de Einstein, porém, conforme ouço dizer, passou a ser tomada como um vetor, uma seta a indicar o caminho mais curto entre dois pontos num espaço que é cheio de "vales" e "despenhadeiros". Os planetas, por exemplo, giram em torno do Sol da mesma maneira que numa mesa de cassino a esfera de metal vai caindo até o centro da roleta. O Sol é o centro de um abismo que a sua própria massa provocou, o espaço está cheio de afundamentos que não vemos. Tudo está em queda o tempo todo.

No pára-quedismo, quanto maior a velocidade de queda livre, antes de o dispositivo abrir, maior a resistência do ar, que adquire propriedades de matéria consistente, como se fosse um meio líquido ou pastoso, apesar de seco. É isso que torna possível o esqui aéreo: o ar se comporta como água. Dependendo da posição do corpo em queda livre, sua superfície oporá mais ou menos atrito ao fluxo de massa aérea, o que permite ao pára-quedista experimentado manobrar, acelerar e retardar a velocidade do mergulho. Evidentemente, quanto mais tempo em queda livre, maior a velocidade alcançada; a partir de determinado ponto, percorridos cerca de dois terços do caminho, não é mais possível frear.

Quem salta leva um altímetro de pulso, cujo mostrador, para garantir a visibilidade, é do tamanho de um CD, como se fosse um relógio de palhaço. Saltando a 10 mil pés, você despenca em queda livre durante 45 segundos, o instrutor (ao qual você está atado por correias a uma distância de trinta centímetros) aciona o pára-quedas, há um baque violento e então você desce por mais cinco minutos até pousar. Se o pára-quedas, armado por garotos chamados *dobradores*, não abrir, o instrutor tem outro, de reserva, supostamente dobrado por ele próprio. Supostamente, também, os pára-quedas modernos abrem automaticamente, a uma dada altitude, se por alguma razão o indivíduo não o acionar. O altar do pára-quedismo é um quintal coberto onde os pára-quedas são dobrados no chão, sob os olhares atentos de quem vai usá-los. Confesso que ao passar por ali não tive o sangue-frio de ir ver.

O "treinamento" para esse primeiro salto, chamado de *canguru*, dura dois minutos em terra. Você não tem o que fazer exceto enfiar na cabeça que a posição correta para cair é de barriga para baixo, os braços e as pernas arqueados para cima de modo que suas costas fiquem côncavas. *E se eu não conseguir ficar nessa posição, ou esquecer, ou tiver mais um de meus ataques epiléticos?* O instrutor de 32 anos, sotaque nordestino e aspecto confiável, responde laconicamente que a posição é importante. *Caso contrário?*, eu insisto. *Caso contrário nós podemos perder o controle da queda e não recuperar mais.* Entendi. Quero saber quantos saltos ele faz por dia, às vezes chega a dez. Quando ele se abaixa para corrigir a posição dos meus braços no exercício vejo algo que preferia não ter visto: uma corrente impede que dois santinhos de ouro busquem o trajeto mais curto do seu pescoço até o chão. Calculo automaticamente que um foi dado pela mãe (*Promete que um dia você pára?*), outro pela namorada. Não seria mais seguro saltar com um instrutor ateu, que tivesse a certeza de contar apenas com recursos próprios?

Não fiz essa nem qualquer outra pergunta para a moça que me ajudou a vestir um macacão dentro do qual me senti como um espermatozóide de óculos. (Todo mundo que salta veste esses macacões brancos com faixas de cores berrantes, que têm de ser berrantes não tanto pelo aspecto *fashionable*, mas por uma razão mais sinistra, que explicarei no devido tempo.) Essa moça cuida de tudo, faz as reservas, atende o telefone, chama o instrutor, conta casos, por um momento tenho a alucinação de que ela está flertando comigo em meio a seus múltiplos afazeres: como ela pode pensar *nisso* numa hora *dessas*?

Como sempre acontece quando observamos uma atividade na qual somos leigos, o andamento dos saltos não era menos errático que a performance da atendente, os sinais de que isto ou aquilo ocorreria a seguir eram obscuros, a comunicação entre o escritório e a torre de comando não parecia ter atingido um nível ideal, deveríamos ter saltado às duas da tarde e já eram quase cinco. Laura tinha me levado para um misto-quente com cerveja, depois ficamos vendo uns moleques que jogavam bola na quadra ao lado da pista de terra. A cada dez minutos um avião decolava para despejar um punhado de espermatozóides lá do alto, na maioria jovens, poucas mulheres, que faziam várias vezes, num mesmo dia, o que Dédalo tentou e Leonardo da Vinci se contentou em fantasiar.

O pára-quedas é um desses engenhos que, pela aparente simplicidade, quase não compreendemos por que os antigos não os tenham inventado. Os chineses tiveram seu Dédalo, arquiteto também, trancafiado no alto de uma torre pelo rei que a mandara construir e da qual teria escapulido lançando-se pendurado a dois gigantescos chapéus. No século XI, Oliver de Malmesbury, um monge inglês, sobreviveu depois de se atirar de um penhasco com inúteis asas presas aos pés e aos pulsos. Como demonstra Peter Hearn em seu *The sky people — A history of parachuting* (Airlife Publishing, 1990), de onde foi extraída a maior parte das informações históricas que aparecem aqui, apesar desses precursores temerários o pára-quedas ainda demorou alguns séculos, após os esboços de Leonardo e de outro italiano, Fausto Veranzio, para se tornar realidade. Ele foi conseqüência dos aerostatos do final do século XVIII.

Pouco depois de dominarem a técnica de construção de balões aéreos (1783), os irmãos Montgolfier lançaram uma ovelha num deles e depois a fizeram despencar numa cesta que subira pendurada ao balão, acoplada a um pára-quedas rígido e já aberto, dispositivo que fez a carga planar até ser depositada suavemente no solo. Na tarde de 22 de outubro de 1797, outro francês, André Jacques Garnerin, subiu num balão de hidrogênio à altitude de 2 mil pés (608 metros, equivalente a um hipotético edifício de duzentos andares) sobre o que seria hoje o parque Monceau, em Paris, embarcado numa pequena gôndola presa por cordas a um pára-quedas rígido, pendente da base do aerostato. Lá em cima, cortou a corda que unia o conjunto ao balão e caiu diante da multidão reunida para vê-lo. Embora o cesto balançasse perigosamente, Garnerin chegou são e salvo para se tornar o primeiro pára-quedista da história. A façanha era algo tão obviamente perigoso que ninguém se apressou a imitá-lo, e o próprio pioneiro só viria a realizar um total de cinco saltos na vida.

Constatou-se que os saltos atraíam curiosos, logo convertidos em público pagante. Ao longo do século XIX o pára-quedismo ainda incipiente se desenvolveu como extensão de atrações circenses em feriados e quermesses ao ar livre, muitas vezes praticado por trapezistas de ambos os sexos, sempre uma atividade arriscadíssima. Em 1887 foi introduzido o pára-quedas murcho, que o ar se encarrega de estufar uma vez lançado. Pouco depois o aparelho passou a ser embrulhado. Em 1912 o americano Albert Berry se converteu no primeiro pára-quedista a saltar de um avião. De início acoplado ao aeroplano, como fora antes ao balão, o equipamento se transferiu em seguida a uma mochila nas costas do pára-quedista. No final da Primeira Guerra Mundial, os alemães passaram a equipar pilotos com pára-quedas, recurso que lhes permitia abandonar um avião em chamas. Seu uso ofensivo só entraria em voga, porém, na Segunda Guerra, quando foram responsáveis pela velocidade, então desconcertante, de um dos movimentos iniciais do conflito, o deslocamento das tropas nazistas que tomaram de assalto a Holanda. Como atividade recreativa e por assim dizer segura, o pára-quedismo surgiu apenas ao longo da esportiva década de 1950, quando surgiram os campeonatos internacionais. Foi só nos anos 70 que o velame retangular, formado por gomos, aposentou em definitivo o velho formato redondo.

Já estava cansado de me preparar para "meus últimos quinze minutos" quando subitamente chegou a nossa vez, anoiteceria dali a pouco, só havia tempo para mais uma pessoa saltar, *qual de vocês dois vai?* Tive receio de que a minha amiga julgasse que eu afastava o cálice na sua direção, perguntei se ela não queria ir, fingindo polidez, só que *ladies first* aqui não é bem assim, era eu mesmo quem tinha de me atirar. Mais uma vez me ocorreu a frase que d. Sebastião de Portugal teria endereçado ao próprio corpo enquanto o carregava para a batalha de Alcácer-Quibir: "Tremes, carcaça; pois tremerás mais ainda quando souberes para onde te levo!" — uma das citações de que meu pai gosta. Fumava assim, distraidamente, meu enésimo último cigarro quando vejo se aproximar um homem negro, todo vestido de branco. Tinha enchido a lata e repetia com insistência de bêbado que acompanhava a banda Soweto. Quero que você e sua banda morram, pensei. *Tu vai pular, broda? Tu vai morrer, bacana! Que é isso, mano, vai deixar essa mina viúva? Deixa que a nossa banda toma conta dela... Mas vem cá, vai pular mesmo? Tu é louco?* Era o que me faltava, ninguém menos que Tirésias, o ardiloso vidente da tragédia ática, disfarçado numa camiseta do Santos F. C., pensei, enquanto procurava continuar em pé. Laura despachou o filho-da-puta. Por superstição às avessas, não fiz o pelo-sinal, não rezei, não usei Seu nome em vão.

No ano passado, duas pessoas morreram neste lugar. Primeiro, uma garota, que saltava sozinha e cujo equipamento simplesmente desistiu de abrir. Meses depois, um instrutor e uma aluna saltaram ao mesmo tempo, cada um com sua mochila às costas. O pára-quedas dela demorou a abrir, ou ele calculou assim, talvez pensando no acidente anterior, e então o que ele faz? Mergulha (o meio é líquido, lembra-se?), seu corpo transformado numa flecha ou num prego, com o objetivo de agarrá-la (cores berrantes, lembra-se?) e acionar o seu próprio dispositivo. Nem se fosse Indiana Jones, você pode pensar, mas foi o que ele decidiu e fez. O pára-quedas dela enfim abriu, não deu tempo para que o dele abrisse. Ele foi considerado um herói no país inteiro, mas não aqui, nesta confraria parecida com a dos pilotos de prova do deserto de Mojave; aqui ele cometeu um erro técnico, ele não teve a "coisa certa" ou sei lá o quê — ninguém fala sobre esses assuntos. Sempre científica, Laura me havia informado que no caso do passageiro que foi sugado para fora na detonação de uma bomba num vôo da TAM entre São José dos Campos e São Paulo, em 1997, a queda livre fora estimada em cerca de cinco minutos. Já os passageiros que eventualmente sobreviveram à explosão do Boeing da TWA, que rachou o avião ao meio, teriam levado cerca de doze minutos — o tempo para a execução de um adágio de Beethoven — até bater contra a superfície do Atlântico. O que se passa com uma pessoa nessas condições? Os médicos, como sempre que são confrontados com uma pergunta, evitam ser peremptórios. Alguns dizem que a pessoa perde os sentidos, outros que não. É uma dessas especulações do tipo "o que acontece no momento seguinte à queda da lâmina da guilhotina", ninguém sabe, talvez não haja como saber.

Em 1837, um cientista amador inglês, Robert Cocking, conseguiu um balão grande o suficiente para testar seu pára-quedas, equipamento maior e mais pesado do que o de Garnerin, em cuja preparação ele havia trabalhado durante trinta anos. Fora construído em formato de cone invertido, que o tornaria supostamente imune às oscilações que ameaçavam a estabilidade do pára-quedas de seu predecessor. O inventor subiu até 5 mil pés (um quilômetro e meio de altura), despediu-se dos dois aviadores que conduziam o aerostato e puxou a corda que liberava o pára-quedas no qual ia pendurada a cesta onde ele estava. O artefato desceu suavemente por alguns segundos, mas de repente sua estrutura implodiu e veio abaixo, rodopiando, até estatelar-se no chão. Cocking chegou com vida ao solo, morrendo minutos depois do choque. Seu corpo foi levado a uma taverna, onde o público pagou para vê-lo. O princípio que adotara daria frutos mais tarde; a construção do aparato é que era falha.

Nas colunas dos jornais e nos púlpitos das igrejas, levantaram-se vozes exigindo que o pára-quedismo fosse tornado ilegal, numa polêmica que se estenderia até o final do século. Era considerado não somente perigoso demais para os que se arremessavam, mas nocivo aos costumes por excitar uma curiosidade popular em que havia um fundamento mórbido. O pára-quedas vicejou no ambiente fervilhante de novidades das feiras organizadas em cidades européias e americanas onde se cruzavam inventores, aventureiros e malabaristas. Empresários passaram a patrocinar exibições de salto, especialmente as estreladas por mocinhas corajosas que desciam não mais dentro de uma cesta, mas sentadas numa barra de trapézio e vestidas a caráter, capazes de mobilizar o sado-voyeurismo das audiências de forma ainda mais intensa do que os inventores malucos. As mulheres tiveram, assim, uma participação decisiva na evolução do pára-quedas, a começar pela própria sra. Garnerin, uma das primeiras a saltar. Uma alemã, Katchen Paulus, desenvolveu o pára-quedas dobrável, acondicionado na base do balão para somente abrir, inflado pelo vento, com a queda. Aposentou-se em 1909, após uma carreira de 147 saltos...

A mais famosa dessas heroínas, entretanto, foi a britânica Dolly Shepherd, celebrizada na primeira década do século XX como "A rainha do pára-quedas". Fez seu primeiro salto em 1904, aos dezessete anos, do qual deixou uma eloqüente descrição em sua autobiografia, *When the chute went up* (R. Hale, 1984):

> Ah, o primeiro salto! Que mistura de medo e pura euforia foi! Meu coração veio à boca quando mergulhei pelo que parecia uma eternidade, caindo como uma pedra. [...] Finalmente houve um grande *vuuuuuum*, a corda esticou e a barra do trapézio deu um tranco nos meus braços, o pára-quedas abrira! [...] Suspensa ali no ar limpo e tépido, muito acima da terra dos simples mortais, experimentei uma exultação que nunca sentira antes. [...] Aos poucos os campos, as casas e as árvores voltaram a assumir suas proporções normais. [...] A pontaria do capitão havia sido boa, pois o campo escolhido para meu pouso se aproximava, devagar no começo, depois parecendo ganhar velocidade até que num arranco final, como se tentasse me agarrar pelas pernas, a grama saltou em cima de mim...

Dolly Shepherd teve ocasião de praticar o primeiro salvamento em pára-quedas quando fazia um salto conjunto com uma colega, os trapézios de ambas atados ao mesmo balão. Acionado, o dispositivo da amiga não se desprendeu do aerostato, que seguia subindo, arrastando as duas mulheres nuvens adentro. Dolly agarrou-se ao trapézio da outra, transferiu-a para o seu e então se soltou. O peso duplo fez o pára-quedas descer em velocidade vertiginosa, em resultado da qual ela quebrou a espinha ao aterrissar; a amiga chegou ilesa. Dois meses depois do acidente Dolly estava saltando de novo. Saltaria em caráter profissional até 1912. Dos quatro colegas da equipe original a que pertenceu, três morreram saltando. Em 1976 Dolly Shepherd fez sua última descida em pára-quedas. Morreu aos 97 anos, dias depois de terminar a revisão de sua autobiografia. Se existe um impulso suicida nesses pioneiros, se algo assim se acha oculto na alma de todo pára-quedista, nenhum indício aparece no relato da rainha do pára-quedas, cheio de paixão jovial, quase inconseqüente, pela extraordinária aventura que viveu.

Então vamos? Você tem amarras acolchoadas nas axilas e nas virilhas, o que é o bastante para fazê-lo andar como um astronauta. No trajeto até a casinha que serve de torre de comando (aqui eles não dizem "torre", dizem *manifesto*), tenho a impressão de que as rodinhas se calam para me abrir passagem, as pessoas olhando numa atitude de respeito silencioso; penso em Alan Shepard caminhando até a *Mercury 7* para se tornar o primeiro "homem livre" em órbita no espaço. Mas não é bem isso, logo me dou conta de que os circunstantes se afastam como se eu fosse o portador de alguma infecção medieval, daquelas que matavam no mesmo dia em que eram contraídas. *Será que esse cara dá azar?*, leio essa pergunta até no semblante do cachorro que sentou para me ver melhor. A menos cem metros do manifesto está o ponto de pouso, um círculo com uns seis metros de raio, coberto por um leito de pedregulhos arredondados e castanhos. Uma garota de talvez quinze anos vem chegando de lá, as faces pegando fogo, enquanto as amigas, empoleiradas na cerca, tiram fotos e gritam: *E aí?. Um tesão!*, ela responde. *Sua mãe ligou, tá uma fera!* Ela está naquela idade em que a revolução hormonal pode levar uma adolescente a qualquer extremo, da heroína à dupla penetração, só que no seu caso específico não há rastro de sexo ou entorpecente, toda volúpia convertida em outro tipo de vertigem, outra modalidade de queda. Quem inventou que esporte não é droga? Tenho inveja dela. Porque é tão jovem, porque está feliz, porque já chegou no chão? Porque já chegou no chão.

 Tinha pensado sobre como me despedir de Laura. Abraço sem palavras? Continência militar batida de leve, só com dois dedos? Enérgico aperto de mãos, *te vejo daqui a pouco*? Optei por um aeronáutico sinal de positivo, gesto que ela faz muito, aliás; e de fato minha amiga corresponde com entusiasmo, em parte devido, receio, ao puro prazer de repeti-lo. Vamos para o avião o instrutor, um jovem de feições orientais que é o cinegrafista (sim, a fita de vídeo vem incluída nos 245 reais), eu e um quarto sujeito que não tenho noção de quem é, até ele assumir a cadeira do piloto. Vasculho seus rostos à procura de sinais de intoxicação por narcóticos. Devia ter pedido um eletro desses caras, penso. Entro na aeronave. Interior simples mas elegante. Como todas as poltronas menos uma foram removidas, há espaço suficiente para três pessoas recostadas no assoalho. A vista é magnífica, mas não existe banheiro disponível, o que se afigura um complicador. No macacão do cinegrafista vejo uma etiqueta onde leio o verso de Horácio, *carpe diem*, aproveite o dia, com sua mensagem tão equívoca (esbalde-se ou, pelo contrário, não desperdice o tempo em dissipações?); mas não se trata de poesia latina, e sim do apropriado nome da loja que vende esses apetrechos.

 O sol se precipita. Vejo a torre passar, a quadra de futebol, um sujeito que se agacha para ajustar o pedal da bicicleta, algumas vacas pastando e então o monomotor decola sobre um gigantesco exército de cupinzeiros, perfilados em falanges mais ou menos regulares que por um instante me lembraram os soldados de terracota pouco antes de mergulhar, há mais de 2 mil anos, na escuridão. Foi só então que deu vontade de chorar.

Olha pra cá, velhinho! Do alto dos seus vinte e poucos anos, o cinegrafista só me chama de "velhinho", o que me dá ganas de chamá-lo de "japa" se eu não estivesse ocupado demais em morrer de medo. São 25 minutos até o Juízo Final dos 10 mil pés, mas a noção de tempo começa a se esgarçar, tracionada pelos desejos, contraditórios e igualmente imperiosos, de que passe logo e não chegue nunca. Tento acreditar na explicação de que o sistema límbico do réptil, sepultado no miolo da medula humana, não reconhece uma tal altura e que por conseqüência o medo de saltar é *cosa mentale*, na expressão do já mencionado Leonardo. Segundo essa doutrina, na hora H você não deveria ter medo, assim como não entra em pânico quando um mapa colorido é aberto na sua frente ou quando um comerciante desenrola um tapete turco a seus pés. Outro fator a deformar o sentido de tempo, o sol parecia nascer à medida que nos elevávamos acima da linha do horizonte, derramando uma tonalidade de cobre sobre o xadrez de verdes, azuis e castanhos marcado a régua pelas linhas amarelas das estradas de terra. Pensei que haveria muita conversa mole a bordo, mas ninguém abre o bico. Apesar do macacão, quente demais em terra, começo a sentir um frio himalaio. Mesmo ciente de que subíamos em círculos, tenho a impressão de que a pista já está a uns duzentos quilômetros, mas evito olhar para baixo.

Lembro do meu padrinho, um engenheiro de lapiseira e régua de cálculo no bolso, que voava nesses aviõezinhos por hobby. Ele me levou uma vez — eu tinha onze anos, foi o maior programa — e o que mais me impressionou foi a meticulosidade com que ele checava e rechecava cada procedimento. Passei a imitá-lo para parecer engenheiro também. Pouco tempo depois, o mau tempo o obrigou a um pouso de emergência, que ele realizava com perícia, numa praia de Santa Catarina, mas a míseros metros do solo a asa bateu num fio de alta-tensão. Foi a primeira morte que senti, não tanto como a sentiu o meu pai, de quem ele era, talvez, o sobrinho predileto. E então me lembro de uma manhã muito mais remota, meu pai me levava de carro para a escola, havia um congestionamento monstruoso no caminho. Depois de esperar alguns minutos, ele decide mudar de percurso, tentar um caminho mais longo e talvez desimpedido. Ocorre que o trajeto alternativo nos leva a um congestionamento ainda pior e então ele resolve voltar. *Você não diz sempre que é importante persistir quando a gente decide uma coisa?*, eu perguntei, capcioso. Ele respondeu que depende do caso, às vezes o importante é persistir, às vezes é saber mudar de idéia. Meu pai sempre foi meu guia, meu pai nunca falhou comigo. Não perguntei quando o certo era uma coisa e quando a outra; estava implícito que cabia a cada um descobrir isso sozinho. Será este o momento de desistir? Viro para esses caras e digo: *não quero mais, pronto, não vou agüentar, estou tendo um colapso cardíaco, brincadeira, na verdade pertenço ao serviço secreto da Aeronáutica, damos umas incertas de vez em quando, contrabando, essas coisas, só rotina, aliás, acabo de receber um bipe urgente, era "só um passeio", não era?, desce esse avião se não quer explodir junto com esta granada no meu bolso etc. etc.*

Wake up, time to die! O relógio do instrutor marca sarcasticamente 10 mil pés, penso ouvir a trilha do filme *Psicose*, alguém diz *abre a porta!*, e o primeiro gosto ruim da realidade do que estou por fazer vem à boca junto com o rugido — muito maior do que eu esperava — do motor e da ventania. *Põe as duas pernas para fora, do lado de cá do estribo!*, ouço o instrutor urrar, e sem acreditar nos meus olhos vejo duas botas de camurça idênticas às minhas balançando sobre o abismo, meio corpo para fora. Teria obedecido da mesma forma se ele mandasse cantar a *Traviata*. Estou inapelavelmente desesperado, como se tudo o que eu tivesse vivido até aquele momento fosse um faz-de-conta e só agora me deparasse com a brutalidade do Universo. A partir daí já não tenho uma memória consecutiva, o tempo deixou de existir para mim, quase me pergunto se não sonhei que era um sábio chinês que saltava de páraquedas. Esperava pelo impulso que nos jogaria para fora, não conseguia pensar em outra coisa, mas quando ele aconteceu era como se fosse uma deslealdade pessoal e uma brincadeira de mau gosto, dessas em que alguém nos empurra na piscina. Assistindo ao vídeo mais tarde, vi que demos duas cambalhotas antes de ganhar a posição de queda livre, mas não me recordo delas. Tenho vaga lembrança de uma sensação que seria agradável, se não fosse tão aterradora, do vazio, do mais completo nada que já conheci. Lembro de apalpar o oceano de gelatina transparente, quase gostei. A não mais que três metros de distância e bem à minha frente, vejo um duende japonês que acena de forma frenética para nós e num átimo me lembro do cinegrafista, por onde será que ele pulou, onde andava esses anos todos? Os pára-quedistas dizem que saltar é como fazer amor com os deuses, exagero, digamos que é mais como fazer 69 com o demônio, *that demon that lives in thin air,* e agora vejo o duende japonês dar um pinote como Peter Pan: ele joga beijos e desaparece num mergulho, exatamente como no filme de Walt Disney, e então há o ruído de panos sendo rasgados e uma força que me puxa violentamente para cima; penso que algo fodeu até que uma associação de idéias me leva a concluir que o pára-quedas abriu; o panorama abaixo ficou nítido.

    Alívio? Alívio, mas ao mesmo tempo náusea, não sei se das cambalhotas ou da adrenalina, vou vomitar aqui, eu penso, e se não é possível sentir medo, mas tão-somente terror, diante do mapa e do tapete, agora sim tenho um medo de réptil preso entre as garras do falcão conforme a superfície da terra se torna outra vez reconhecível, as torres elétricas, as copas das árvores, e uma longa manobra à esquerda mostra que continuamos a descer, e depressa. Não preciso fechar os olhos, já está quase noite aqui embaixo. *Levanta os calcanhares senão a gente cai!*, ouço o instrutor, e logo sinto seixos quentes rolando docemente sob as solas dos sapatos, sob as mãos e sob as costas. *Dá um sorriso pra câmera, velhinho!* Vendo o vídeo, parece que fui tomado por um transe telúrico, deitado de costas como se aproveitasse o cascalho para praticar um pouco de ioga, mas não era nada disso, eu simplesmente não conseguia levantar um dedo, meu corpo inteiramente rendido à Mãe-Gravidade. Devo pronunciar algumas palavras. *Pô, cara, é maravilhoso, muito legal, obrigadão aí, valeu mesmo.* Que mais convém dizer? *Que loucura, cara, vocês são loucos!* O cinegrafista responde: *Louco é você!*, e eu entendo bem a alusão: nós sabemos o que estamos fazendo, foi você quem dependeu, como a Blanche Dubois de Tennessee Williams, da bondade de estranhos. Punhos cerrados, Laura vem caminhando a passos rápidos na minha direção. Agora sim damos um abraço, breve e austero, e voltamos em silêncio ao manifesto, onde tomamos champanhe no gargalo.

 O melhor que posso dizer em conclusão é que seria preciso uma bebida ainda mais extraordinária que o champanhe, talvez endorfina *on the rocks*, para fazer jus ao que eu passei. Saltaria de novo? Dificilmente, exceto de um avião em chamas. Recomenda saltar? Sim, se você "se envolver com a idéia". Tornou-se outra pessoa? Não, embora o meu superego, normalmente tão pretensioso, tenha se acovardado de maneira incrível, em mais uma prova de que ele não passa de um biltre que sai correndo tão logo esse sujeito de boa índole e moderadamente cumpridor de suas obrigações que é o meu ego dá um soco na mesa e declara um basta. Saltar deve ser a experiência pessoal mais análoga a invadir o que os físicos chamam de "singularidade", uma estrela de tamanha massa que sua própria luz não tem como escapar ao campo de gravidade que ela cria, no interior do qual espaço e tempo se empenam como os reflexos num espelho de trem-fantasma. Pensei que teria de me conter para não chegar em casa tagarelando sobre minha aventura para o porteiro do prédio. Mas fiquei durante muitos dias calado, feliz e no entanto quieto no meu casulo; relatei o que pude colocar em palavras e espero ter feito justa homenagem aos homens e mulheres que estão lá vingando a morte de Ícaro: o resto é segredo.

Viagem ao Mapiá

Vi também descer do céu, de junto de Deus, a Cidade santa, uma Jerusalém nova, pronta como uma esposa que se enfeitou para seu marido.

Apocalipse, 21,2

O rio Purus nasce nas encostas da cordilheira dos Andes para cruzar a fronteira entre o Peru e o Brasil naquele ponto em que, formando uma reentrância no mapa do Acre, o território do país vizinho mais avança em direção ao estado do Amazonas, que o rio adentra na altura da cidade de Manuel Urbano. Serpenteia então, já em solo amazonense, por uma vasta região inóspita, às vezes chamada de vale da Malária, praticamente desabitada, exceto pelos vilarejos que medram às suas margens, espaçados por cerca de um dia em viagem de canoa. Mais de mil quilômetros depois, num percurso sinuoso que pode tomar duas semanas em barco e no qual se atravessa todo o sudoeste do grande estado, o Purus desemboca sem alarde no rio Amazonas, duzentos quilômetros antes de Manaus.

Boca do Acre, erguida sobre uma ribanceira na confluência em que o Purus recebe as águas do rio Acre, é o último entreposto da civilização ocidental, que come a Amazônia pelas bordas e até hoje mal se incrustou ao longo de seus rios principais. É ali que se fazem as últimas compras, que se toma a última ducha quente e onde o freguês pode adquirir até uma motocicleta em concessionária credenciada, se desejar, embora ela não lhe possa ser útil dali em diante, quando o Purus mergulha, como o rio Congo de Joseph Conrad, em seu "coração das trevas". Acostumados aos bosques amenos de seus países de origem, muitos europeus e norte-americanos têm uma noção idílica da floresta tropical, desconhecendo o quanto ela pode ser hostil à permanência humana. Nesse trecho, mesmo quando emoldurado pelo céu de safira sob um sol que inflama cada ponto da paisagem, o Purus tem algo de sombrio. Como se fossem obra de alguma devastação acarretada pelo homem, suas margens rasgam barrancos abruptos na mata, cujas bordas desabam sobre as águas terrosas, quase cinzentas, na forma de magníficos escombros vegetais que mais parecem fósseis. Atraídos pelas vísceras dos peixes estripados, que os pescadores deixam nas praias, os urubus são a companhia ornitológica mais assídua.

Era a terceira vez que eu punha os pés no interior da Amazônia; tinha jurado, nas outras duas, nunca mais voltar, e agora me lembrava bem por quê. O calor é incondicional, como se a pessoa estivesse imersa num oceano que fervesse a meio caminho entre o líquido e o gasoso — Marlow, o narrador de Conrad, compara a sensação à de estar soterrado sob quilômetros de algodão. Tão inescapáveis quanto o calor acachapante, os mosquitos formam a legião avançada do inesgotável exército de insetos, fungos e larvas que prospera maquinalmente, às cegas, como prospera tudo o que é vivo na Amazônia. Para o seringueiro, a mata pode ser quase tão amistosa como na imaginação do romantismo eurocêntrico; ele se "refresca" na escura umidade conservada sob as catedrais de cipó, onde lhe bastam um punhado de pólvora e sal para sobreviver meses a fio. Para o habitante da cidade, porém, a floresta encerra todos os pesadelos que a vida é capaz de acolher sob aspecto réptil, ofídio, aracnídeo. Peixes podem ser carnívoros, felinos podem ser letais, mas a selva esconde seus seres: é estranho que, em meio a tanta opulência da flora, haja tão pouco vestígio de fauna, a ponto de a floresta parecer, ao menos no Alto Purus, um museu mal-assombrado.

Nosso destino era a Vila do Mapiá, distante cinqüenta quilômetros em linha reta desde Boca do Acre, plantada à beira de um igarapé que deságua no Purus e acessível somente por canoa ou helicóptero. Ali, em janeiro de 1983, após perambular pela selva, uma comunidade de místicos adeptos de uma seita nativa no Acre — o Santo Daime — encontrou sua Terra Prometida. Em tudo semelhante a tantas outras seitas tributárias do cristianismo popular, o Santo Daime se distingue por seu principal sacramento, a ingestão de uma bebida feita à base de duas plantas amazônicas e capaz de induzir a estados de percepção psicológica alterada. Os daimistas acreditam que o emprego ritualístico dessa mistura lhes faculta uma compreensão transcendental de si mesmos, do Universo e da divindade.

Elaborado a partir da maceração de um cipó, o jagube, depois cozido em água junto com as folhas de um arbusto, a chacrona, o "chá alucinógeno" é utilizado na Amazônia ocidental desde tempos imemoriais. Sua invenção é atribuída pela lenda ao príncipe Huáscar, membro da casa real incaica na época da Conquista, que o teria introduzido, após fugir dos espanhóis, entre os índios que habitavam o que é hoje a Amazônia peruana. Sob a denominação de *ayahuasca* ("cipó dos espíritos" em língua quíchua), a bebida vem sendo empregada por curandeiros, tanto índios como caboclos, ao longo do contorno oeste da bacia Amazônica. Nas primeiras décadas do século XX, a extração do látex da seringa, impulsionada pela demanda mundial por borracha, tornou-se uma febre na região; esse ciclo econômico acarretou a incorporação do Acre (1903-4), até então domínio boliviano, ao Brasil, bem como um afluxo de migrantes que deixavam o Nordeste brasileiro em busca de trabalho na fronteira dos seringais. O maranhense Raimundo Irineu Serra era um deles.

De acordo com seus biógrafos, esse homem — um negro de parca instrução escolar e quase dois metros de altura — colaborou na demarcação de limites entre Brasil, Peru e Bolívia, tendo atuado, a crer numa das versões, sob as ordens do legendário marechal Rondon. Em algum momento da década de 1920, provavelmente em território boliviano, Irineu Serra travou contato com a ayahuasca, que lhe teria sido ministrada, a título terapêutico, por curandeiros do sertão. Num transe provocado pela bebida, ele julgou receber a visita de uma certa Rainha da Floresta, que se anunciava como a mesma personagem que atende pelo nome de Nossa Senhora da Conceição. Sob instruções estritas dessa visão beatífica, o seringueiro e guarda-florestal se internou durante oito dias na mata fechada, alimentado-se apenas de macaxeira insossa e ayahuasca, ao cabo dos quais emergiu, como Moisés ao descer do Sinai, de posse das tábuas de uma nova religião — a única revelada no Brasil — que ele batizou como Santo Daime, em referência às exortações "dai-me a luz", "dai-me o amor" etc.

A inspiração de Mestre Irineu, como ele passaria a ser conhecido, foi integrar os poderes psicoativos da bebida, até então empregados de maneira arbitrária, num sistema de crenças derivado da mitologia cristã e do simbolismo kardecista, no qual ele admitiu ainda certos elementos do candomblé e da Ordem de Rosa Cruz, à qual teria pertencido, submetendo esses conteúdos a uma liturgia própria de que resultou a única religião originalmente brasileira. Por meio do Santo Daime, o politeísmo mercenário dos *ayahuasqueiros* se convertia em código moral, caminho para a renovação da fé e da utopia comunitária, aberta, em seu ecletismo, aos trânsfugas de todos os credos, beneficiária das angústias trazidas pela decadência da produção amazônica, que seria suplantada, a partir de 1930, pelo látex da Malásia.

O Santo Daime tornou-se famoso em todo o país no final dos anos 80, quando se soube que diversos artistas de televisão abraçavam o credo. Pouco depois surgiam denúncias horripilantes, em que havia um pouco de tudo: manipulação de menores, lavagem cerebral, emprego de anfetaminas, curandeirismo, indução ao suicídio, até mesmo um caso de assassinato por castração era reportado. Dez anos depois das denúncias, algumas das celebridades então convertidas, aparentemente desgostosas, recusavam-se a falar sobre seu envolvimento com a seita. Os adeptos do Daime, porém, propalam não apenas os êxtases indescritíveis em que lhes foi dado vislumbrar os segredos do cosmo, como também a felicidade que o uso ritual da bebida teria derramado sobre seu dia-a-dia. Conheci daimistas que me pareceram perfeitamente adaptados a uma vida produtiva e pacífica, "normais" em qualquer sentido, exceto talvez pelo excessivo pendor à superstição — o que não os distingue de grande parte da população em geral. Conheci outros que afirmam ter vencido a dependência do álcool e da cocaína ou se curado das mais variadas moléstias graças ao Daime. É comum que os fiéis ostentem um ar de serenidade; sua pele parece adquirir um tom acastanhado e brilhante, seus olhos também brilham como se estivessem tocados por um estado de graça (ou de estupor). Era a sede, perdida na floresta, dessa misteriosa igreja hoje espalhada pelas principais cidades do Brasil e do mundo que eu ia visitar.

Entre as providências preliminares, entrevistei por telefone o antropólogo Edward MacRae, brasileiro de origem escocesa, autor de um livro no qual se encontra uma boa introdução ao assunto, *Guiado pela Lua* (Brasiliense, 1992). Para deixá-lo à vontade, exagerei os meus receios com relação à viagem planejada; suponho que MacRae tenha exagerado também, imaginando que eu fosse mais neurótico do que sou e que convinha prevenir. Perguntei, por exemplo, que "acidente" era aquele referido em seu livro. Ele me esclareceu que, em dez viagens ao Mapiá, havia naufragado duas vezes: numa delas, quebrara duas costelas, ficando sob suspeita de hemorragia interna durante dias; na outra, permanecera horas agarrado a um tronco, no rio infestado de sucuris, torcendo para que passasse algum barco antes de anoitecer. Sobre o abastecimento de soro antiofídico no local, MacRae me deu a informação pouco tranqüilizadora de que "às vezes tem, às vezes, não".

São seis horas em avião do Rio ou São Paulo até Rio Branco, mais quatro horas em táxi (se chover, pode ser o dobro disso) por estrada de terra, quando se começa a sentir o poder local da organização. O traslado fica por conta do taxista Mão Branca, radioamador que trabalha para o Daime e navega pelas estradas inundáveis como se elas fossem um mar Jônico e ele, seu Odisseu motorizado. A hospedagem em Boca do Acre é no hotelzinho mantido pela seita, onde já está a postos outro daimista, seu Chagas, um homem que, apesar do aspecto de juiz de paz, com os sapatos alinhados e um bigodinho à anos 40, é o Caronte que vai nos conduzir em sua canoa rio abaixo. Eu tinha me equipado mais ou menos como se fosse tomar parte numa missão suicida no Vietnã, precisando de algum sargento que jogasse fora, como na cena do filme *Platoon*, metade da minha tralha. Estava vacinado, preparado para crise renal, pernoite na selva, ataque de índios, o diabo. Sabia que os apetrechos só me dariam conforto psicológico, mas na manhã em que tomamos a canoa já tinha desistido de me reorganizar, tão caótica era a profusão de sacos plásticos reservados para sucessivas emergências, nem eu sabia quais.

No meio do caminho, quando o igarapé encontra o Purus, é preciso trocar o motor de popa por um outro, chamado "rabeta", que é elevável, de acordo com o princípio de Arquimedes, por meio de uma vara, de modo a não raspar o chão nas partes mais rasas ou atravancadas por troncos caídos na água. Nessa altura, o Purus tem cerca de cinqüenta metros de largo, mas o igarapé é bem mais estreito, não mais que cinco ou dez metros, conforme o trecho; pela primeira vez é possível ver a floresta de perto. O cenário parece, então, estranhamente artificial, como se fosse a réplica de algum parque temático. A cada curva do igarapé se descortina uma prainha de estúdio, em formato de perfeita meia-lua, na qual só falta irromper um sorridente casal hollywoodiano; casebres de madeira, aparentemente abandonados aqui e ali, parecem ilustrar um estande da Disneyworld sobre malária ou canibalismo no coração da África. O barulho do barco, que deve assustar os bichos, produz insólitas ilusões acústicas, dando a impressão, por exemplo, de que o chilrear dos pássaros na mata é ensurdecedor, mas tão logo o motor é desligado não há nada exceto silêncio.

Num percurso quase de sol a sol, tudo o que vimos capaz de mover-se foram umas poucas aves e um peixe que saltou para dentro da canoa. Aos poucos, fui abandonado pelo pavor de escorpiões, aranhas, cobras e onças, para me concentrar no que estava por vir. Pensava em como dirigir a palavra ao atual líder da seita quando o encontrasse (*Padrinho Alfredo, I presume?*) e percorria todas as fantasias nutridas em tantos meses de preparativos, com destaque para aquela em que me via na contingência de ter de escapar de uma seita satânica em plena Amazônia. Foi nesse estado de espírito que, pouco antes das três da tarde, 26 horas depois de haver embarcado no aeroporto de São Paulo, ainda sob a irradiação perpendicular do sol nessas baixas latitudes, divisei os telhados prateados da Vila do Céu do Mapiá, que faiscavam à distância como miragens do Eldorado.

Eu havia tomado o Santo Daime pela primeira vez no final de maio de 1999, em São Paulo, numa das noites mais frias do ano. Essa não é uma religião proselitista, não sendo praxe entre seus adeptos, para quem o Daime "chama" as pessoas na hora em que elas devem vir, promover conversões. *O Daime é para todos, mas nem todos são para o Daime*, diz um dos motes da doutrina. Foi só depois de alguma insistência que minha amiga Janete, fotógrafa e freqüentadora do culto há alguns anos, concordou em me levar. O problema para quem vai experimentar a bebida não se resume às eventuais *mirações*, que podem assumir feição desagradável e até aterradora, como nos relatos de pessoas que alegam ter assistido à própria morte ou visto entes queridos desfigurados em seus caixões, nem ao risco de que a ayahuasca desencadeie perturbações de ordem psiquiátrica ou faça do neófito um joguete de forças (químicas? psíquicas? espirituais?) fora de seu controle. Há percalços mais prosaicos: a ingestão da bebida é muitas vezes seguida de violenta náusea e não raro de diarréia. Os daimistas acreditam que nessas reações, características de qualquer tipo de intoxicação, já tem início a "cura", como se a bebida operasse um efeito purgativo e salutar; da mesma forma que os psicanalistas, eles acreditam que, quanto mais vigorosa a reação, mais o indivíduo estava precisado do tratamento. Por medida de prudência recomenda-se não consumir carne ou álcool três dias antes e depois de tomar o Daime, período em que convém abster-se igualmente de relações sexuais, a fim de não "dissipar energias".

Quem recebe um *despacho* de Daime pela primeira vez costuma ter o pensamento assaltado por dúvidas: o que estou fazendo é uma tolice, uma loucura ou apenas um sinal do ponto a que cheguei? Terei alucinações deslumbrantes das quais serei capaz de me lembrar na volta? A propósito, voltarei? (Nas minhas perquirições eu ouvira de um professor universitário, inteligente e racionalista, que havia passado pela experiência, que *se eles não estiverem por* perto pra te segurar você não volta...) Ou será que amanhã serei um novo homem, que vai olhar para sua melancólica vida pregressa com um misto de desdém e compaixão? Mas, nesse caso, de que maneira saber se não me terei transformado, como costuma acontecer na ficção científica, num autômato feliz? Claro que essas questões me atormentavam também. O que mais preocupava, entretanto, era que eu me propunha a adotar um enfoque antropológico (era essa, ao menos, a forma que minha defesa psicológica revestia); estava ali como embaixador da Razão — e temia fraquejar.

Um dos cinco *pontos* mantidos pelo Daime na periferia da cidade de São Paulo, o Céu de Maria é uma chácara nas colinas do pico do Jaraguá de onde se desvela, à noite, a mais espetacular vista da metrópole que já pude contemplar, abarcando os 180 graus de um semicírculo de pontos cintilantes a perder de vista sob conglomerados de poluição. Pensei na passagem da autobiografia de Maiakóvski na qual o poeta relata que, após ter visto pela primeira vez, durante sua infância no campo, uma usina elétrica iluminada à noite, nunca mais conseguira se interessar pela natureza. Havíamos chegado às sete da noite. Sempre guiado por Janete, eu assinara o livro de controle, pagara uma contribuição espontânea de quinze reais e fora encaminhado ao vestuário, uma construção de concreto aparente, dotada de um pequeno banheiro onde as duas cabines disponíveis são isoladas por precários cortinados de plástico. O frio já era intenso, esperávamos junto a uma fogueira à medida que os fiéis iam chegando, até que chegou, pouco antes das nove, Glauco Vilas Boas, que aqui não é, entretanto, o famoso cartunista, criador do nacionalmente conhecido personagem Geraldão, mas nada menos que o chefe do ponto, autoridade máxima no local, que em breve estará no comando do *trabalho*.

Vários jovens o cercam, a pedir conselhos ou contar algo que os enalteça perante o guru. É engraçado que ele, sendo no mundo real aquele "maluco" dos cartuns, seja visto naquele mundo bizarro como se fosse o patriarca de alguma igreja ortodoxa. Fiquei feliz ao constatar que Glauco, a quem eu não via fazia muito tempo, não enlouquecera. Ele parecia o mesmo Glauco de sempre, meio tímido, meio brincalhão. Estava mais magro e bem-disposto, seu aspecto em geral melhorara, sobretudo depois que ele reapareceu ao lado de sua mulher, Bia, *madrinha* da casa, vestido numa das duas elegantes *fardas* que os daimistas usam em seus rituais: camisa branca, calças e gravata azul-marinho (a outra indumentária, de gala, consiste em terno branco, duas listras verdes na lateral das calças, a mesma gravata azul). Conversamos um pouco na frente do fogo, ele tem a sabedoria de não parecer "sábio", nem grave, nem profundo, mas enquanto eu examinava sua silhueta, ao mesmo tempo sofrida e inocente, esbatida pelo jogo de luz das chamas, na qual se expandia um olhar de quem já viu mais do que nós vimos, não pude deixar de pensar — serei tão sugestionável assim?

— num retrato de Dante que um amigo tem em sua casa. Janete parece uma escolar, envergando o uniforme feminino: saia azul-marinho longa e preguada, camisa branca, gravata-borboleta azul. Minhas pernas bambeiam quando de repente, como quem convida para um café na esquina, Glauco se volta para mim e diz: *Vamos lá tomar um daimezinho?*

O templo é um barracão de alvenaria em formato quadrangular, com cerca de vinte metros de lado. No gramado em frente à porta, além dos mastros para as bandeiras do Brasil, do Santo Daime e do Céu de Maria, está plantada uma grande cruz de Caravaca, com suas duas traves horizontais, a segunda significando o retorno de Cristo à Terra (sim, existe essa expectativa quanto a planos celestiais de nos dar uma enésima chance). Após se desejarem *bom trabalho* uns aos outros, homens entram pela direita, mulheres pela esquerda, numa divisão rigorosamente mantida dentro do recinto, cujo piso é cortado ao meio por uma linha demarcatória. O ambiente é iluminado por lâmpadas de mercúrio; no centro, em torno da viga que sustenta o telhado, há um altar de madeira, em forma de estrela de seis pontas, sobre o qual se acham castiçais com velas, vasos de flores, incenso, miçangas e um retrato do Mestre Irineu em meio a uma profusão de imagens católicas. Em torno desse altar estão dispostas, em círculos concêntricos, várias filas de cadeiras plásticas, com seus respectivos lugares também marcados a tinta no chão. Na fileira mais próxima ao altar ficam os responsáveis pela condução da cerimônia e os músicos, com violões, atabaque, flauta e maracás. Os demais presentes se distribuem de acordo com hierarquias rígidas, de modo que rapazes fiquem do lado oposto a moças (solteiras, logo supostamente virgens), homens adultos do lado oposto a mulheres casadas, e que em cada fileira os fiéis se disponham em ordem decrescente de altura. No Céu de Maria, o teto está forrado de bandeirolas de festa junina, que formam a imagem surpreendente da bandeira nacional, como se todo aquele pessoal se mantivesse congelado numa grande comemoração pela conquista do Penta. Não pude deixar de perceber inquietantes rolos de papel higiênico sobre os parapeitos e pelos cantos do salão.

    Ao fundo, duas janelas se abrem para um mesmo aposento reservado, cada uma correspondendo aos setores masculino e feminino: através delas é servido o daime em copos de vidro, desses em que se serve cachaça nos botecos, o mesmo copo para cada metade da audiência, que forma fila para tomar a bebida de hora em hora. Seguem-se os *hinários*, cantados a plenos pulmões pela platéia, de acordo, também, com uma seqüência preestabelecida. Soam como cânticos de procissões do interior, embora o andamento seja mais vivaz e marcial. Com poucas exceções, a poesia desses hinos é pobre, sendo às vezes penoso o esforço do autor para cinzelar uma rima canhestra, que o leva longe do que estava a dizer. A mensagem é de um cristianismo prosaico que se combina à adoração pagã do Sol, da Lua, das estrelas e dos espíritos da floresta. Os hinários contêm a essência dos *ensinos* do Santo Daime e ainda hoje um desses recitativos pode ser "recebido", em estado de transe, pelos *padrinhos* da seita. O conjunto dos cânticos é chamado de *Terceiro Testamento*, suposta chave para a consecução, sempre frustrada, dos outros dois. À custa de se repetirem, algumas melodias se mostram encantadoras e certas letras comovem com seu lirismo ingênuo.

Quando entramos, o templo já estava repleto de *fardados*, fiéis que passaram pela cerimônia de iniciação, vindo a integrar o estado-maior da doutrina. Parecia um sabá de bruxos, um encontro de congregados marianos, um congresso da maçonaria, uma assembléia no sindicato dos garçons — e tudo isso ao mesmo tempo; minha avaliação oscilava entre o solene e o farsesco. Eu me perguntava quem seriam aquelas pessoas. O Céu de Maria é freqüentado por arquitetos, publicitários, jornalistas, sendo notório que parte da irmandade provinha de uma classe média "alternativa". Mas havia também mulheres idosas com ar de beatas e muitos rapazes que pareciam de origem pobre, alguns deles, conforme soube mais tarde, recuperados da delinqüência por obra e graça do Daime. Havia brancos e mulatos, pessoas "estranhas" e "normais", quarentões e algumas crianças, além de uma mulher grávida.

Como eu era *visitante*, Glauco teve a deferência de furar a fila comigo, levando-me diretamente ao quarto onde o Daime fica armazenado em garrafões de plástico cujo conteúdo, vertido em filtros de água mineral, abastece os copinhos para ambas as filas. Estava nervoso, o coração aos pulos, e qual não foi minha surpresa quando lá dentro dei de cara com um caboclo empacotado num macacão de náilon e gorro para neve, como se estivesse prestes a desembestar Jaraguá abaixo por alguma absurda pista de esqui. Era um padrinho friorento, importado da Jerusalém amazônica por poucas semanas a fim de prestigiar o Céu de Maria, a quem

Glauco solicita, respeitosamente, autorização para ministrar-me o *despacho*. O padrinho assente; percebo que ele se diverte tanto com o tom cerimonioso de Glauco quanto com a minha cara, lívida de pânico. No mesmo quarto, dispensando a bebida como se fora um "maître do *astral*", está Orlando, o irmão de Glauco; a gravidade de sua fisionomia, enquadrada por uma barbicha de inquisidor espanhol, deixa-me sobressaltado.

Do ponto de vista químico, não existe segredo. Cientificamente conhecido como *Banisteriopsis caapi*, o cipó amazônico contém três alcalóides capazes de induzir a perturbações da consciência: harmalina, harmina e tetrahidroharmina. Sua performance foi pela primeira vez descrita pelo explorador e botânico inglês Richard Spruce, que experimentou a ayahuasca enquanto viajava pelo Alto Rio Negro em 1851. Segundo a *Psychedelics Encyclopedia* (Rain Publishing, 1992), do pesquisador norte-americano Peter Stafford, as amostras enviadas por Spruce a seu país se perderam, tendo sido encontradas somente em 1966; submetidas a análise química, revelaram-se ainda psicoativas. A harmalina fora isolada em 1841, extraída de uma planta nativa do Oriente Médio; sua estrutura química foi estabelecida em 1919 e a substância foi sintetizada pela primeira vez em 1927. Já as folhas da chacrona (*Psychotria viridis*) contêm outro alcalóide, conhecido pela sigla DMT, que se torna psicoativo na presença da harmalina. Eventuais efeitos terapêuticos dessas substâncias ainda estão por se comprovar, embora haja evidência de que elas exercem alguma ação antimicrobiana. O Daime é um líquido turvo e terroso, de um alaranjado fosco, semelhante ao das águas do Purus, cujo paladar faz jus à fama de ser um dos piores gostos que se podem provar neste vale de lágrimas. É amargo e tem um travo azedo de fermentação, tão único que é preciso rebuscar, na imaginação gustativa, algo cujo sabor só suspeitamos pelo buquê sinistro: vinhoto de cana. A sensação de enjôo é imediata e fulminante.

Engoli a dose e rumei para a cadeira que me havia sido indicada, logo atrás do posto de onde Glauco, acordeão em punho, dava início às atividades. A filha de Bia, Juliana, uma bela morena em finais de adolescência, é quem puxa o hinário, imitando a voz em falsete nasal e o sotaque caboclo que ecoam nas igrejas do interior pelo Brasil afora. Olhei discretamente para o relógio e me dispus a observar minhas próprias reações, invocando o exemplo daquele heróico Spruce, que quase morreu de malária e disenteria sem que nem ao menos lhe dessem o título de *Sir*. Começava a temer, agora, o perigo inverso, ou seja, o de me examinar tão atentamente a ponto de incidir nas mais grosseiras formas de autosugestão. Reproduzo minhas impressões iniciais tal como as anotaria, na madrugada daquela mesma noite: *Volto para a cadeira como se a minha personalidade fosse se desintegrar em segundos. Tenho impressão de que meu pulso se acelerou, devo estar com taquicardia. Será que já estou sentindo enjôo? Vou acompanhar o hino, agir normalmente. Frio cortante. Procuro, sem sucesso, descobrir onde se meteu a Janete. As letras das músicas são ridículas. O que me deu na telha quando decidi vir aqui? Isso vai ser insuportável, eu penso, sabendo que os rituais duram seis, sete horas, que às vezes vão até amanhecer. Se não agüentar vou embora, invoco o direito de ir e vir.* E assim por diante.

A crer no meu relógio, passaram-se alguns minutos e eu me encontrava radiante por não ter "babado na gravata", como diria nosso maior dramaturgo, embora fosse praticamente o único que não envergava uma no recinto. Mais relaxado, entreguei-me ao esporte de perscrutar cada rosto para me dar conta de que vários deles já estavam fixados, com fisionomia de alarme, em mim; uma senhora mal contém o riso e cochicha algo com a vizinha; falam a meu respeito ou já comecei a *mirar*? Sinto um cutucão inamistoso nas costas e escuto Vado, um amigo de Janete que nos acompanha, sussurrar: *descruza as pernas!* Ninguém me contara essa parte.

Soube depois que eu estava interrompendo a *corrente*. Tenho vontade de responder que, acreditando quando muito na tabela periódica dos elementos químicos, não me importo de respeitar toda crendice alheia — hóstia, circuncisão, mandinga ou mantra — com ecumênica indiferença, desde que me informem previamente sobre qual a tolice em vigor, mas engulo, e descruzo as pernas. Puto da vida, começo a suspeitar de que tudo aquilo é uma palhaçada e decido sair para respirar. Estava enjoado, tonto, prostrado como se cada membro do corpo pesasse vinte quilos. Escalo o topo de onde se avista a terceira maior cidade do mundo e no caminho entre os arbustos sou capaz de jurar que minha acuidade visual aumentou, tudo está nítido e brilhoso, como se as gotas de urina fossem iluminadas pelo sol, não pela lua. Sou importunado por um dos *fiscais* que patrulham a redondeza, lanterna em punho, agentes destacados para manter a ordem e assistir os que passam mal durante o culto, embora seja obscuro o que eles possam fazer a respeito. Procurando ser delicado, ele me compele, no entanto, a retomar o trabalho. Julguei profundamente cristão que o fiscal se desforrasse de suas frustrações em mim, tendo ainda por cima o álibi de que agia para meu próprio bem. Resmungando monossílabos, tolerei admoestações paternais de um moleque parcialmente alfabetizado, limitando-me a recordar os versos de um hino que diz, com doce solecismo: *vamos, meus irmãos/ vamos todos se humilhar.*

O resumo da ópera é que, depois de seis horas e quatro doses, eu não havia mirado; os efeitos descritos, além de decepcionantes, eram tênues, duvidosos. Sou consolado com a explicação de que é assim mesmo, o Daime às vezes demora a se apresentar e longe do berço amazônico tudo o que ele deixa entrever é uma "fresta" das visões gloriosas que sobrevêm na mata. Calculo que na Amazônia as substâncias psicoativas estejam menos diluídas na beberagem. Ao chegar em casa, enquanto prometia a mim mesmo nunca mais voltar lá, vomitei até a alma, tendo a oportunidade de corroborar a crua advertência do médico Andrew Weil, especialista em psicotrópicos que escreveu sobre a ayahuasca, de que o Daime "tem um gosto ainda pior ao subir do que ao descer". Ato contínuo, devoro todas as frutas disponíveis na casa, tomo um litro de água e, apesar de ter ido dormir quando já amanhecia, desperto cedo e com uma disposição invejável. Passam-se alguns dias e decido submeter-me à provação uma segunda vez, só para ter certeza. A mesma coisa se repete, meu desapontamento se cristaliza, mas começo a gostar de alguns hinos, que me voltam à mente, aos fiapos, durante o dia. Àquela altura, já estava decidido a conhecer o Mapiá.

Alguns dias antes da partida, faço uma terceira e displicente visita ao Céu de Maria, sentindo-me quase um membro honorário da casa. Desta vez o ritual não consiste apenas de cantoria, há também dança ao som dos hinos, dois ou três passos muito simples que o fiel pratica nos limites do espaço que lhe é delimitado no chão; é o que os daimistas chamam de *bailado*. A corajosa Priscila veio comigo; é sua primeira vez e às tantas posso ver, de soslaio, que ela parece percorrer lugares remotos. Fico preocupado por ela, que me acena discretamente, dando a entender que está bem. Estimulado por seu exemplo, deixo-me ficar, como faz a maioria dos presentes, longamente de olhos fechados, o que evitara nas ocasiões anteriores.

Em meio a devaneios prosaicos, subitamente me dou conta de estar vivendo fantasmas de situações "reais" que evoluem, porém, num plano estritamente mental, em vislumbres cada vez mais vertiginosos; sou tragado por associações de idéias que me arrastam como um redemoinho até a beira de seu vórtice. Alarmado, abro os olhos, zonzo, nauseado e sofrendo cólicas intermitentes, para "voltar" ao salão como se retornasse de uma longa viagem, demorando alguns momentos a reconhecer o ambiente, os circunstantes e o que faço ali. Pouco depois, fecho os olhos outra vez, um acorde solene ressoa como se comandasse o desvelamento de alguma retina do mundo interior, onde até então só havia um cego tagarelando ininterruptamente consigo mesmo, e eu me sinto eufórico ao constatar que a experiência poderia ser reproduzida, ainda que em relances fugidios. Vejo — para ser mais exato: imagino ver — cenas corriqueiras de infância sucedendo-se tão depressa que, ao contemplar a seguinte, já esquecera a anterior; depois vi as constelações mais próximas à medida que me afastava numa trajetória espiralada até ter, diante dos olhos, a galáxia inteira. Estava feliz e assustado ao mesmo tempo: o Santo Daime me permitira espiar pela "fresta".

O horário que vigora na Vila do Mapiá não existe em nenhum outro local do mundo. Em Boca do Acre o fuso é o de Rio Branco, enquanto em Pauini, município que está entre os mais pobres do Brasil e onde se situa a comunidade daimista, o fuso é o de Manaus. Quando são dez horas em Rio Branco, são onze em Manaus, mas no Mapiá o relógio marca dez e meia. Os mapienses falam dessa e das demais peculiaridades de sua terra com evidente orgulho. Eles se referem a todo visitante, não importa qual a sua origem geográfica, como sendo *do mundo, da rua* ou *lá de fora*, mostrando-se ansiosos por conhecer suas impressões sobre a estadia. No livro *A chave do tamanho*, de Monteiro Lobato, há um capítulo rousseauniano em que Emília vê surgir, no meio da relva convertida em floresta, uma comunidade operosa — Pail City —, organizada, como sugere o nome, em torno de um balde virado. Seus habitantes, reduzidos a um tamanho ínfimo como todos os demais seres humanos, decidem reconstruir a sociedade em novas bases, julgando que o cataclismo fora uma dádiva aos lhes dar a oportunidade de corrigir seus erros e renascer. É um pouco assim a Vila do Mapiá.

Cerca de mil pessoas vivem ao longo desse afluente do rio Purus, metade das quais concentradas na vila, que se estende por duas ou três centenas de metros ao redor do ponto em que o Mapiá recebe as águas avermelhadas de um igarapé menor, o Repartição.

O centro da vila é uma praça de chão batido onde se preserva a velha canoa que serviu os pioneiros, entronizada à maneira de monumento, em torno da qual algumas construções abrigam a administração da seita, duas vendas desabastecidas, um gerador a óleo diesel, poucas famílias e *nenhuma* farmácia.

Na margem oposta do igarapé, no alto de uma elevação, foi edificada a igreja, que parece a Basílica de São Pedro quando comparada ao Céu de Maria. Não longe dali fica a casa do Padrinho Alfredo, austera e espaçosa como uma antiga casa-grande, pintada com as cores nacionais. Todos os edifícios são de madeira. Muitos se erguem sobre palafitas, para prevenir inundações, seus telhados piramidais, forrados de lâminas de zinco ou alumínio, cintilando ao sol. Diversas casas estão equipadas com baterias abastecidas por energia solar. Quem caminha alguns minutos em qualquer direção dá na floresta, onde rareiam algumas casinhas, com as quais você pode topar, como João e Maria, numa clareira inesperada no seio da mata. Ficamos na pousada São Miguel, a única existente, à qual um informante que prefere manter-se anônimo dera a cotação de "zero-estrela". Dotado de quartos arejados, lençóis limpos, água encanada e refeições regulares, o estabelecimento é daqueles que os guias de turismo chamam de "decente".

Um sobradão de madeira, a casa é também ponto de romaria, pois nela viveu o fundador da vila e profeta máximo da doutrina, o Padrinho Sebastião. Ali teria a ocasião de conhecer diversos tipos de daimistas: Cid, o proprietário, um manauara com manemolências de carioca; Benjinha, um estudante que trouxera a mãe católica para assistir a seu casamento no ritual daimista; e dois representantes do ponto de Cuiabá. Ambos quarentões e corpulentos, sempre metidos em agasalhos esportivos, eles pareciam agentes secretos infiltrados por algum roteirista de comédias para espionar a "seita alucinógena". Sua disposição permanente, seu infame senso de humor, seu apetite à mesa, seu entusiasmo no bailado, tudo neles exalava saúde e fé. Pensei em delegados de algum país distante que visitassem, numa peregrinação promovida pela sucursal do Partido, a Moscou do Império Soviético, mostrando-se desvanecidos com as maravilhas que lhes era dado conhecer de perto.

A origem do Mapiá remonta aos tempos confusos que se seguiram à morte do Mestre Irineu, em 1971. Diversos líderes disputavam a direção do movimento, então sediado no bairro do Alto Santo, na periferia de Rio Branco; talvez não seja fantasioso pensar que Dona Peregrina, a viúva, tergiversasse entre eles como uma Penélope cabocla. Um dos padrinhos era o fabricante de canoas Sebastião Mota de Melo, ex-seringueiro e músico como o Mestre, que chefiava uma comunidade em imediações mais afastadas da capital do Acre, chamada Colônia Cinco Mil, em alusão ao preço de cada lote do terreno. Eventualmente, a passagem do Mestre Irineu daria ensejo a cismas ao cabo dos quais a doutrina daimista estaria fragmentada em diferentes credos, entre eles a União do Vegetal e A Barquinha, seitas semelhantes àquela que no Sul conhecemos como Santo Daime, mas que mantêm organização e liturgia próprias, sendo refratárias a qualquer tipo de publicidade. A União do Vegetal, aliás, reivindica origem própria, embora análoga à dos daimistas. Seu fundador, Mestre José Gabriel da Costa, era um seringueiro que travou contato com o chá sagrado — chamado por seus seguidores de *hoasca* — no final dos anos 1950, na fronteira com a Bolívia. Organizou um credo sob forte influência do espiritismo.

Padrinho Sebastião, o fabricante de canoas, tentou compor-se com a dinastia reinante, capitaneada pela viúva do Mestre Irineu, mas terminou sendo rechaçado quando uma questão fundamental veio afastá-lo definitivamente dos demais ramos da videira. Na passagem de 1974 para 1975, três andarilhos hippies, dois deles provenientes de Minas Gerais, argentino o terceiro, chegaram à Colônia Cinco Mil, atraídos pelos rumores sobre o chá miraculoso. Pouco tempo depois, veio à tona que entre os hábitos dos novos peregrinos estava o consumo da marijuana, o que levou o próprio Padrinho Sebastião a admoestá-los severamente, em público. Esse homem, um sertanejo que usava barbas de profeta e em cujo semblante luziam dois pontos negros à guisa de olhos — muito mais tarde uma detratora compararia sua aparência à de um "duende" —, vinha de um longo histórico de envolvimento com o kardecismo e outras tentativas de comunicação sobrenatural. Desde cedo foram-lhe atribuídos dons de vidência, cura e telepatia, que ele só julgou realizados depois de seu predestinado encontro com o Daime, em 1965, onde foi buscar cura para as freqüentes enfermidades que continuariam, porém, a acometê-lo. Acredite se quiser, os daimistas vêem no Mestre Irineu a reencarnação do próprio Cristo, ao passo que o Padrinho Sebastião seria, mais modestamente, são João Batista, aquele capaz de reconhecer que *esse é o homem*. A título de curiosidade, foi quase essa a frase que o Mestre Irineu lhe teria dirigido quando os dois visionários se encontraram e Sebastião se apresentou para tomar a bebida sagrada — *Tu é homem?* —, ao que o outro teria respondido que fora, ao menos, batizado como tal.

Ocorre que o Padrinho Sebastião, depois de dar uma bronca nos hippies, teve um sonho em que lhe apareceu um anjo — estamos descrevendo a versão oficial — a empunhar o ramo de uma planta na qual o profeta reconheceu a marijuana dos andarilhos da cidade. A partir daquele dia, o cânhamo (*Cannabis sativa*) foi incorporado ao panteão das ervas sagradas em posto de relevo, quase ao lado do cipó e da chacrona, associado à imagem da santa Maria dos católicos. Os daimistas passaram a acreditar que a marijuana é um medicamento de amplo espectro curativo, que eles se dedicam a pesquisar, embora a medicina oficial só reconheça sua eficácia no tratamento de certas afecções respiratórias, no combate ao enjôo produzido pela quimioterapia e em casos de insônia crônica. (Nas minhas andanças, encontrei uma mulher que me pediu para anotar seu "testemunho", a saber, que jurava ter se curado de aids graças à *Santa Maria*; ela parecia estar bem e penso que ninguém seria idiota a ponto de responder: "Não, a senhora é uma fanática desinformada".) Para a teologia da linha sebastianista, o chá é o elemento masculino, enquanto o cânhamo é o feminino, complementando-se na miração. Mais do que isso, o que se complementava, mercê do encontro com aqueles hippies, eram duas culturas: a do Norte e a do Sul, a cabocla e a urbana, voltada a primeira para um passado imemorial, vivendo a segunda o que Augusto de Campos chamaria, num poema da época, de *pós-tudo*. A essência da utopia que seria tentada no Mapiá era reunir o que havia de melhor nas duas, a espontaneidade de uma com o esclarecimento da outra.

Da mesma forma que o vinho do cipó, uma série de tabus e prescrições passou a cercar o consumo da marijuana, que só pode ser utilizada a espaços de três dias e de acordo com um circunspecto ritual de meditação em que, após aspirar a fumaça por três vezes (*Sol, Lua, estrelas*) e se persignar, o fiel passa o cigarro para quem estiver à sua direita. Os crentes que se dedicam a essa prática não se julgam consumidores de "maconha", expressão que é reservada ao cânhamo da cidade, conspurcado pelo crime e por toda sorte de impurezas, físicas e espirituais; para eles, "fumar um baseado" corresponderia a espalhar hóstias consagradas sobre a cobertura de um sundae.

Além de Dona Peregrina, a viúva, também as autoridades não pensavam assim. A comunidade do Padrinho Sebastião foi alvo de ameaças e sortidas policiais, para não mencionar as periódicas campanhas de difamação que passariam a acossá-la dali por diante. Depois de a Polícia Federal haver destruído, em 1981, sua plantação de cânhamo, a dissidência, que já era então uma nova seita, engoliu um acordo de cavalheiros com as autoridades pelo qual deveria internar-se na floresta, onde lhe seria permitido cultivar o ritual da ayahuasca, mas não, ao menos oficialmente, o da Santa Maria. O próprio Mestre Irineu ordenara ao Padrinho Sebastião, antes de morrer, que levasse seu povo para longe das cidades. O governo federal promovia, na época do acordo, o assentamento de terras a ser colonizadas na região e uma delas, chamada Rio do Ouro, no entroncamento do Acre com o então território de Rondônia, foi destinada ao Padrinho, que se deslocou para lá, com algumas dezenas de pioneiros, numa epopéia de centenas de quilômetros pela mata virgem que corresponderia, no imaginário daimista, ao êxodo dos hebreus e à hégira dos muçulmanos, assim como, por força das perseguições, eles reencenavam o cristianismo das catacumbas. À custa de privações e esforços tremendos, uma vila é levantada na região estabelecida pelo Instituto Nacional de Colonização e Reforma Agrágria (Incra), mas ela ainda não é o Mapiá, do qual seria no entanto o modelo, que os mapienses históricos recordam com uma nostalgia que só posso comparar à dos judeus para com seu Templo duas vezes destruído. Dois anos depois da fundação da comunidade do Rio do Ouro, aparece um proprietário paulista a reivindicar, aparentemente com respaldo jurídico, a posse da terra. Num gesto que é sempre mencionado como evidência de sua mansidão e do respeito que dedicava ao que fosse de César, mas também de sua têmpera obstinada, o Padrinho abdica de qualquer pleito e dá início a nova marcha pela floresta, rumo a outra área indicada pelo governo, uma faixa de terra arenosa na cabeceira do igarapé de nome Mapiá, onde o povo eleito enfim se estabelece em janeiro de 1983.

No início, não havia dinheiro no Mapiá (nem cigarro, nem perfume, nem álcool, que continua proscrito até hoje). Com uma ponta de orgulho, os habitantes dizem que sua economia era "comunista". Havia roçados e alguma extração de látex, os produtos eram vendidos em Boca do Acre, com o dinheiro apurado compravam-se mantimentos e outros bens, distribuídos, então, entre os moradores da vila, "a cada um conforme sua necessidade". Foi com a chegada de conversos do Sul, principalmente do Rio, que abandonavam casa, família e profissão pela vida comunitária, que veio também o dinheiro. A produção de artigos em couro vegetal, feito com a resina da seringa, passou a ser moda no Mapiá do fim dos anos 90, mas parece óbvio que a economia da comunidade se baseia na comercialização do Daime engarrafado. Ele é posto em São Paulo ao preço de dezoito reais o litro, embora seja eventualmente vendido no exterior, segundo fontes independentes da seita, por até trinta dólares. O Cefluris, sigla para o esotérico nome oficial da seita, Igreja do Culto da Fluente Luz Universal, tem a autorização necessária para vender esse produto da floresta como se fosse um extrato de outra planta qualquer, mediante compromisso de manter programas de replantio. Como diz expressamente o regulamento do Daime, *todo Santo Daime é propriedade do Cefluris a ser distribuído aos centros e filiais, que ficam obrigados a manter registro sobre seu consumo.*

A Divisão de Medicamentos do Ministério da Saúde lista a harmina e a DMT entre as substâncias proscritas, esta última incluída também na relação da ONU. Por decisão daquele órgão governamental, o consumo do Daime ficou proibido durante alguns meses em 1985. O Conselho Federal de Entorpecentes, órgão do Ministério da Justiça ao qual cabe regulamentar a matéria, organizou grupos multidisciplinares de estudo nesse ano e em

1992. Após levar em consideração a quantidade dessas substâncias presente na beberagem, o fato de que elas não provocam dependência física, seu uso enraizado numa antiga tradição amazônica e as evidências de que a seita prega os mesmos valores que a nossa civilização proclama, apenas praticando-os com zelo aparentemente maior, o Conselho deliberou não equiparar o uso ritualístico da ayahuasca ao consumo de drogas ilícitas. Determinava, porém, que crianças e pessoas com problemas psiquiátricos não a ingerissem. Desde então a comunidade deixou de ser importunada — no Brasil, ao menos.

Às nove da manhã de 24 de setembro de 1999, uma unidade de assalto da polícia alemã invadiu o templo daimista instalado em Badberka, a cerca de trezentos quilômetros de Frankfurt. Dezenas de policiais, alguns encapuzados, renderam os oito adeptos que se encontravam no local, mantendo-os no chão com joelhos sobre seus pescoços e armas encostadas às suas cabeças. Algemados, foram conduzidos à delegacia, isolados em celas individuais e submetidos a interrogatório sob suspeita de traficar DMT, substância banida pela União Européia. Por interferência da embaixada do Brasil, um juiz determinou na noite desse mesmo dia que os pertences apreendidos lhes fossem restituídos e os brasileiros autorizados a embarcar de volta a seu país. Em 6 de outubro, idêntica cena aconteceria no *ponto* daimista de Haia, na Holanda. Um casal de holandeses, depois de permanecer preso por dois dias, está sendo processado pelas autoridades locais. O Daime mantém sete pontos na Alemanha, cinco nos Estados Unidos, três na Argentina, e está presente em Madri, Barcelona, Amsterdam e Tóquio, entre outras cidades estrangeiras. Em 2003, os adeptos da seita estariam envolvidos novamente em problemas judiciais, agora com autoridades da Espanha. Esperavam que uma sentença favorável, que obtiveram, firmasse jurisprudência capaz de liberar o consumo ritualístico do Daime no âmbito da União Européia.

Quando faleceu em resultado de complicações cardíacas, no Rio de Janeiro, em 1990, fazia algum tempo que o Padrinho Sebastião designara um de seus numerosos filhos, o Padrinho Alfredo, como sucessor. Glauco fez questão de que nosso primeiro compromisso no Mapiá fosse visitá-lo, a fim de prestar as devidas homenagens ao líder atual. Logo percebo que o cartunista é uma espécie de são Francisco de Assis da seita, querido pelas mulheres, pelas crianças e até pelos cachorros, irmanados em ruidosa festa toda vez que ele aparece. (Exemplo inesquecível foi a aula de desenho que ele deu na escola local, dirigida pela atriz Gilda Guilhon, Prêmio Molière de 1981, hoje renascida no Daime.) Num lance arguto, Glauco decidiu que no Céu de Maria, ao contrário do que ocorre em outros pontos, não haveria padrinho: "Lá o padrinho é o senhor", comunicou na época ao herdeiro de Sebastião Mota, que não há de ter ficado desgostoso. Imagino que sua popularidade, reforçada por atitudes assim, desperte ciumeira na hierarquia do Cefluris, que Glauco se esmera, entretanto, por cultivar. Durante a estadia inteira ele se dedicou a uma incessante atividade protocolar. Ao acompanhá-lo em algumas de suas visitas, tive a sensação de percorrer, ao lado do bispo de uma prelazia nova, mas afluente, os complicados labirintos do beija-mão no Vaticano.

Somos recebidos pelo Padrinho Alfredo no que ele chama de seu "escritório", uma clareira no meio da mata onde tocos de árvores serradas funcionam como poltronas de um imaginário salão de audiências. Basta dizer, como prova das habilidades diplomáticas do dirigente, que ele vive numa mesma casa com a ex-mulher e com a atual, ainda por cima irmãs entre si. Nas três vezes em que estive com o Padrinho Alfredo, ele estava cercado de uma pequena corte feminina, balzaquianas que abandonaram a vida de classe média no Sul para se converter na falange mais radical da doutrina. Conheci, por exemplo, uma bonita mulher de 36 anos, Nilda, ex-freira católica, psicanalisada por um lacaniano, amiga do progressista Frei Betto — e que hoje ostenta a sigla CRF (Comando Rainha da Floresta) bordada no uniforme. No dia-a-dia, elas usam cabelos longos como as evangélicas, e longas saias de chita à moda caipira; assimilaram o sotaque caboclo, não se pintam nem se depilam. São muito ciosas do bem-estar do chefe, o que inclui preservá-lo de importunos, o que inclui jornalistas. Assim que começo a entrevistar o Padrinho, para minha estupefação uma dessas mulheres — Fátima, a locutora da Rádio Jagube, que irradia os ensinos para toda a área do igarapé — enfia um gravador no meio, como se as palavras do santo homem devessem ser recolhidas para a posteridade, deixando grosseiramente claro, na verdade, que haveria contraprova caso eu as distorcesse. Um dos temas freqüentes nas catilinárias contra a seita são as insinuações de permissividade sexual entre padrinhos e fiéis do sexo oposto. Como em qualquer ambiente humano, isso deve ocorrer eventualmente, mas não parece ser a norma. A impressão que tive, ao contrário, foi de uma atmosfera casta e recatada. Prevalece uma intensa vigilância interna, até porque a maledicência é não somente o pecado mais comum nas sociedades puritanas, mas seu maior divertimento.

Alfredo Gregório de Melo é um homem alto e esguio, aspecto de matuto, fala pausada e modos delicados, quase femininos. Eu esperava encontrar um profeta apoplético a bradar, olhos esgazeados e cajado na mão, em línguas desconhecidas. Encontrei um líder comunitário mais interessado em melhoramentos práticos do que em discussões escatológicas. Falou longamente sobre a planejada instalação de uma nova comunidade na região do Alto Juruá, no extremo oeste do estado do Amazonas, onde a seita acabara de adquirir um lote de terra (sob a denominação de Céu do Juruá, esse núcleo foi implantado e prosperou, abrigando cerca de 150 pessoas em 2003). Com orgulho filial, ele ressalta que a propriedade fez parte do legendário seringal Adélia, onde seu pai, o Padrinho Sebastião, fora empregado quando jovem. Graças ao aparte, vejo o principal mecanismo de qualquer seita bem-sucedida — a ascensão social — em funcionamento diante de meus olhos. Damos um passeio pela mata e o Padrinho Alfredo, além de mostrar como se raspa o látex da seringueira fixa um torniquete num cipó, à maneira de calço, e se lança num desajeitado voleio de alguns metros sobre um barranco. É o que basta para os acólitos contarem, de volta à vila, que "o Padrinho voou" — assim nascem as lendas. À noite, durante o trabalho, tive a surpresa de vê-lo envergando um terno de linho branco e um relógio que resplandecia, como os tetos de sua cidade, à distância; estava perfumado e parecia um comerciante libanês na festa de debutante da filha.

Compreendi que o Padrinho Alfredo não era o Mr. Kurtz que eu procurava em minha expedição ao "coração das trevas". Gradualmente, esse molde se deslocava para a figura de Alex Polari de Alverga, o intelectual da doutrina. Guerrilheiro urbano na passagem dos anos 60 para os 70, Polari ficou preso pelo regime militar até a anistia de 1979. Deixando a cadeia, viajou para o Acre com o propósito de fazer um documentário sobre o Santo Daime, então desconhecido no restante do país. Ao tomar a bebida, é acometido de violenta miração, descrita minuciosamente nos dois livros que publicou sobre o assunto (*O livro das mirações*, de 1984, e *O guia da floresta*, de 1992, ambos pela editora Record), tornando-se discípulo dileto do Padrinho Sebastião e fundador, pouco depois, da importante igreja de Mauá, no estado do Rio, à qual deu o nome de Céu da Montanha. Polari acredita em toda a parafernália espiritual da doutrina, repleta de crendices e sortilégios, mas tem o treino necessário para ajustá-la a um enfoque laico, ecológico e humanitário, eliminando as contradições mais agudas. A conversão de um marxista-leninista em médium espírita é fascinante, mesmo feita a ressalva de que alguém, por jovem que fosse, capaz de apostar sua vida na chance de algumas pistolas derrubarem o governo já evidenciava certa propensão à credulidade. Li seus livros, reuni depoimentos sobre ele, conheci sua casa no Mapiá — mas, assim como Marlow nunca esteve com Kurtz, limitando-se a entrevê-lo numa maca à distância, jamais me encontrei com Polari, que durante nossa visita estava fora.

Em seu sincretismo insaciável, os daimistas consideram a estrela-de-davi como o símbolo de sua doutrina, ignorando solenemente os detentores multisseculares da logomarca. É esse o emblema metálico — no interior do qual ainda figuram uma águia e uma meia-lua — que eles trazem espetado no peito; é esse o formato de seus altares e de muitos de seus templos. Diga-se de passagem que eles consideram possível que um crente seja católico, muçulmano ou judeu e *daimista ao mesmo tempo*: o chá é apenas o veículo de acesso às mais variadas percepções da divindade, *o Santo Daime em tudo se soma*, conforme reza um hino do Padrinho Alfredo. No espaçoso templo do Céu do Mapiá, a distância entre as pontas da estrela chega a sessenta metros. Na entrada da igreja, toda em madeira, fica um pequeno edifício de alvenaria que abriga o túmulo do Padrinho Sebastião. Assim como na Rússia comunista qualquer festejo familiar incluía uma visita ao mausoléu de Lênin, os mapienses, em ocasiões similares, passam pela capela que contém os restos de seu profeta, onde se entregam a um desconcertante ritual de purificação. As portas da igreja evocam as do Batistério de Florença, não apenas pelas dimensões imponentes, mas porque também aqui algum Ghiberti amazônico esculpiu portentosas visões não em metal, mas em cedro. O primeiro trabalho de que participei no Mapiá era uma solenidade especial, destinada tanto a consagrar a união entre o já mencionado Benjinha e sua noiva Sheila quanto à comemoração do 7 de Setembro, data relevante no calendário de uma confissão nacionalista, fundada por um suboficial do Exército em região de fronteira, onde é grande a tensão entre forças centrífugas e centrípetas.

Anoitecia. O templo estava forrado de flores e adeptos provenientes de todos os recantos do igarapé. Minha expectativa era enorme; finalmente me confrontava com o Daime, que um hino chama de *professor dos professores*, em sua basílica-mor, centro de todos os centros. À distância, no meio do povo, vejo a tecelã Rebeca, graciosa garota com trejeitos e sotaque de adolescente carioca, que renunciou aos prazeres da cidade grande para viver com a mãe neste cafundó, talvez porque seja a mais feliz das criaturas e acredite, como os latinos, que *ubi bene, ibi patria* ("onde se está bem, aí é a pátria"). No círculo principal, em torno da mesa do altar, tomam assento os dignitários mais idosos, velhos e velhas que parecem levantar das páginas de Gabriel García Márquez. O uniforme é de gala e a paisagem humana resplandece no mais impoluto branco. Convertidas em fadas, as mulheres trazem tiaras cravejadas de brilhantes ostensivamente falsos, como se dessem a entender que valem mais, aqui, as jóias interiores.

Transcorre o casamento e começa o bailado, os noivos presentes, como nos antigos matrimônios, até amanhecer. Tomo quatro ou cinco copos de Daime ao longo da madrugada, mas quase nada me acontece. Saio para fumar um cigarro e constato que um dos cuiabanos vomita com gosto, desbragadamente, lançando urros de animal ferido como se sua vida dependesse da quantidade de decibéis que conseguisse emitir. Penso que poderia estar em seu lugar e retorno, por comedimento burguês, à igreja, onde não faltam atrações: uma mulher acaba de entrar em transe, supostamente possuída por algum espírito. Ela se aproxima do Padrinho, tem a voz grossa, faz passes em redor dele, sua performance revoltaria qualquer crítico de teatro (embora me ocorra que uma possessão "real" teria de ser a menos "artística", a mais inverossímil). Ar exausto, enfastiado, talvez, de tanto presenciar performances semelhantes, ele não liga maior importância, contentando-se em perguntar ao espírito: *quem é você?* Mais tarde, ao conversar rapidamente com o Padrinho, ele me recomenda a bebida, insistindo que esse Daime *é muito fino*, sem que fique claro se quer dizer que é um produto da melhor qualidade ou capaz de surtir efeitos sutis, inefáveis.

Não mirei, ao menos até acordar no dia seguinte, abrir as janelas do quarto e ver um helicóptero, idêntico aos que os americanos usavam no Vietnã, estacionado na vila. Atordoado, demorei a compreender que o aparelho não era uma visão que eu chupava do filme *Apocalypse now*, de Coppola, mas pertencia à Força Aérea Brasileira e trazia vacinas para a população do Mapiá. O dia — data nacional — era oportuno, embora fosse estranho que a Aeronáutica trabalhasse no feriado, mas talvez o 7 de Setembro não seja feriado para os militares. Sem conhecer os critérios de recrutamento utilizados hoje em dia, registro que o comandante da aeronave era um sósia do ator Willem Dafoe, e que seu imediato, um tenente, não deixava por menos e poderia ser confundido na rua com Elvis, que afinal, de acordo com seus fãs, não morreu. Ambos tratavam os nativos com sobranceira cortesia e fizeram corações femininos em pedaços; soube de pelo menos um caso lancinante. Os militares deixaram alguns agentes de vacinação que vieram recolher no dia seguinte. Estes traziam, no avental branco, a inscrição *Eu acredito em vacina*, já em si inacreditável, mas no Mapiá todo mundo acredita em tudo, de saci-pererê a mula-sem-cabeça (o próprio Polari viu "paus que andavam sobre pernas" na selva), desde que sejam fenômenos que a ciência não comprove.

Diz a *Encyclopaedia Britannica*, no verbete "Doenças infecciosas", que "qualquer doença em pessoa que possa ter sido exposta a infecção deve ser considerada malária até prova em contrário". Embora as condições de vida e saúde no Mapiá pareçam superiores às de qualquer comunidade pobre na Amazônia, as carências são imensas. No posto de saúde, a médica — outra sulista — explica que a prioridade é obter a transferência do credenciamento do estado do Amazonas, que foi suspenso, para o município de Pauini. Enquanto isso não acontece, parte do material médico das mal supridas prateleiras depende da doação de ONGs européias. Tétano, febre amarela, hepatite e leishmaniose fazem parte da cornucópia de flagelos que atinge as populações ribeirinhas. Sendo uma moléstia menos grave porque tem cura (ainda que se estime cerca de um milhão de vítimas fatais ao ano em todo o mundo), a malária (ou impaludismo) é no entanto mais disseminada, porque não existe vacina capaz de preveni-la.

Transmitida por picada de mosquito em que se hospeda um protozoário — o *plasmodium* —, sua manifestação inicial são sintomas semelhantes aos da gripe, que evoluem para uma febre altíssima (*aquele frio gostoso*, na expressão do Padrinho Alfredo, que teve a doença e diz ter se curado com Daime), entremeada de delírios. Os surtos de febre correspondem às ondas de destruição dos glóbulos vermelhos, infestados pelo microrganismo, que se rompem lançando cardumes de novos protozoários na corrente sangüínea. Se não for tratada, com pílulas à base de quinino, a doença pode comprometer o fígado, os rins, o cérebro e eventualmente matar um hospedeiro debilitado. Os mosquitos depositam seus ovos nas águas paradas na copa das árvores, de modo que sua derrubada costuma suscitar um surto da infecção, dando ensejo à crença de que o impaludismo é a vingança da floresta agredida pelo homem.

Da mesma forma que em estações de esqui, onde o visitante perguntador logo verifica que quase todo mundo tem histórias de fratura exposta para relatar, a maioria dos habitantes do Mapiá foi vítima da malária. Há pessoas que se contaminaram mais de trinta vezes; travei contato com um rapaz nissei, paulistano, que estava na vila fazia dois meses e já fora acometido. Fui imortalizado nas tiras do personagem Zé Malária, inspirado no meu pânico pela endemia, que Glauco publicou logo que voltamos a São Paulo. No entanto, conforme interrogava antigas vítimas sobre seus padecimentos, uma fascinação pela enfermidade tomava posse de mim, até que falar do assunto se tornou uma obsessão, para não dizer um vício. Quase tudo o que Thomas Mann diz da tuberculose em *A montanha mágica* pode ser transposto para a malária: uma moléstia subterrânea, equívoca, com a qual é possível conviver à medida que ela dissolve as fronteiras entre saúde e doença, realidade e imaginação, instalando no paciente um estado de perturbação febril semelhante ao êxtase visionário. Ao contrário do mal romântico, porém, que se "curava" por meio de dietas e repouso abundantes, o tratamento é agressivo: o quinino também ataca o fígado e deixa a vítima em dúvida sobre o que é pior, a doença ou o remédio. Dizem que quem teve impaludismo nunca volta a ser como era antes.

Na noite seguinte à do casamento, fomos convidados para um trabalho mais restrito, que teria lugar na *estrela*, pequena construção de madeira que poderia passar por um coreto de praça do interior. Na mitologia daimista, consta que o Padrinho Sebastião teve de se haver, certa vez, com Satanás em pessoa, que veio tentá-lo na forma de um curandeiro alcunhado de Ceará. Durante meses travou-se um duelo tremendo entre o santo e o demônio, ao termo do qual este último, vendo-se derrotado, abandonou a refrega, não sem antes dar cabo de seu hospedeiro. Enquanto morria, Ceará teria pedido ao Padrinho que erguesse a estrela, da qual esta que visitamos era um sucedâneo. Por motivo que ficará claro adiante, é oportuno registrar que essa é a versão do episódio relatada por Polari em seu livro *O guia da floresta* (pp. 123-32). Ao subir no palanque, onde as pessoas ficavam sentadas em círculos ao redor do pequeno altar, notei que a cerimônia era reservada aos *happy few* de que falava Henrique V ou, numa visão menos simpática, aos *mais iguais* de George Orwell. Embora o Padrinho não estivesse, achavam-se presentes os membros mais credenciados da seita, verdadeiro âmago da irmandade, num total de quinze ou vinte pessoas. Presidido pelo carioca Fernando, alto burocrata do Cefluris, o ritual era o de costume: Daime e hinário, hinário e Daime.

Para meu desprazer, fiquei sentado em frente a Elisabete, psicóloga paulista que integra o já descrito destacamento *balzacoradical* e que fora especialmente desagradável quando eu tentara, na manhã anterior, entabular conversação com ela. Qual não foi o meu espanto quando os músicos atacaram *Firmeza*, meu hino predileto, e vi que ela estava dando risada enquanto cantava olhando para mim. *Essa mulher está gozando da minha cara*, penso, mas subitamente tenho a certeza de que não é nada disso, nem mesmo que ela estivesse se fazendo de simpática, o que não era a sua praia. Na verdade o Santo Daime derramava suas bênçãos sobre o local e ela já não cuidava de ostentar suas reservas para comigo, que muitos viam como mais um jornalista à cata de escândalo; nada mais afligia minha ex-adversária, e juro que pensei, por um momento, que ela fosse explodir de tanta felicidade. O sentimento era tão contagioso que sem querer eu sorri de volta — minto, ri abertamente para ela, o que a fez cantar com vigor ainda maior e me levou a romper minhas praxes de antropólogo amador para entoar o hino também. Não conversamos sobre o ocorrido, creio que nem voltamos a nos falar, mas aquele momento, que durou talvez dois minutos, não foi apenas um dos mais inesquecíveis da viagem: devo dizer com franqueza que poucas vezes na vida me senti de tal forma unido a outro ser humano.

Se descrevo os efeitos psíquicos do Daime de maneira inconclusiva, é porque não cheguei até agora a uma conclusão. Polari me parece ter razão quando adverte que a primeira idéia a ser abandonada pelo iniciante é a de que vai experimentar um "barato muito louco" ou qualquer coisa do gênero. Mesmo um ateu percebe que os efeitos do Daime estão longe de ser automáticos ou de se restringir à bioquímica do córtex cerebral; eles se combinam a expectativas, lembranças e desejos, sofrem influência de fatores ambientais. Não é por acaso que os adeptos chamam suas cerimônias de trabalho, conotando um esforço, às vezes custoso, e uma busca nem sempre frutífera. Soube de pessoas que experimentaram visões inenarráveis, mas depois, como se o Santo Daime as "castigasse" por sua soberba, passaram anos a fio sem mirar. Não é fácil, também, distinguir o que é auto-sugestão do que não é. E há metabolismos mais suscetíveis à ação da bebida que outros.

Em sua topografia da mente, Freud estipula que a consciência é apenas o pedaço visível de um imenso iceberg mergulhado nos mares do inconsciente. Dada a sua natureza pragmática, a consciência só é capaz de focalizar simultaneamente umas poucas representações, que ela seleciona mediante o trabalho de censura, deixando que o restante permaneça oculto — recalcado — sob as águas. Entre os dois segmentos, porém, o criador da psicanálise postulou a existência de uma estreita faixa intermediária, que ele chamava de pré-consciente, onde ficariam estocadas imagens que podem ser convocadas à tona a qualquer momento, de acordo com as necessidades da consciência em sua permanente "negociação" com o inconsciente. As impressões cambiantes que surgem a meio caminho entre o sono e a vigília, por exemplo, assim como os conteúdos que irrompem nos atos falhos ou submergem quando esquecemos algo que está na ponta da língua fazem parte do reservatório que seria o pré-consciente. Penso que é nessa franja que os alcalóides do Daime exercem seus efeitos.

Ao fechar os olhos, continuando despertos, caímos num lusco-fusco no qual somos incapazes de permanecer indefinidamente, pois logo se articulam imagens, até alheias à nossa vontade, que "vemos" sem ver: são fragmentos de cenas presenciadas no passado ou que nossa imaginação forja a partir de registros efetivamente conhecidos, como se dispuséssemos de um "olho" interior. O leitor que se der ao trabalho desse experimento banal compreenderá imediatamente o que pretendo dizer. Pois bem, a melhor forma que me ocorre para descrever a miração — ao menos o que ela significou para mim — é dizer que tais imagens, sob a ação da ayahuasca, tornam-se magicamente vívidas e palpáveis, como se nessa *terra ignota* que a mente se acostumou a negligenciar, transitando rapidamente por ela cada vez que adormecemos ou despertamos, houvesse tesouros insuspeitados e recantos misteriosos em meio aos quais o sujeito é arrastado, como pela torrente de alguma inundação fabulosa, até dar nas praias da memória mais arcaica e das fantasias mais fulgurantes. É como se fosse possível, literalmente, sonhar acordado, com a vantagem de que o "sonho" é, em parte, manejável.

    Foi somente quando fui capaz de formular essas suposições que atinei com um aspecto assustador, que fez um calafrio percorrer minha espinha. Quando presenciava o ritual, escrutinando as pessoas a cantar de olhos cerrados, largadas em suas cadeiras, achava apenas curioso que algumas exibissem uma fisionomia de dor, outras de um deleite celestial, ao passo que outras, ainda, pareciam fazer enorme esforço enquanto a seu lado alguém mantinha um ar festivo ou atônito ou de troça. Aterrado, compreendi então que os fiéis, dispostos como rebanho num estábulo humano, estavam — exatamente como no filme *Matrix* — "desplugados" da realidade exterior, entregues a vivências tão mais concretas quanto mais ilusórias, tão mais "reais" quanto mais incomunicáveis. Pensei no filme *Vampiros de almas* (*The invasion of the body snatchers*, dirigido por Don Siegel, de 1956), clássico da ficção científica refeito em 1978, no qual uma espécie alienígena, aliás vegetal, invade a Terra a fim de tomar posse das carcaças dos corpos humanos, após expungir delas todo traço de consciência ou vontade. A placidez dos mapienses, a uniformidade das condutas e das respostas, o vazio de certos olhares — não é difícil ter a sensação de que a cidade inteira foi robotizada.

Nem é preciso dizer que, para os daimistas, somos nós que vivemos num mundo irreal, que eles denominam simplesmente *ilusão*, como se o nome designasse uma localidade geográfica de onde proviesse toda a humanidade estranha à seita. Eles não o declaram abertamente, a fim de não ferir suscetibilidades, mas estão convencidos de que quem ainda não tomou o Daime vive numa espécie de sonambulismo, à espera de um chamado que lhe propicie a ventura de despertar. Torcem sinceramente para que isso aconteça, da mesma maneira que nós torcemos para que um conhecido saia do coma após um acidente automobilístico ou vascular. Para os adeptos do Daime, é como se todos nascêssemos sob o estigma de uma mutilação incapacitante da qual somente a bebida sagrada nos pudesse redimir. Por tolerante que seja, todo ecumenismo tem seu limite intransponível; acredito que nesse ponto reside aquilo que aparta a "nossa" cultura e a "deles".

Existem pelo menos dois libelos consistentes contra a doutrina, ambos vertidos em livro. A argentina Alicia Castilla, depois de variadas experimentações espirituais, aderiu ao Céu da Montanha, a igreja de Polari, em 1984. A pedido de sua filha, que contava então oito anos de idade, levou-a para experimentar a ayahuasca. Num processo que parece típico dos atritos entre mãe e filha adolescente, agravado pelo envolvimento religioso de ambas e por componentes neuróticos que não tenho condições de esmiuçar, a garota tornou-se cada vez mais devotada à seita, conforme a mãe, insatisfeita com aspectos que lhe pareciam autoritários e manipulatórios, afastava-se da fé daimista, cujos fundamentos ela até hoje não abjura, embora condene da maneira mais enfática os descaminhos que a seu ver sobrevieram à morte do Padrinho Sebastião. O mais tradicional conflito de gerações parece ter se armado, neste caso, em redor da repulsa materna pelo credo que a filha, agora adolescente, abraçava com entusiasmo cada vez maior, ao que tudo indica a título de protesto, inconsciente que fosse. Depois de incansável guerrilha jurídica, à qual não faltaram toques kafkianos, em que buscava manter a tutela da filha problemática, Castilla vê a menina fugir, mais ou menos à época em que atingia sua maioridade legal, para a Vila do Mapiá, onde vive até hoje, ao que parece por sua livre vontade e feliz.

Todo repórter é perseguido pela noção de que em alguma pergunta omitida, em algum pormenor não verificado poderia estar a solução do quebra-cabeça que ele procurava deslindar. No meu caso essa falha indesculpável foi não ter entrevistado Verônica Castilla, mesmo depois de meus anfitriões facultarem essa possibilidade. A mãe alega que a jovem foi objeto de seqüestro branco combinado a lavagem cerebral. Diz que a seita teria convencido sua filha de que ela seria a reencarnação de santa Bárbara, morta pelo pai, segundo a tradição, porque se negava a renunciar à fé cristã.

A versão materna está bem documentada no livro *Santo Daime — Fanatismo e lavagem cerebral* (Imago, 1995). O leitor é levado a duvidar de passagens que parecem exageros de uma mãe desesperada, ainda que seu libelo impressione pela carga dramática e pelo nível de detalhamento. Ali, entre inúmeras acusações, ela diz que o Padrinho Sebastião seduzia menores e que um acólito seu, um certo Raimundo Nonato, teria assassinado um homem por castração — nada menos do que aquele Ceará, possuído não tanto por Satanás, como queria Polari, mas por Príapo. É certo que o intruso foi supliciado dessa maneira atroz por Nonato e alguns companheiros, todos daimistas, depois de haver assediado numerosas esposas da comunidade, ainda na época da Colônia Cinco Mil. Informado do ocorrido, o Padrinho Sebastião determinou que o responsável se apresentasse à polícia. Não foi punido, pois prevaleceu a tese, pacífica em Rio Branco na época, de que agira em legítima defesa da honra. Nada disso é mencionado no livro de Polari, omissão que compromete a boa-fé de todo o relato. Os daimistas dizem que as denúncias de Alicia Castilla são falsas, forjadas por uma mulher mentalmente perturbada. Alegam que a filha encontrara, na seita, um ambiente de segurança que não tinha em casa, onde a mãe era dada a espancá-la.

O outro caso é o de um garoto chamado Jambo. No desfecho de um histórico igualmente conturbado, descrito no livro de seu pai adotivo, o jornalista Jorge Mourão, *Tragédia na seita do Daime* (Imago, 1995), Jambo mudou-se para o Mapiá onde, na manhã de 21 de junho de 1992, aos dezenove anos, encharcou um colchão de querosene, sobre o qual se sentou e ateou fogo, perecendo entre as chamas. Paira a suspeita de que fosse dependente de cocaína. Segundo denúncias que a própria Castilla atribui a fontes anônimas, o corpo do garoto desapareceu e seu atestado de óbito não foi lavrado. Os daimistas contestam, afirmando que seus restos, nunca reclamados pela família, estão sepultados no Mapiá. Acrescentam que suicídios acontecem entre pessoas de todos os credos sem que sua responsabilidade seja atribuída, porém, às religiões "oficiais". Terá sido Jambo vítima do Daime, de sua própria personalidade transtornada ou — o que parece tanto mais crível quanto perturbador — de uma combinação de ambos?

Tais casos servem de ilustração a um fenômeno que talvez pudéssemos chamar de "paradoxo das seitas", configurado na seguinte equação: será que as confissões religiosas, especialmente as apocalípticas, reforçam carências psicológicas e eventuais fraturas de personalidade em indivíduos mais suscetíveis ou será, pelo contrário, que elas recrutam justamente aqueles que estão mais sujeitos a esse tipo de dependência, por assim dizer, espiritual? É o mesmo paradoxo do hipnotizador que, ao solicitar voluntários em meio à audiência, automaticamente exclui, por meio de uma espécie de seleção natural, aqueles que seriam mais refratários a sua sedução. Não me parece haver dúvida de que pessoas sugestionáveis deveriam ficar longe do Daime. Tenho dificuldade de opinar sobre aqueles casos extremos, que recaem no âmbito da psiquiatria, a menos desenvolvida, talvez, entre as ciências. Além de ser quase impossível desemaranhar o novelo de versões, sempre me pareceu que toda religião, por sua natureza mesma, precisa de componentes de manipulação, autoritarismo, lavagem cerebral etc., havendo diferenças apenas de grau, mas não de essência, entre elas. Não é precisamente isso que todas as seitas de todos os tempos sempre fizeram? Não é isso que esperamos delas, que nos anestesiem de uma realidade insuportável demais e nos distraiam do "silêncio eterno desses espaços infinitos"?

Na véspera de nossa partida, o Padrinho Alfredo concedeu a Glauco autorização para comandar seu próprio hinário na igreja do Mapiá. Foi um ritual animado e festivo, freqüentado por muitos jovens, embora se notassem, nos claros abertos nas fileiras, ausências conspícuas a sugerir núcleos ainda resistentes à diplomacia do cartunista. No dia seguinte ao amanhecer, pontual como o inevitável, seu Chagas tomava café na pousada, sua canoa a postos no embarcadouro. A volta anunciava a redescoberta de pequenas delícias, que o hábito torna despercebidas em nossa rotina de "civilizados": água mineral, toalhas de papel, carpete, frigobar. Em Boca do Acre, quase me desagradaram os luxos suntuários do mesmo hotelzinho que antes me parecera monástico. E se a capital acreana não me pareceu uma Paris, era como se houvesse passado pela gestão de um prefeito incrivelmente empreendedor, capaz de mudar seu aspecto no espaço de uma semana. Mesmo ciente de que a fome é a melhor cozinheira, aproveito para enviar aqui meus cumprimentos ao chef do Hotel Pinheiro por suas batatinhas fritas ao vinagrete.

Antes de voltar em definitivo, numa dessas decisões só aparentemente fortuitas, resolvi viajar alguns dias pelo sul de Minas. Ao me aproximar da matriz de Tiradentes, depois de haver visitado não sei quantas igrejas barrocas, entendi que procurava voltar à suave religião da minha infância ou me sentir acolhido, ao menos, em sua atmosfera tão familiar e calorosa. Estava embevecido com os reflexos das luzes na profusão de volutas e adornos dos altares, como se aspergissem poeira dourada sobre as talhas. De repente, a missa termina e ouço o padre conclamando os fiéis a se manter na expectativa da passagem de uma relíquia de santo Antônio, que visitaria a cidade dali a três semanas. Parece que pretensos despojos do padroeiro de Pádua estão a percorrer o mundo, tendo chegado a vez desta província, tão devota que as igrejas continuam, aqui, lotadas aos domingos. Diante de uma curiosidade natural dos presentes, que desejavam saber que parte do relicário lhes seria dado contemplar, o padre respondeu, compungido, que era um trecho das cordas vocais, *preservado milagrosamente depois de oito séculos.* Todo o meu esforço por recuperar a doçura de uma religião perdida foi por terra diante dessa exibição quase tresloucada de morbidez. Ao contrário do Mapiá, porém, onde a capacidade de crer se mantém quimicamente viva, aqui ela se preserva de maneira inofensiva na forma da matéria mais inerte, como a cartilagem do santo, ou se transfigura, livre do próprio passado, sendo arte.

A bordo do *Tapajó*

Sempre que alguém propunha marcar uma reunião para o dia seguinte bem cedo, Samuel Wainer torpedeava a idéia, ponderando em tom lamentoso: "De manhã, não; a manhã é tão triste...". Ao atravessar o Rio enquanto o sol nascia, a cidade espreguiçando-se em meio à temperatura já elevada para o horário, as pessoas que mantêm profissões "normais" dando início à rotina maquinal de todo dia, lembrei a frase que ouvi do próprio Profeta, apelido que Getúlio dera ao célebre jornalista. Vinte anos mais tarde e atordoado de sono, eu estava agora na praça Mauá, no cenário anacrônico e misterioso do Rio antigo, ao lado de um neto de Samuel, o fotógrafo João Wainer, à espera do carro que dobraria a esquina para nos buscar às sete e meia em ponto. Não era a primeira vez que jornalistas entravam ressabiados numa Kombi pintada de cinza, como quase tudo na Marinha brasileira. Não tínhamos, porém, o que temer — foi na tentativa de me persuadir disso que consumira a noite da véspera.

Nosso contato na Marinha, o comandante Enéas, está a bordo do veículo. Eu o vinha tratando, por fax e telefone, como se ele fosse o arquiduque da Áustria, e não pude deixar de me surpreender ao verificar que o comandante não só era mais jovem que eu, mas dava início a uma seqüência de sósias variados que eu viria a conhecer na Força Naval, cabendo-lhe ser quase um clone do ator Sylvester Stallone. Não sei qual a explicação para essas semelhanças imaginárias de fisionomia, talvez o desejo de ver identidade (civil) no diferente (militar), mas João Wainer depois comentou ter observado a mesma coisa. Atravessamos a cidadela da Marinha, toda caiada, impoluta e matinal, um *kindergarten* de guaritas e de canhões obsoletos, carinhosamente preservados em canteiros de jardim.

De repente, ao contornar um dos prédios, deparamos com uma assembléia de navios acinzentados, entre eles o folclórico porta-aviões *Minas Gerais*, maior e menor, ao mesmo tempo, do que nas fotos. E logo adiante, recém-pintado de preto, ostentando um aspecto fabril, com sua torre que mais parece uma chaminé da Revolução Industrial, está o *nosso* navio. O atrevimento de sua fuselagem hermética é compensado pela discrição com que ela se mantém parcialmente oculta pelas águas oleosas da baía de Guanabara. Para prevenir enjôos, eu havia tomado dois comprimidos de Dramin, cujo efeito já se fazia sentir: indiferente a tudo, subi a bordo, ou melhor, desci por uma escotilha situada no topo da fuselagem, próxima à frente. É a abertura externa de um tubo vertical com cerca de um metro de diâmetro, por onde alguns degraus levam ao bojo do navio. Na base da escada, como se fosse um tapete na soleira da porta, um retângulo de metal dourado traz a inscrição S. TAPAJÓ. Se um dia, por infelicidade, a embarcação vier a ser abordada por alguma equipe de resgate, pelo inimigo ou mesmo por uma câmera oceanográfica, a primeira coisa que esses desconhecidos verão será o tributo à irredutível tribo de guerreiros que viveu no Pará até o século XVIII e dá nome ao submarino.

Em contraste com a manhã desabrida, o ambiente no interior é frio e claustrofóbico, a atmosfera impregnada do perfume que os submarinistas americanos chamam de *eau de diesel*. Ao ver as fotos, mais tarde, tive a impressão de que eram do interior de uma nave espacial, mas naqueles momentos iniciais, talvez por causa dos frisos em madeira, das superfícies niqueladas e dos acortinados nos camarotes liliputianos, a analogia que me ocorreu foi com um trem, um daqueles trens usados como exemplo na teoria da relatividade, que encolhem conforme se deslocam.

O interior é composto de cinco compartimentos enfileirados, cada um deles com cerca de seis metros por quatro, ligados entre si por corredores mínimos, que mal dão passagem a uma pessoa. O teto é baixo, e qualquer superfície disponível está recoberta de válvulas, canos e mostradores, que enxameiam, exceto no piso, por todos os lados. O compartimento mais à proa aloja os torpedos e é onde comem os praças. No compartimento seguinte ficam os beliches, dois banheiros (como os de um Boeing, mas com chuveiro), a menor cozinha do mundo, os camarotes dos oficiais e a *praça d'armas*, cubículo onde eles comem — e deliberam. Em seguida vem o compartimento de comando, onde estão os sonares, os dois periscópios e a mesa de mapas. Mais atrás, o de manobras, onde operam os pilotos que executam as ordens e, por fim, separado por uma porta com isolamento acústico, quase na popa, o compartimento das máquinas, onde — exatamente como nos filmes — o calor é infernal e o barulho, ensurdecedor. Tal arquitetura acomoda 37 pessoas, lacradas no interior dessa enguia metálica não por três dias, como o Jonas da Bíblia, mas durante semanas a fio. Todo o espaço está utilizado: até no teto dos corredores há esteiras penduradas, que comportam colchonetes e viram cama. Não há janela nem escotilha em submarinos.

 A Marinha foi rápida e prestativa ao atender o pedido de reportagem. Apesar de uma preocupação velada com possíveis "distorções", causadas por preconceito ou simples incompetência e capazes de "prejudicar a Força", era evidente o esforço dos militares para se mostrarem disponíveis para a imprensa, desejosos, até, de que sua atividade fosse mais divulgada e "melhor compreendida". Mas não haviam autorizado uma *saída* mais longa que um dia, do nascer ao pôr-do-sol, para o que é conhecido como *mergulho de pato*. Terceiro submarino construído no Brasil e quinto da frota, o *Tapajó* ainda passava pela fase final de testes. Naquele dia embarcavam dois engenheiros civis — um brasileiro e um americano — para verificar o equipamento chamado *MAGE*, um detector de radares alheios; nós íamos de carona nessa excursão.

Sempre escoltados pelo comandante Enéas, esperamos que se ultimassem os preparativos para *suspender* âncora na praça d'armas, diante de uma mesa de café-da-manhã posta como num hotel do interior. Contava sofrer uma sensação de claustrofobia mais severa, mas no fundo estava satisfeito de que a viagem durasse tão pouco, especialmente depois de sentir uma pressão nos ouvidos, indício de que o cilindro de aço naval fora enfim selado e que se bombeava ar comprimido no interior da nave, a fim de certificar que não havia brechas ou falha na vedação externa. A opressão claustrofóbica pode ter um efeito cumulativo que se torna intolerável com o tempo: é o transtorno conhecido como "febre da cabana", que acomete pesquisadores isolados na Antártida. Não sabia, tampouco, se e quando poderia fumar. Mas a minha inquietação já se voltava para outro problema.

Entre as tradições que as marinhas de todo o mundo cultivam está a das brincadeiras a bordo, que podem, como sabe quem assistiu a filmes de pirata, assumir feição nada engraçada para as vítimas. Embora se digam marinheiros e façam questão de tratar seu casulo de "navio", os submarinistas têm uma tradição exclusiva, o *batismo* de quem mergulha pela primeira vez. Numa conversa posterior a essa viagem, o comandante do *Tapajó*, capitão-de-fragata Júlio César, sósia de Chico Buarque, perguntado sobre superstições a bordo, respondeu que sim, havia uma: a de que era má sorte transportar *pagãos*, gente não batizada. O próprio Fernando Collor foi submetido a uma versão light da prova, a bordo do *Tupi*, na condição de primeiro e provavelmente último presidente a passear de submarino. A cerimônia deve ocorrer logo que o aparelho emerge, após o mergulho. Já na mesa do café um oficial me passou a cartela onde havia nomes de dezenas de peixes e suas fotos respectivas, a fim de que escolhesse o título que passaria a usar, uma vez batizado, nos domínios de Netuno. Cada peixe tinha uma conotação aziaga, presunçosa ou ridícula; eu demorava entre eles até que dei com a imagem de um simpático goete, que não conhecia, mas adotei por associação de idéias, esperando que o longevo escritor alemão me trouxesse sorte. Havia insinuações de que o batismo era algo que um indivíduo não gostaria de passar duas vezes na vida; havia conversas que morriam quando o fotógrafo e eu aparecíamos.

O lugar mais importante, num submarino, evidentemente é a sala de comando, onde o capitão dá suas ordens, que em tempos de paz são quase sempre confirmações de procedimentos que seus oficiais anunciam pelo circuito de rádio interno. Mas o melhor lugar para *estar* a bordo é o *passadiço*. Esse é o nome do estrado de madeira que fica no topo da *vela*, a "chaminé" que se projeta do dorso desses barcos, na altura de seu centro de gravidade. Outra escada em formato cilíndrico, esta mais longa, liga a sala de comando ao passadiço, que não acomoda mais do que cinco ou seis pessoas, três delas sentadas a cavalo no que seria a beirada posterior da chaminé, de frente para a proa. Uma distância de doze metros separa o passadiço da linha d'água, mais seis metros até a ponta da quilha, a extremidade inferior e sempre submersa do casco.

Quando o submarino singra a superfície, o passadiço está sempre *guarnecido* (ocupado por um oficial e um vigia de binóculos em punho), que checam por contato visual informações apuradas na sala de comando mediante instrumentos. O comandante deve ser informado, mesmo que esteja dormindo, de qualquer *contato* que se aproxime num raio de quatro quilômetros. Quando o navio está em imersão, a torre propicia que, numa profundidade de até quinze metros — chamada de *cota periscópica* —, ele espete os *mastros* para fora d'água, a saber, os dois periscópios, o equipamento de rádio e o *esnórquel*, que abastece o interior de ar puro. Esse ar é essencial, claro, para a respiração humana, mas também para a combustão nos motores a diesel que alimentam as baterias elétricas, as quais, por sua vez, movimentam *o hélice*, como dizem na Marinha. Cada vez que vem à tona ou mesmo sobe à cota periscópica, um submarino sujeita-se a ser facilmente detectado, razão pela qual, nessa máquina concebida para agir em segredo e valer-se da surpresa, todo engenho consiste em mantê-la o máximo possível sob a superfície.

Às 10h20 o *Tapajó* submergiu, a poucas dezenas de quilômetros da costa. O procedimento envolve uma série complexa de checagens, anunciadas pelo circuito interno. O navio inclina a proa para baixo o suficiente para que você, em pé, tenha de se segurar em algum corrimão. Instrumentos representam a silhueta do barco, indicam suas condições e profundidade, é um momento de visível tensão. Os submarinos têm tanques de lastro, que são abertos e se enchem de água do mar para submergir — água que é bombeada para fora por meio de um sistema de ar comprimido, quando se quer emergir. Naquele dia, a fim de testar o equipamento antiradar, bastava que o *Tapajó* se mantivesse à pouco sensacional profundidade de quinze metros, a cota periscópica. O navio, então, levanta e abaixa a proa e a popa alternadamente, num minueto que visa a liberar bolhas de ar retidas nos tanques, cuja presença perturbaria seu prumo.

A ausência de janelas e de oscilações, uma vez atingida a cota desejada, dá ao mergulho uma percepção estranhamente irreal, como se do lado de lá do casco de 23 milímetros, fabricado pela estatal Nuclep, não estivesse aquela massa opaca de líquido "querendo entrar", na expressão de um oficial. Não existe nada parecido com as abóbadas de cristal que permitiram ao professor Aronnax, o naturalista que Júlio Verne embarcou por acidente a bordo do fabuloso *Nautilus*, deslumbrar-se com a vida marinha, nem com o mais modesto visor na proa do *Seaview*, o submarino do seriado de TV. Mesmo que houvesse, o espetáculo não seria animador: o mar é um deserto onde a vida, luxuriante em redor dos corais, desaparece num plasma de organismos invisíveis a olho nu. É um ambiente turvo, no qual a visão não alcança mais que alguns metros; abaixo de cinqüenta, a escuridão já é total.

Logo constato que, se você não está engajado em alguma *faina* a bordo, não há muito onde ficar ou o que fazer num submarino. Todos se mantêm atarefados, sempre haverá alguém pedindo licença. Trabalha-se conforme um complicado sistema de turnos, que divide em quatro partes o período do meio-dia à meia-noite, em três partes o da meia-noite ao meio-dia seguinte. O choque entre os ritmos do dia e da noite, a vigília e o repouso, é mais um fator estressante. A diversão a bordo é comer. Tradição nas frotas de submarinos, as surpresas do cardápio, tido por muito superior ao da Marinha de superfície, são vistas como compensação aos rigores do confinamento.

No cubículo dos oficiais, o almoço subaquático segue um protocolo: o comandante está devidamente instalado à cabeceira, os imediatos a seu lado, os demais oficiais em torno da mesinha, quando o cabo Sherman aparece e anuncia, um a um, os pratos da refeição. Como nas inúmeras outras comunicações, o subordinado espera que o comandante responda *afirmativo* ou simplesmente *afi* para dar curso ao serviço de mesa. Algum retardatário pede licença ao comandante para se sentar, e todos o fazem antes de se retirar. Se o comandante já tiver saído, pede-se licença ao oficial mais graduado.

Conduzidos pelo engenheiro civil Urias e por um colega seu, enviado pelo fabricante californiano do equipamento, os testes do equipamento anti-radar foram concluídos à tarde. Esse americano chamava-se Daniel, razão suficiente para que fosse conhecido a bordo como Jack Daniel's; era mais um sósia, desta vez do escritor John Updike. O *Tapajó* voltou à tona, retornávamos ao Rio e chegara a hora do batismo. Os oficiais de patente mais alta desapareceram, como se o rito, embora necessário, devesse transcorrer longe de suas vistas. João Wainer e eu somos levados à sala de torpedos, onde descobrimos que havia outros pagãos a bordo: já estavam sentados à mesa dos praças um oficial de superfície que nunca mergulhara e que passou o dia sob violento ataque de rinite e, para minha agradável surpresa, o falso Updike.

Diante de cada lugar havia um copo plástico cheio de um líquido inescrutável. Esse suco, como qualquer outro na Marinha, é chamado de *jacuba*. Mas a fórmula usada no batismo é mantida em sigilo, dando-se a entender que entram, na receita, além de pimenta e vinagre, óleo de máquina e outros ingredientes ainda menos apetecíveis. Um jovem oficial proclama o juramento de vassalagem a Netuno, que temos de repetir em voz alta (versão bilíngüe foi providenciada para o americano), e em seguida nos faz engolir o conteúdo de uma concha, dessas de manipular mantimentos, cheia de sal. Enquanto isso os cabelos e o rosto da vítima são untados de graxa; a idéia é que ela sacie a sede excruciante sorvendo a jacuba que tem diante de si. Poucos tentam, ninguém consegue. O sacerdote que ministrava o batismo ainda teve a delicadeza de recomendar, aos que sofressem de cálculo renal, que vomitassem, recomendação tão procedente quanto supérflua. Todos os quatro cumprimos estoicamente a encenação, sem mugir. Ao desembarcar, recebemos diplomas assinados pelo comandante. Passei uma semana sem poder ver nem pensar em sal.

* * *

O mais antigo esboço de um submersível é atribuído a Leonardo da Vinci. Houve tentativas de colocar a idéia em prática nos séculos XVII e XVIII, que foram pouco além da curiosidade recreativa, dada a precariedade dos meios técnicos disponíveis. Os primeiros aparelhos efetivamente utilizados foram construídos pela Confederação durante a Guerra Civil Americana (1861-65), numa tentativa desesperada de romper o bloqueio do porto de Charleston, na Carolina do Sul. Uma longa manivela, movida pela própria tripulação, fazia girar *o hélice*. Na noite de 17 de fevereiro de 1864, o *Hunley* tornou-se o primeiro submarino a afundar um navio. Atingido, porém, pela explosão da mina que arrastara contra o casco inimigo, o *Hunley* também foi a pique, matando seus oito tripulantes. A nova arma se desenvolveu depressa: os submarinos exerceriam função valiosa na Primeira Guerra Mundial e decisiva na Segunda.

Em meados dos anos 40 surgiram submarinos dotados de esnórquel, que lhes permitia renovar a provisão de ar e mover os motores sem vir à tona. Na interminável corrida de gato e rato que é o progresso da tecnologia militar, os radares dos navios também se aperfeiçoaram, reduzindo a vantagem adquirida com o esnórquel. Foi o que tornou atrativo desenvolver a propulsão nuclear, utilizada pela primeira vez por um vaso de guerra que foi honrado com o nome do submarino do Capitão Nemo, o norte-americano *Nautilus*, primeiro a atingir o pólo Norte (1958). Submarinos podem ter armamento convencional ou nuclear; no auge da Guerra Fria, americanos e soviéticos instalaram mísseis intercontinentais, dotados de ogivas atômicas, em submarinos dispersos pelos cinco oceanos. Outra coisa é a propulsão nuclear, que os submarinos dotados de armamento atômico normalmente empregam, sem que as duas coisas se misturem. Nos navios que dispõem de reatores nucleares, o calor produzido pela radiação aquece caldeiras cujo vapor d'água movimenta pistões, que movimentam o *hélice*. Não havendo combustão, desaparece o fator responsável pelo principal consumo de ar, o que possibilita ao submarino permanecer meses bem escondido sob as águas. Americanos e soviéticos passaram a usá-los como navios de espionagem, para fotografar bases inimigas e interceptar transmissões em código.

Embora considerados modernos, os submarinos brasileiros são movidos a diesel e contam com armamento convencional. São resultado de um acordo entre a Marinha e um consórcio de empresas alemãs. Estabelecido na década de 80, tal acordo determinou a compra de um submarino alemão — o *Tupi*, que daria seu nome à classe — e a construção, no Arsenal de Marinha do Rio de Janeiro, de outros quatro, similares ao protótipo: o *Tamoio*, o *Timbira*, o *Tapajó* e o *Tikuna*, este ainda em montagem. Lançado em outubro de 93, o *Tamoio* foi o primeiro submarino montado no hemisfério Sul, onde até hoje somente Brasil e Austrália o fazem. O casco e equipamentos menos complexos, como as baterias elétricas e o rádio, são de fabricação nacional; a maior parte dos aparelhos de controle é alemã ou americana; os torpedos são ingleses. Segue uma breve ficha técnica do *Tapajó*, batizado com o tradicional banho de champanhe em 5 de junho de 98 por sua madrinha, Anna Maria Maciel, mulher do então vice-presidente da República:

S. TAPAJÓ
Número de série: *S-33*
Classe: *Tupi*
Modelo: *IKL-209-1400*
Comprimento: *61,2 m*
Diâmetro: *6,2 m*

Deslocamento (peso): *1400 ton. na superfície; 1550 ton. quando submerso*
Calado: *5,5 m*
Velocidade (máxima em imersão): *21,5 nós (35 km/h)*
Profundidade de operação: *250 m*
Propulsão: *diesel-elétrica, baseada em 4 motores e 4 geradores*
Autonomia: *50 dias*
Tripulação: *8 oficiais e 29 praças*
Armamento: *8 tubos lançadores de torpedos teleguiados Tigerfish*
Mascote: *marlim*

O custo de cada um desses "brinquedos", como dizem os adversários dos gastos militares, é estimado em cerca de 250 milhões de dólares. Da antiga classe Oberon-Humaitá, de fabricação britânica, só restaram o *Tonelero*, ainda em atividade, e o *Riachuelo*, hoje transformado em museu e acessível a uma visita que vale a pena no cais da Marinha. São cinco submarinos, portanto, para uma costa de 8500 quilômetros — não é preciso ser especialista para deduzir que a frota é irrisória. A título de comparação, basta mencionar que a China, por exemplo, possui cerca de sessenta submarinos. Se não houver guerra, o que é o mais provável no panorama geopolítico brasileiro, a frota é desnecessária; se houver, ela é insuficiente.

Numa empresa e, mais ainda, em qualquer setor do Estado, mesmo depauperado como o nosso, o que não falta são argumentos para justificar o nível de gastos. Eis os da Marinha. O Brasil não tem conflitos territoriais, isso é certo, e sua rivalidade com a Argentina está bem acomodada. Conforme cresce o peso da economia brasileira, porém, cresce também o potencial de atrito com potências mais desenvolvidas. Nossa capacidade militar, reconhecidamente pequena, serviria para dissuadir essas potências de abandonar a via negociada a fim de, como definiu Clausewitz, "continuar a política por outros meios".

Um país como o Brasil teria de se habilitar não a vencer um confronto armado, mas a impor suficientes perdas ao adversário, aptas a conservá-lo no campo das pressões diplomáticas e comerciais. Por diversas que sejam as situações, vale lembrar que, no início do século XXI, há pelo menos oito nações sob alguma forma de embargo impingido pelos americanos: Cuba, Iraque, Irã, Coréia do Norte, Líbia, Sérvia, Sudão e Síria. Aceita a premissa, decorre que os investimentos em submersíveis estariam entre os mais compensatórios. Devido ao caráter súbito e solerte de sua ação, eles multiplicam o pouco poderio que se tem, disseminando temor e risco sob uma ampla faixa de mar a ser patrulhada num hipotético bloqueio naval. Costuma-se dizer que o submarino, ao contrário do que parece, é arma que convém a país pobre.

Na base de Iperó, no interior paulista, a Marinha se prepara para construir, um dia, submarinos movidos a propulsão nuclear. Embora a possibilidade de dotá-los de armamento nuclear esteja fora de questão, perguntei ao comandante Júlio César, parodiando um clichê de filmes de submarino, se ele daria ordem de um disparo nuclear caso essa conjuntura se impusesse. É comum os oficiais comentarem a ironia de sua profissão: preparar-se a vida inteira para um evento que é a última coisa que desejam ver. Embora admitisse que haveria um problema de consciência, ele foi evasivo, alegando que uma situação dessas não ocorreria em seu prazo de comando, que é de dois anos, talvez nem mesmo de vida. Confrontado à mesma pergunta, o comandante Enéas me respondeu com outra: *O que você faria para defender um filho?* Aceitei conceder-lhe o trampolim retórico e respondi o esperado *tudo*, ao que ele limitou-se a me olhar com cara de c.q.d., "como queríamos demonstrar".

Dias depois da breve saída no *Tapajó*, voltamos para conhecer as instalações de terra. Fomos recebidos, no Arsenal, pelo capitão-de-mar-e-guerra Mauro, que nos faria uma preleção técnica. Quase pensei que ele fosse puxar um banquinho e tocar, tamanha era a sua semelhança, que se estendia às maneiras aristocráticas, com o violonista Baden Powell. A Marinha é tradicionalmente considerada um setor de elite nas Forças Armadas, onde seus integrantes são chamados com desdém de *mariscos*, por supostamente viverem agarrados ao litoral. A origem da corporação remonta aos almirantes britânicos contratados por Pedro I para organizarem a Armada do império nascente, que lhe prestaria grandes serviços no Prata e no Paraguai, permanecendo fiel até depois da República, contra a qual se sublevou no governo Floriano. Ainda hoje sua heráldica preserva as insígnias, entre elas o *laço de Nelson*, emprestadas à Marinha Real.

Estivemos no simulador da base dos submarinos, na ilha de Mocanguê, um equipamento que reproduz em cada detalhe a sala de comando de um barco da classe Tupi, com direito a fumaça de gelo-seco, destinada a dar mais realismo ao treinamento para debelar um incêndio a bordo. As opiniões se dividem sobre o que é pior num submarino, fogo ou alagamento. Vendo-os praticar em meio a alarmes piscantes e fumaça de mentira, compenetrados como escoteiros, tive como nunca a imagem de que se parecem a crianças crescidas que continuassem a brincar. Fomos ao tanque de imersão, uma coluna d'água onde são feitas simulações do que se segue à pior ordem que um comandante pode dar: *abandonar o navio!* Mesmo que um acidente irreversível ocorra a setenta metros de profundidade, ainda é viável remover os tripulantes, um a um, fazendo-os flutuar até a superfície, com risco controlado de embolia (rompimento dos pulmões pela expansão do ar) ou doença descompressiva (bolhas que podem, pelo mesmo motivo, estourar as articulações). Ao contrário da reação instintiva, a pessoa deve gritar enquanto sobe, a fim de compensar, pelo esvaziamento, o acréscimo de volume em seus pulmões.

No fim desse dia, estivemos com o vice-almirante Kleber, comandante da Força de Submarinos que, conforme eu já esperava, era sósia do escritor Carlos Heitor Cony. Seu perfil, seu bigode, sua maneira de caminhar e falar apressadamente, todo ele era Cony. Perguntado sobre a qualidade essencial num submarinista, sua conyana resposta foi: "audácia". Aventamos uma segunda saída a bordo do *Tapajó*, em qualquer *comissão* que o mantivesse alguns dias no mar. Ele nos recomendou solicitá-la ao comandante Palmer, diretor do serviço de imprensa da Marinha. Semanas depois veio a resposta: *afirmativo*. Por razões de alojamento, porém, apenas um jornalista poderia embarcar.

Assim como nos bairros suspeitos e nas redações de jornal, a vida no submarino se agita ao anoitecer. O navio ignora dia e noite, as fainas e os turnos sucedendo-se sem alteração. O que faz toda diferença é que à noite o interior do casulo é afogado numa iluminação sangüínea, semelhante ao infravermelho, chamada *luz encarnada* ou *luz de polícia*. Só então o leigo se convence de que está a bordo de um submarino de guerra, reconhece as cenas que viu nos filmes e na TV — nesse espelho por meio do qual enxergamos o mundo e nos certificamos de sua veracidade. As associações fálicas que o artefato pode desencadear, e que alguém afeito à psicanálise registraria, são óbvias o bastante para que se diga, como aquele grande consumidor de charutos, que às vezes um submarino é apenas um submarino. Mas a luz avermelhada culmina a metáfora uterina, a sensação de estar protegido numa placenta de metal imersa em líquido incomensurável.

Na praça d'armas, o compartimento onde se fazem as refeições, havia uma revista em que certa notícia atraiu a atenção dos oficiais, que a comentaram longamente, entre risadas. Dizia que uma equipe de pesquisadores constatara uma correlação estatística entre homossexualismo feminino e certa proporção dos dedos médio e anular da mão. A matéria trazia um diagrama da mão, para que o leitor (ou leitora, no caso) pudesse aplicar-se um teste. Quando o comandante chegou ao cubículo, quiseram examinar de brincadeira seus dedos, que eram compatíveis com o desenho. Isso provocou um alvoroço de gargalhadas, aos gritos de *o comandante é lésbico!* Aquela foi a primeira e única vez que os vi romperem a casca da hierarquia, num comportamento que o comandante levou na esportiva, mas que obviamente o encabulou e o teria irritado se continuasse por mais algum tempo. O conteúdo sexual do incidente, a maneira clássica como ele veio à tona no fundo do mar — em meio a piadas —, tornava irrecusável decifrar seu sentido: tratava-se da tensão subterrânea entre a carreira militar, na qual se cultiva a virilidade como em nenhuma outra, e as situações de caserna em que um bando de homens convive com intimidade quase indecorosa, sem vestígio de mulher num raio de centenas de quilômetros. Se o teste da revista tratasse de homossexualidade masculina, teria sido convenientemente ignorado, seu apelo calado pelo mais rigoroso interdito; foi o deslocamento fortuito para a esfera do lesbianismo, que aparentemente não ameaçava nenhum dos presentes, que propiciou o momento raro em que eles baixaram a guarda e deixaram entrever uma das raízes psicológicas de sua profissão.

Eu divagava assim, enquanto procurava me acomodar num beliche que pelas dimensões, pela proximidade do teto e até pela cortina lateral era confortável como um caixão. Eram onze da noite, o *Tapajó* navegava a sessenta metros de profundidade. A luz encarnada se explica: caso tenha de vir à superfície, os olhos de quem guarnecer o periscópio devem estar habituados à penumbra para ver o mar à noite. E é necessário subir de tempos em tempos, pois, por incrível que pareça, um submarino em imersão nunca sabe exatamente onde se encontra. Ele precisa içar a antena, fazer a triangulação de sinais de satélites (sob controle americano, adverte um oficial) e marcar o ponto geográfico em que está. Ao submergir novamente, à medida que o barco avança, o comando estima suas posições na carta marítima, mas o raio de incerteza define círculos cada vez maiores. Essas voltas periódicas à tona são a manobra mais perigosa em tempo de paz — dispondo apenas de sonar, nunca se tem absoluta certeza do que está lá em cima. É proibido, então, circular pela sala de comando.

Antes de me recolher ao camarote, como diria o professor Aronnax, estive na despensa, três cubículos refrigerados que ficam no porão e guardam os mantimentos de bordo. A comida é sempre boa porta de acesso à sociologia de uma comunidade. Nos submarinos, ela é a mesma para oficiais e praças, que comem, dormem e vão ao banheiro, no entanto, em recintos separados. A divisão entre os dois corpos é estanque, sobrepondo-se a uma separação que é não só de classe, mas também de região. Oficiais provêm na maioria de famílias de classe média, o sotaque predominante entre eles é carioca, na praça d'armas vi o jornal *O Globo*. Praças têm origem popular; liam *O Dia*, e a pronúncia mais comum na sala de torpedos era nordestina.

Para uns o serviço na Marinha significa estabilidade, para outros, uma oportunidade de ascensão social; para todos é uma ocupação nobre e abnegada. Existe ainda uma razão prática para a divisão estrita entre oficiais e praças: a menos que se queira um *Potemkin* a bordo, é preciso que alguns mandem e os demais obedeçam. A hierarquia é tão meticulosa que, entre dois oficiais quase da mesma idade, o menos graduado chama o outro de *senhor*, ao passo que este chama o primeiro de *você*. O poder do comandante é incontrastável, mas o do estamento é maior, na medida em que ele pode ser destituído e preso em alto-mar, pelos oficiais, se julgarem que está fora de si ou se insiste em fazer algo que os regulamentos lhe vedam. Em terra, uma corte militar decidirá se agiram bem ou não. Sendo a alimentação item tão importante no cotidiano de um submarino, reconstituo abaixo o cardápio do dia no *Tapajó*, concebido pelo oficial-gestor, o tenente Álvaro Lemos:

3 de abril de 2000

CAFÉ-DA-MANHÃ
Café, leite, frutas, pão, presunto e queijo, cereais

ALMOÇO
Salada de macarrão com maionese de atum
Frango grelhado, arroz e feijão
Gelatina
Café

JANTAR
Sopa de ervilhas
Strogonoff, arroz e batata-palha
Bolo de pavê
Café

CEIA
Pipocas, bolo de laranja, chocolate quente, frutas

Como era de esperar, o sono é entrecortado pelas vozes no rádio interno e pelo revezamento dos oficiais que rendem o turno. Saí do beliche ao amanhecer e fui à sala de comando, com uma caneca de café que me puseram na mão. Estávamos na cota periscópica. Um navio passava nas imediações, fui convidado a ouvir no sonar. Esse aparelho pode emitir sinais sonoros (os *pings* que conhecemos dos filmes de submarino) ou apenas receber os sons que lhe chegam, comportamento mais adequado por razões de camuflagem. Coloquei os fones de ouvido e escutei um ronronar quase inaudível; vi ao mesmo tempo a leve perturbação que ele provocava no círculo luminoso e irregular que representa, no painel, o espectro de sons. Ouvidos de virtuose, o sargento que operava o aparelho descreveu o navio: mercante, um eixo, hélice de quatro pás, movido a diesel, distância de dez a doze quilômetros. O comandante perguntou se eu gostaria de ver o barco pelo periscópio. Consegui me convencer de que havia um ponto fantasmático no horizonte, quase sempre encoberto pelas ondas, e eram elas que prendiam a atenção. A paisagem era desoladora, água e céu fundindo-se em tons de um cinza tenebroso, mas o que hipnotizava era o naturalismo das ondas imensas e vagarosas que lavavam o periscópio, discerníveis em cada sinuosidade de seu encrespamento conforme se aproximavam: como uma muralha de água, propiciando a aterradora visão que teria um náufrago agarrado a uma prancha de madeira.

Às nove e meia da manhã, o submarino estava a mais de cem quilômetros da costa fluminense e dava início ao teste de imersão, com o objetivo de descer até 250 metros — o fundo do mar, naquela área, está a quatrocentos metros. (Em profundidades menores, um submarino pode pousar no leito; é uma manobra evasiva clássica.) O capitão-tenente La Peña, oficial jovem e taciturno, com cara de intelectual, fora encarregado de monitorar o repórter a bordo, mas durante a descida todos estavam concentrados em suas tarefas; La Peña mal tinha tempo de me responder. Enquanto os marcadores mostravam a metragem crescente, irrompiam, como se o metal suasse, gotejamentos em tubulações na sala de manobras, onde estava. Submarinos desta classe abrigam 38 816 metros de cabos e 26 060 ligações elétricas. Dessa vez, torci sinceramente para que os oficiais do *Tapajó* tivessem aproveitado as trezentas horas de treino que cada um despendeu no simulador. Um dos canos, onde aparece um vazamento maior, que esguicha como uma mangueira de jardim furada, inspira cuidados: dois marinheiros tentam estancá-lo e só não entro em pânico porque me asseguram que o problema está *safo*, sob controle.

Creio que poucas informações me foram sonegadas a bordo. Existe a sala de rádio, cubículo onde se operam as transmissões quando o mastro vai à tona e onde é vedado entrar, proibição que alcança até os oficiais que não o comandante e seu imediato. No Arsenal do Rio, João Wainer fora impedido de fotografar um submarino argentino em reparos no dique flutuante, embora a encomenda enchesse a oficialidade de mal disfarçado orgulho. O comandante Enéas pediu que eu não registrasse determinados dados numéricos, segredos de polichinelo seguramente encontráveis em qualquer publicação especializada. Uma das cifras envoltas em mistério é a temível *cota de colapso*, profundidade em que o casco resistente enfim cede à pressão, que aumenta uma atmosfera a cada dez metros que se desce.

Comenta-se que, no caso do *Tapajó*, ela fica em algum ponto entre quatrocentos e 450 metros. O cilindro começaria a ranger, porcas e parafusos seriam ejetados como tiros de revólver, as seções que formam o casco sucumbiriam uma após a outra, provocando estrondos registráveis a longa distância. A literatura técnica fala também no *efeito telescópio*, a possibilidade de os dois extremos se introjetarem na estrutura do navio, à maneira de uma luneta que é fechada, antes da implosão final, que levaria a carcaça rapidamente ao fundo. Em 1968, perto dos Açores, os Estados Unidos perderam um submarino assim, o *Scorpion*, com a tripulação a bordo, sem que até hoje tenham sido elucidadas as circunstâncias do desastre, provavelmente causado por um torpedo que explodiu ou que, lançado por acidente, se voltou contra o próprio navio.

Na manhã de 12 de agosto de 2000, meses depois de minha segunda e última saída a bordo do *Tapajó*, um submarino nuclear russo de última geração foi a pique no mar de Barents, matando seus 118 tripulantes. Às 11h28, quando o *Kursk* estava a apenas vinte metros de profundidade, uma primeira explosão abriu o casco. Outra explosão, dois minutos depois, destruiu a proa do barco e o levou ao fundo do mar, noventa metros abaixo. Um bilhete, escrito por um marinheiro e encontrado nos destroços, atesta que pelo menos vinte homens sobreviveram no compartimento traseiro da fuselagem por até oito horas depois das explosões, antes de morrer envenenados por monóxido de carbono. Fala-se de mergulhadores que teriam ouvido batidas de S.O.S. na parte interna do casco depois disso. Num primeiro momento, a Marinha russa recusou ajuda de outros países. Insistiu durante meses na hipótese de que o *Kursk* se chocara contra uma embarcação da Otan ou atingira uma antiga mina da época da Segunda Guerra Mundial. Parte da estrutura do submarino foi içada do mar; por razões de segurança, a seção de torpedos foi destruída no leito marinho.

Relatório sobre o acidente concluiu que a explosão foi causada pelo vazamento do combustível de um dos torpedos de teste. Composto altamente instável, o peróxido de hidrogênio escapou por fissuras microscópicas e, uma vez em contato com metal e querosene, explodiu. Em 1955, um acidente com o submarino britânico *Sidon*, no qual morreram treze marinheiros, banira o uso do peróxido de hidrogênio. Os russos o vinham utilizando novamente por ser relativamente barato. O acidente com o *Kursk* produziu uma renovação no alto comando das Forças Armadas, que pela primeira vez passaram a responder a um ministro civil. Mas os responsáveis pelo vazamento nunca foram identificados, para revolta dos parentes das vítimas. A catástrofe ficou como emblema da decadência de um império, que já não dispõe de recursos para manter e atualizar sua máquina de guerra.

O *Tapajó* atingiu a profundidade de 251 metros às dez horas; seu casco estava alguns milímetros menor. Às 10h10, voltava à cota dos sessenta metros e às onze e meia finalmente emergiu. Pairava um contentamento de dever cumprido a bordo, a começar por mim. Estava sem fumar desde as seis da tarde do dia anterior, penúltima vez que o navio içara o esnórquel, quando se pode acender um cigarro dentro da nave. Os olhos ardiam na atmosfera carregada de gás carbônico. Pedi para subir ao passadiço. Conforme escalava os degraus rumo ao halo luminoso no topo, deixava para trás (ou para baixo) as profundidades, a luz encarnada, o cheiro de combustível, a claustrofobia e os terrores noturnos, até que, ao assomar no passadiço, o clarão me ofuscou instantaneamente. Era um dia glorioso: sol a pino, nenhuma nuvem, o azul profundo do mar a perder de vista em todas as direções. Respirei a brisa quente aos sorvos e subi até a beira da vela, onde se tem a ilusão de montar o submarino como se ele fosse uma baleia e dominar, do alto, o oceano inteiro. A água escachoava no casco, nos respiros da fuselagem e no escapamento dos motores que rugiam.

Alguém falou em Vasco da Gama, e me parece justo recordar o grande navegador em momento tão sublime, mas o assunto era futebol, o Vasco perdera (ou ganhara) do Flamengo. Um último lugar-comum me vem à mente: como é possível que tantas pessoas tenham de se atormentar nos escritórios, nos engarrafamentos, nos ônibus, nos limites mesquinhos de uma rotina verdadeiramente claustrofóbica, quando existe essa amplidão? Com requintes de cafonice, um cardume de golfinhos pratica sua coreografia de parque aquático ao redor da proa em forma de gota do intrépido *Tapajó*; nada de especial, é comum que esses cetáceos acompanhem submarinos, às vezes por horas. Não é para eles que se voltam as atenções e os binóculos, mas para um navio, que logo se constata serem dois, que cruzam a *boreste* (direita). São fragatas brasileiras, a *Independência* e a *Dodsworth*, navegando em sentido oposto, rumo ao porta-aviões *Foch*, que deverão escoltar até o Rio e que a Marinha viria a comprar da França e rebatizar de *São Paulo*, conferindo merecida aposentadoria ao velho *Minas*. Sua silhueta recortada contra o horizonte, as fragatas parecem réplicas daquelas diáfanas maquetes de plástico cinza, que nunca tive aptidão nem paciência para colar, afastando-se nos mares da memória.

O terceiro sinal

Eu estava em frente a um espelho de camarim, piorando minha maquiagem a cada tentativa de consertá-la. Olhava-me no vidro e não via outra pessoa: os óculos, de armação grossa e preta, eram diferentes; o cabelo estava cheio de gel; a cara, cinzenta como a de um embalsamado — mas não dava para disfarçar que era eu. Ao redor os atores giravam a esmo, naqueles momentos em que, vestidos alguns em roupas implausíveis, ainda seminus os outros, emitindo grunhidos e gargarejos para aquecer a voz, eles se parecem mais do que nunca com loucos num pátio de hospício. Eu havia verificado maquinalmente as três coisas que não poderia esquecer de modo algum: um jornal dobrado, uma caderneta preta e um revólver calibre 32, niquelado e com cabo de madrepérola, cujo tambor chequei com cuidado obsessivo, para ter certeza de que estava vazio. Dentro de alguns minutos, sem nenhuma experiência prévia, tendo decorado o texto na última semana e tomado parte em apenas três ensaios, sem ser nem desejar me converter num ator, eu estaria me apresentando diante de uma platéia pagante num dos teatros mais mitológicos do país, sob a direção do mais histórico de seus diretores.

Stanislavski, num de seus livros, conta a experiência insólita pela qual passou certa vez numa festa, quando estudante. Os amigos resolveram, de brincadeira, submetê-lo a uma intervenção cirúrgica. Puxaram uma cama, esticaram lençóis e improvisaram uma sala de operações. Apareceram bacias com água e talheres, que tiniam como ferros cirúrgicos. Já vestido numa camisola, Stanislavski foi deitado na "mesa"; os "médicos" procuravam tranqüilizá-lo, falando, entretanto, no tom que se usa para consolar um desenganado. Esticaram seu antebraço e ele sentiu uma picada na altura da veia. O braço foi em seguida pincelado e recoberto por ataduras, discutiam em voz baixa a incisão a fazer em seu abdome. De repente lhe ocorreu a idéia absurda: e se eles me abrirem de fato? Sabia que estavam brincando, sabia que não havia como nem por que operá-lo, mas a idéia se tornou perturbadora de tal forma que ele estava para se levantar num rompante, aterrorizado e suando frio, quando a brincadeira terminou.

Era uma sensação parecida. Nada de terrível, nem mesmo de grave, poderia acontecer a mim, aos atores ou à principal vítima, a platéia. Num papel que, sendo mais que uma *ponta*, não estava entre os protagonistas, eu não teria ocasião de comprometer o conjunto, meu desempenho passaria batido. Mesmo que fosse identificado por pessoas no público, não tinha obrigação de me sair bem, não era um profissional. No entanto, não parava de imaginar uma série de infelicidades aptas a tornar aquela noite uma lembrança vexaminosa, indelével, dessas que se integram ao folclore de uma geração: um acidente físico em cena, um desmaio, algum *branco* que os colegas não conseguissem emendar, um ato falho imperdoável, um fiasco qualquer, algum conhecido na platéia que se sentisse estimulado a fazer pilhérias em público por meu próprio exemplo, alguém que se levantasse na audiência para exigir o dinheiro de volta. Mesmo que não acontecesse nada de catastrófico, restava o vago murmúrio do ridículo transmitindo-se com malévola displicência de boca em boca, fazendo o alvo dos comentários sofrer como um marido enganado que padece menos pelo pouco que percebe do que pelo muito que pode imaginar, sem ter a certeza pungente dos detalhes. Não ser ator era um álibi e ao mesmo tempo consistia no próprio delito: o palco não foi feito para amadores.

Em todos os teatros do mundo, uma sineta toca sucessivamente uma, duas e enfim três vezes, anunciando que o espetáculo vai começar. O primeiro toque serve de alerta aos técnicos e atores, que entram na reta final dos preparativos. O segundo precipita uma correria entre os que estão atrasados e aumenta a concentração dos demais, que circulam pelo pátio do hospício. O terceiro é irrecorrível: seja o que Deus quiser, começou. Eu esperava que esse fosse o instante de maior tensão, e é. Mas pânico eu já havia passado algumas horas antes, quando anoiteceu e achei que não conseguiria me deslocar até o teatro. Não cansava de me espantar que um desafio meramente psíquico (desde que ninguém quebrasse a perna) pudesse conduzir a tal paroxismo de angústia. Sempre que passamos por um estado desses, preferiríamos, naquele momento, que a causa fosse outra: guerra, extração de dente, qualquer coisa. Foi o que senti no fim da tarde.

Agora, prestes a entrar em cena, esse estado de angústia tomava a forma de um torpor, uma quase-sonolência que me deixava catatônico, imune ao mundo exterior, bocejando largado numa cadeira. Sentia as pernas moles e não sabia decidir se era descontração ou anestesia. Meu coração martelava, sentia falta de ar. Reza a lenda que foi Fernanda Montenegro quem estabeleceu a cautela de manter, em algum lugar das coxias, próximo à cena, um recipiente qualquer que servisse numa emergência urinária. Nas montagens do Teatro Oficina, em que os atores se movimentam muito e suam intensamente, quase sempre envolvidos em tarefas de *contra-regragem* quando não estão atuando, não há muita ocasião de ficar apertado durante o espetáculo. Mesmo assim, esvaziei a bexiga algumas vezes, seguidamente, como se fosse uma cena que devesse ensaiar antes de descer ao proscênio, que no Oficina fica num mezanino, pouco visível pela platéia. Estava mais zonzo do que apavorado.

Esse teatro, como sabe quem já o freqüentou, em tudo é diferente dos demais. O palco é um longo corredor cercado por galerias, onde o público fica encarapitado. Ninguém consegue ver a peça inteira, nenhum ângulo de visão abarca o espetáculo todo, onde quer que o espectador fique (mal) acomodado em sólidos bancos duros, "bancos de convento", curvado sobre a balaustrada de ferro. Em contrapartida, a cena ocorre nos locais mais inesperados, em frente, à esquerda e à direita, abaixo, acima, às vezes atrás do público. A concepção do Oficina, fruto das idéias do diretor José Celso Martinez Corrêa traduzidas em linguagem espacial pela arquiteta modernista Lina Bo Bardi (Marcelo Suzuki colaborou; o projeto definitivo é de Edson Elito), enfraquece a fronteira entre palco e platéia, que se atropelam durante a ação, permitindo uma contigüidade física que realiza em parte a idéia de Artaud, derrubar todas as paredes do teatro. Em sua linguagem peculiar, o diretor define o local como *terreiro eletrônico* onde tem lugar o *te-ato*. Por estranho que pareça, o efeito da concepção arquitetônica do Oficina não é muito diverso daquele que propiciavam os teatros elisabetanos. Havia um palco central, ao redor do qual se apinhava uma platéia em pé, comendo avelãs e bebendo cerveja engarrafada. Em volta, num círculo mais amplo, elevavam-se os camarotes, de onde se podia ver o palco e também outras áreas do teatro, utilizadas nas mudanças de cena: *praticáveis* laterais, passagens de nível, varandas onde parte da ação poderia ocorrer. Como no Oficina, o vão central do céu era aberto (embora no teatro paulistano não se abra a clarabóia, a fim de que vizinhos do prédio ao lado não manifestem seu inconformismo atirando objetos nos atores, como já ocorreu). No teatro de Zé Celso, outras fronteiras também se dissolvem, entre elas a que marca o início da peça. Os atores começam a se aquecer com pelo menos uma hora de antecedência e vão criando o ambiente do espetáculo dez ou quinze minutos antes de o público entrar. À medida que os lugares são ocupados, eles já estão reunidos no mezanino, onde dançam e se exercitam, enquanto cantam canções que reaparecerão durante a peça. A atriz com quem eu contracenaria, Sylvia Prado, tenta me ajudar na maquiagem, detalhe a que os verdadeiros atores dão imensa importância, a ponto de o rito diante do espelho se confundir com a preparação espiritual para se tornar um *outro*. Camila Mota, atriz que me mantinha à distância, mal me dirigindo a palavra, estende três comprimidos de guaraná em pó em minha direção, num gesto imperativo de Cleópatra. Ela teria coragem de me envenenar, penso, olhando incrédulo as cápsulas castanhas na palma de sua mão, ou de me dar laxantes antes da peça? Resolvi aceitar o que era, afinal, um cachimbo da paz, a senha de que ela enfim tolerava a minha presença na companhia. Seu namorado, Fernando Coimbra, outro ator pouco amistoso nos ensaios, oferece um copo de conhaque, que engulo. Estou topando todas.

Um pouco antes ocorrera o ritual coletivo que precede todo início de semana teatral no Oficina. O grupo inteiro se reúne no palco, onde canta e dança até Zé Celso indicar um dos presentes para a honra de acender a vela que ficará queimando, de sexta-feira até a sexta seguinte, num canto do jardim que margeia parte do corredor central. Atores são animais extremamente supersticiosos. Não se deve dizer o nome da "tragédia escocesa", por exemplo, a menos que ela esteja sendo ensaiada ou em cartaz, nem se pode assobiar nas coxias, resquício talvez de uma época em que pesados cenários levadiços eram comandados por um código de assobios entre os *maquinistas*. Convém polvilhar açúcar desde a rua até a bilheteria na primeira noite, evitar roupas de cor verde nos camarins, jamais desejar boa sorte numa estréia — a lista é interminável. Depois do ofício público, já aceso o minúsculo altar no jardim, agora é o momento das mandingas e dos sortilégios particulares, dos abraços apertados e votos recíprocos de *merda!* sussurrados energicamente nos corredores. Esses auspícios trocados, maldições que se tornam bênçãos (*break a leg*, dizem em inglês), obedecem à inversão carnavalesca que está na essência do teatro desde sua mais antiga origem ocidental, os ritos de Dioniso. Fui o último a descer. Ia começar a antepenúltima apresentação em São Paulo de *Boca de Ouro*, primeira montagem que o Oficina jamais fizera do maior dramaturgo brasileiro, Nelson Rodrigues.

Metido num casaco de feltro, já bufava de calor quando me incorporei à roda no mezanino: dançando, os atores se abraçam numa falange, formam filas que vão de encontro uma à outra e voltam a se fechar num todo compacto, que gera intimidade física e um sentimento de proteção couraçada contra o público. A primeira cena, que não fazia parte da peça em si, era uma *promenade* dos atores pela faixa central do teatro, como num desfile de escola de samba. Descemos um a um, gingando pela escada em forma de caracol, até o sol de meio-dia que dardejava em todo o corredor do palco. O teatro parece então dourado como o caixão que o Boca de Ouro encomendou, "sem pressa", para seu próprio enterro. O batuque violento, os refletores chamejantes, os giros que cada ator deveria dar conforme o bloco evoluía pela passarela, tudo isso levantava um biombo de luz e som entre mim e o mundo. Embora ciente de que estava sambando como um dinamarquês, entrava naquilo que Stanislavski chamou de *solidão em público*, sentindo-me exposto e protegido ao mesmo tempo.

Terminado o desfile, eu deveria disparar por uma escada oculta, dar a volta por trás do teatro e descer pelo lado oposto, onde outro ator me esperava para levarmos à cena uma arara, tipo de cabide comum nos bastidores de qualquer teatro. No centro, Marcelo Drummond, que fazia o protagonista, já saía nu da fonte d'água que existe junto a uma das paredes de tijolo do Oficina, erguidas na década de 20, para que nós o vestíssemos, seguindo uma coreografia musicada que eu ensaiara uma só vez. Cheguei espavorido ao outro lado.

Essa entrada era das que mais me preocupavam, não só pela coordenação que exigia, como pelo fato de que a rampa que leva ao centro do palco ficava molhada e escorregadia. Numa advertência de Dioniso, o salto do meu sapato descolara meia hora antes do espetáculo. Minha amiga Lenise Pinheiro, fotógrafa e anjo da guarda do teatro, que tinha me dado a honra de atuar como minha camareira, saiu atrás de cola e deu o jeito que pôde ao sapato. Tinha sido aconselhado a passar breu nas solas, por causa da rampa molhada, mas me esqueci completamente. Agora tinha de descer a rampa aos saltos, empunhar no centro da cena o revólver que trazia na cinta e voltar correndo, entregando-o com uma reverência nas mãos de Marcelo, já paramentado para a primeira cena. Feita essa contra-regragem aos trancos e barrancos, subi à sala de som, abaixo do mezanino, aonde cheguei pedindo uma tenda de oxigênio. Acendi um cigarro; lá deveria esperar a deixa para a entrada de meu personagem, o repórter Caveirinha.

Interessado em sabotar as convenções teatrais e abalar a divisória que separa vida e teatro, Zé Celso sempre estimulou leigos a fazer algum papel em cena, de preferência semelhante ao que estão acostumados a desempenhar fora dela. Num de seus famosos *happenings*, compeliu Paulo Maluf a ler um trecho do papel de Penteu, em *As bacantes*, de Eurípides. A performance do político populista mereceu a aprovação do diretor e ator, que em outra ocasião declarara à imprensa seu propósito de manter, no interesse do teatro, uma conversa entre profissionais com Maluf, "de palhaço para

palhaço". Eu pensava fazer algum papel com menos falas; foi Zé Celso quem sugeriu o do narrador da peça.
Eis o enredo, visto do ângulo desse personagem. Boca de Ouro, famoso gângster que controla o jogo do bicho no Rio de Janeiro, morre assassinado. Na redação do jornal *O Sol*, o repórter Caveirinha é designado para a cobertura do crime, cabendo-lhe extrair o que puder de Dona Guigui, antiga amante do contraventor, hoje de volta ao marido e aos filhos. A peça propriamente dita é feita de flashbacks em que Dona Guigui, sempre espicaçada pelo repórter, relata o episódio que presenciou quando vivia com Boca de Ouro, um triângulo amoroso entre o bandido, um viciado no jogo e sua jovem esposa. Manipulada pelo inescrupuloso Caveirinha, Dona Guigui muda sua versão inicial do caso, ao saber que Boca está morto, e apresenta ainda uma terceira narrativa, quando é levada a se reconciliar com o marido, que ameaçava deixar a casa. A peça é a *mise-en-scène* das três versões, ao cabo das quais Boca de Ouro surge como um personagem mítico, como queria o autor, sobre o qual nunca se saberá exatamente a verdade.

Não sei quando o filme *Rashomon* (1950), de Kurosawa, passou no Rio de Janeiro, mas parece evidente que Nelson Rodrigues escreveu a peça, que é de 1959, após ter assistido a este clássico do cinema. Nele, um sacerdote relata um crime que também é o desenlace de um triângulo amoroso, descrevendo o clímax sangrento conforme a versão de seus três participantes, inclusive o fantasma de um dos dois homens, despachado desta para melhor pelo outro (ou por suas próprias mãos, numa das versões). Do prisma do repórter/sacerdote, no entanto, a peça me lembrava outro filme, *Cidadão Kane* (1941). Neste, o diretor de um cinejornal sobre a morte do famoso magnata da mídia, insatisfeito com a mediocridade do resultado, manda sua equipe de volta às ruas, certo de que deve existir, na rumorosa vida do protagonista, um elemento decisivo e oculto, elo perdido capaz de explicar por que um homem que teve e fez tudo o que desejou morre infeliz. *Rosebud*, a última palavra pronunciada por Kane, é o mote de uma busca da qual o repórter Thompson, tanto quanto o nosso Caveirinha, emerge de mãos vazias, como se o jornalismo fosse instrumento fraco demais para revelar a verdade inacessível da vida, que só a arte, talvez, pode interpelar.

Foi o próprio Zé Celso quem me chamou a atenção para alguns desses paralelismos, reforçando-os quando, ao se despedir na madrugada da véspera da "estréia", debaixo da bigorna que encima a entrada do Oficina — resquício do realismo socialista de outros tempos —, disse: "Agora, tudo o que você tem a fazer é uma grande reportagem, dentro e fora de cena". Pois havia pelo menos três camadas de jornalismo implicadas na situação, como uma reportagem da reportagem da reportagem. Havia o substrato das reportagens de Nelson Rodrigues, que começou como setorista de polícia e recolheu, nas delegacias e redações cariocas, o material narrativo de suas futuras tragicomédias (na terminologia particular que criou para a peça, o diretor chamava Caveirinha de "Nelson-menininho"). Havia, claro, a reportagem de Caveirinha, cujo produto é a peça. E havia a reportagem a seguir.

Minha verdadeira estréia no palco ocorrera trinta anos antes, no hamletiano *Pluft, o fantasminha*, clássico para crianças de Maria Clara Machado. Minha irmã Lena, que sempre foi um dínamo de idéias e entusiasmos, havia recrutado entre adolescentes do bairro uma companhia de teatro que ela dirigia com pulso. Efêmera como quase toda companhia teatral, a Maria Helena Produções levou algumas peças para platéias de crianças, que em sua inexperiência não identificavam nosso doloroso, mas disciplinado, amadorismo. Em *Pluft*, fiz o pirata Perna-de-Pau.

Perna-de-Pau é um personagem que oferece possibilidades ao ator ambicioso. Sendo o vilão da peça, cabem-lhe vários *bifes* (a primeira gíria teatral que aprendi e que ouviria tantas vezes mais tarde sobre minhas próprias peças), solilóquios durante os quais ele tem ocasião de pregar belos sustos em sua impressionável platéia. Como bom pirata, Perna é um tipo malcriado, violento e sensual, capaz de induzir as crianças a um frenesi catártico tal como queria Aristóteles. Após seqüestrar a heroína, que ele mantém amordaçada e amarrada numa cadeira diante da platéia, o monstro discorre, como já era hábito dos vilões desde a época de Shakespeare, sobre as perfídias que pretende praticar a seguir, numa cena que terá feito a alvorada do sadomasoquismo em mais de um espectadorzinho. Depois dos aplausos, descemos do palco para distribuir chocolate entre as crianças e fiquei surpreso ao constatar que muitas delas fugiam aterrorizadas de mim, um garoto de treze anos que decerto viam como um gigante de barba e botas.

Minha irmã conseguiu que ensaiássemos à tarde no Teatro Paiol, onde à noite era levada a polêmica peça *À flor da pele*, de Consuelo de Castro. Ao exibir o conflito amoroso entre um professor casado e a universitária com quem ele tem um romance, o texto suscitava todo o repertório do choque entre gêneros e gerações em curso na época, enquanto tornava público o debate sobre as alternativas — guerrilha ou contemporização — que dividiam o pensamento de esquerda. O teatro em São Paulo e no Rio passava por uma ebulição criativa sem paralelo e era um dos focos da rebeldia contra a ditadura militar. Nós pouco nos dávamos conta disso, fascinados ao ver, no cenário desfeito do dia seguinte, o espetáculo da cama de casal realmente usada pelos atores, Miriam Mehler e Perry Salles, aliás casados entre si; quanto mais revoltos os lençóis, mais nossa imaginação se excedia.

Logo eu estava grande o bastante para freqüentar o teatro adulto. Achava adequado que nos teatros houvesse uma tolerância na admissão de menores de idade que não existia nos cinemas. Entendia que o palco é onde a humanidade se reúne para falar de seus problemas mais graves, suas fraquezas mais inconfessáveis, seus exemplos mais terríveis, o único lugar em que a vida deve ser apresentada sem disfarces nem escrúpulos. Vi *Tango*, de Mrozek, e a montagem de Antunes Filho para o *Peer Gynt* de Ibsen. Nesta última, as grandiosas peregrinações do protagonista cabiam num palco acanhado, por onde desfilavam mares, montanhas, províncias inteiras. *Tango* oprime o mundo no diagrama obsessivo de uma família e foi a primeira vez que percebi como era possível "inventar" a realidade. Após ver essas duas peças, decidi que me interessaria pelo teatro. Menciono essas e outras reminiscências, que não têm importância exceto para mim, porque elas vieram à tona o tempo todo na semana em que me preparava para fazer o Caveirinha do Zé Celso. Tive o privilégio, tão próprio do teatro, de vivê-las de novo, como se voltasse a ser o adolescente que reconhecia o cheiro de veludo mofado dos camarins, que outra vez decorava as falas do Capitão Perna-de-Pau, como se o que acontecia agora já tivesse acontecido em algum estado paralelo, onírico ou anamnésico.

A primeira preocupação do leigo é decorar o texto. Parece simplesmente impossível sabê-lo de cor, e é aterrador como ainda ocorrem *brancos* e erros ao repassar as falas na própria tarde da estréia. Os atores recomendam, por isso, "esquecer" o texto nas horas que antecedem o espetáculo, deixá-lo "descansar" no cérebro. Ao decorar as falas do repórter Caveirinha, tive vergonha de ter obrigado os atores que encenaram as peças que escrevi a decorar falas de minha autoria, não só porque eram tão piores que as de Nelson Rodrigues, mas por ter compreendido enfim a responsabilidade implicada no fato de alguém saber de cor palavras que você próprio, tendo-as escrito, não sabe. Passei a valorizar cada frase e detestar autores que, como eu, as desperdiçavam como estróinas que, depois de esbanjar, mandassem a conta para os atores. Mas decorar o texto, você logo vê, não é nada. Será preciso reaprendê-lo quando começam os ensaios e você tem de articular o nível verbal com vários outros níveis que nunca lhe ocorreu coordenar de modo consciente fora do palco. Existem os espaços relativos entre objetos, os outros atores e a platéia, existe a sua atitude corporal (só ela um capítulo inteiro, em que você tem ganas de jogar seu corpo no lixo por não saber o que fazer com ele), e existe o cerne diáfano da arte de atuar, que é o nexo problemático entre o que você sente, pensa e expressa em cena. Não há modo objetivo de avaliar a qualidade desse nexo, que todas as técnicas e escolas de interpretação tentam fomentar à sua maneira. Tive a sorte de preparar o texto com uma brilhante atriz, Mika Lins, e fazer um ensaio doméstico com ela e Bete Coelho, que havia protagonizado recentemente a Cacilda Becker de Zé Celso. O tempo era pouco, minha inexperiência era imensa, e elas optaram por um tratamento de choque. Durante uma madrugada inteira fiz e refiz as cenas de que participaria, sendo criticado todas as vezes: *errou o texto, está duro demais, que é isso, está gritando! calma, aonde vai com essa correria?, o quê? não dá pra ouvir nada, o que foi que você disse? de novo, volta, errou o texto outra vez, olha pra parede, não finge que olha, olha de verdade!* Este último ponto era muito realçado por elas, que repetiam uma tão famosa quanto desconcertante ordem de Antunes para seus atores: *pelo amor de Deus, não interpretem!* Eu achava que entendia cada recomendação, mas juntá-las parecia contraditório, além de impraticável. Elas pediam que eu fosse o personagem e não fosse, que atuasse sem atuar, que fingisse, sendo. No fundo, começava a viver na própria pele aquilo que Diderot, num ensaio famoso, chamou de "Paradoxo sobre o comediante" (1769).

Em resumo, o filósofo diz que as pessoas se dividem entre aquelas dotadas de uma propensão natural a viver emoções e aquelas outras que, menos providas dessa faculdade, são por isso mesmo capazes de observar e imitar as primeiras; os atores seriam expoentes desse segundo grupo. A arte da representação consiste no estudo criterioso das formas aparentes da emoção com a finalidade de replicá-las de maneira automática, mecânica, igual a si mesma em cada performance. Não fosse assim, argumenta Diderot, os atores seriam destroçados pelas turbulentas marés de sentimento que os arrastariam toda noite: "As lágrimas do comediante lhe descem de seu cérebro; as dos homem sensível lhe sobem do coração". E cita o caso, contemporâneo seu, de um célebre casal de atores que fazia grande sucesso como par amoroso no palco. Sua distância emocional em relação aos personagens era tamanha que eram capazes de dizer divinamente os versos de Molière para o público, alternando-os, em prosa de baixíssimo calão, com os insultos da briga de casal iniciada horas antes e que prosseguia em cena aberta sem que o público se desse conta.

Mais de um século depois, o diretor russo Constantin Stanislavski concebeu sua engenhosa solução para o paradoxo de Diderot. Na visão de Stanislavski, os grandes atores da época do Iluminismo e de qualquer outra época desenvolvem de maneira inconsciente uma técnica para suscitar e domesticar as próprias emoções. Stanislavski acreditava ter decifrado essa técnica intuitiva, convertendo-a num aprendizado que qualquer pessoa poderia assimilar e vir a desenvolver na proporção de seu talento inato. Mediante exercícios práticos e associações de idéias, era possível despertar emoções semelhantes às do personagem, efetivamente experimentadas pelo ator em sua vida fora do palco, e insuflar essa energia emprestada nas formas mortas do texto e da atuação, dando-lhes vida fresca a cada noite, quase como se fosse a primeira e verdadeira vez. Esse processo era artificial ou controlado, como descobrira Diderot, tornando-se uma segunda natureza no ator experiente. Mas, ao contrário do que pensava o enciclopedista, não se tratava de cópia da manifestação exterior do sentimento, e sim de sua reconstituição a partir de algum símile psicológico, interior. As duas concepções se explicam, é claro, em função das circunstâncias em que apareceram. No século XVIII, as apresentações teatrais eram ritualizadas e declamatórias, afastadas da platéia em teatros públicos por uma distância conceitual, além de física. Na época de Stanislavski havia salas menores e mais acolhedoras, onde o espectador burguês se acostumara a espiar o palco como quem entrasse sem ser percebido na intimidade de uma sala de visitas, à maneira das muitas, criadas por Tchekov, que ele levou à cena. A teoria do encenador russo se inscreve no amplo movimento artístico e intelectual que na transição do século XIX para o XX procurou entender, mapear e interferir no funcionamento do inconsciente. Nada disso reduz a dimensão atemporal das duas doutrinas, de modo que um ator sempre será, ainda que não o saiba, seguidor de Diderot ou de Stanislavski. A concepção do primeiro não está tão morta quanto parece, bastando lembrar que ela se ajusta bem aos requisitos cênicos de um autor moderno, embora já "clássico", como Brecht. Quanto a Stanislavski, seu destino como pensador lembra o de Maquiavel, tão rechaçados em público quanto seguidos por trás do pano. Mesmo Artaud, um teórico tão anti-stanislavskiano na sua obsessão por um teatro de espontaneidade vital, talvez radicalize, mais do que conteste, a concepção do diretor russo, cujo "método" foi adotado pelo mais influente modelo de atuação da nossa época, o cinema americano.

    Saí arrasado do ensaio com as duas atrizes, mais confuso e inseguro do que antes, visualizando dificuldades que avultavam como cordilheiras, sem saber por onde começar a juntar os cacos do que fora um dia a minha personalidade. Precisava ser expressivo sem "cantar", autêntico sem ser desleixado, natural sem ser eu mesmo, movimentar-me sem exageros, ser fluente sem ser apressado, ter gestos precisos sem ser estereotipados, ser audível sem gritar — e assim por diante, numa série interminável de *isso sem aquilo* que ecoava as instruções de Hamlet despejadas sobre a trupe de atores prestes a fazer a cena da "peça dentro da peça". Com a autoridade de quem não sabe dirigir carros, Bete comparou a coordenação dos níveis (verbal, espacial, emocional etc.) às dificuldades do motorista com pedais, espelhos, marcha e direção, insistindo que o treino introjetava esse aprendizado até se tornar algo de automático.

Compreendi pela primeira vez a necessidade do até então absurdo ritual das repetições nos ensaios, a que eu assistira tantas vezes, horas e horas em que uma partícula de cena, algo que ocuparia alguns poucos minutos no espetáculo, era reproduzida à exaustão até perder todo o seu sentido intrínseco, convertendo-se num mantra. É essa impregnação maciça que permite ao personagem renascer, mutilado ou engrandecido, medíocre ou sublime, no corpo do ator. Sacudido pelas críticas, tendo amaciado o texto depois de dizê-lo tantas vezes, de maneira séria, exagerada, contida, cômica, efeminada, com sotaques estrangeiros, imitando a dicção de Paulo Francis, eu finalmente começava a *me sentir à vontade* no papel, como gostam de dizer os atores. Estava preparado para ensaiar no teatro.

Não tive a sorte de pegar Zé Celso numa época favorável. O diretor estava exausto e angustiado por causa de algum revés que sofrera no seu eterno embate contra Silvio Santos, o apresentador e dono de rede de TV que é também proprietário do entorno do Oficina, onde pretende construir um "shopping cultural". Zé Celso acha que, ao envolver seu teatro num abraço fatal, o "shopping" poderá descaracterizar o Oficina, tombado como patrimônio público em 1981 com base em parecer do respeitado cenógrafo

Flávio Império, que fora o responsável pela primeira reconstrução das instalações após o incêndio que arrasou o teatro em 1966. Se for erguido, o shopping inviabilizaria o sonho do encenador, parte integrante do plano arquitetônico original: "derrubar o muro" que separa o teatro de um pátio vazio na propriedade do empresário, a planejada Ágora, onde a passarela do Oficina deveria desaguar e os espetáculos culminariam em apoteose. Mesmo entre simpatizantes do teatro, porém, muitos argumentam que o empreendimento de Silvio Santos poderá trazer vantagens, como atrair o público circulante e melhorar as condições de segurança nas redondezas, onde assaltos e roubos de carros são comuns. A duzentos metros dali, numa vizinhança que faz lembrar o Globe e o Rose dos elisabetanos, fica outro santuário do teatro brasileiro, o Teatro Brasileiro de Comédia. O "distrito teatral" do Bexiga já conheceu dias melhores, mas está em curso um movimento de recuperação na esteira dos êxitos comerciais da avenida Brigadeiro Luís Antônio.

O diretor fez uma leitura com os atores e comigo das cenas em que eu participaria, me achou empertigado, mandou que eu dissesse as falas comendo biscoitos (o que mais tarde foi incorporado à cena e permitiu a Sylvia levar a platéia às gargalhadas com suas imitações de Nicéa Pitta, então primeira-dama da cidade, que denunciara o próprio marido e costumava prodigalizar biscoitos aos repórteres). Depois disso fiquei dias sem ver Zé Celso. Foi Marcelo Drummond quem ensaiou comigo, primeiro na presença apenas de Mika, depois com Sylvia e o ator Flávio Rocha, um jovem pernambucano com quem eu muito me preocupava pelo fato de que ele era o verdadeiro Caveirinha. Flávio não somente se dispôs ao que é um sacrifício quase inaceitável para qualquer ator — ceder o lugar, mesmo que por duas noites, a quem quer que seja, ainda mais a um diletante —, como me emprestou o figurino (paletó escuro e gravata) e ajudou com vários conselhos úteis.

Sempre que nos encontrávamos a mesma senha era trocada: *e aí, Caveirinha?* Marcelo Drummond, criticado por sua suposta falta de formação técnica, é um ator intuitivo que tem carisma em cena; seu Hamlet quase delinqüente era inovador ao explorar uma faceta radical e arejada do personagem. Aprendi macetes com ele, por exemplo, o de que as paredes em frente e atrás do centro do palco alongado do Oficina estão cobertas de placas de amianto que defletem o som, distribuindo-o para o alto e para os lados. O segredo de ser ouvido no Oficina é falar, sempre que possível, nessa área central e para as placas de amianto. A atitude de "não estou nem aí", que Marcelo ostenta igualmente dentro e fora do palco, foi no entanto a influência mais vantajosa que recebi dele, ao reduzir meu terror quanto à iminência de estar em cena. Foi em parte graças a esse ator mais aplicado do que parece que se manteve o Oficina, onde ele funcionou como "primeiro-ministro" durante anos, antes de repartir a função com a já citada Camila. É falsa, a propósito, a imagem de que o Oficina vive uma indolência de comunidade hippie: ensaia-se muito e com certa pontualidade para começar. Além das peças em repertório, a equipe está sempre envolvida nos preparativos de uma próxima, no caso *Os sertões*, baseada em Euclides da Cunha, que estreou em 2002, no centenário do livro.

Zé Celso, porém, é quem toma as decisões, numa estrutura de poder concentrada na sua figura, embora as opiniões do grupo pesem e a companhia seja muito permeável a novos recrutamentos, que acontecem a cada peça. Os atores circulam pelo Oficina, que tem formado alguns de primeira linha, como Pascoal da Conceição e Leona Cavalli, para mencionar dois da leva mais recente; só Marcelo e o próprio Zé estão lá desde que teve início a atual "dentição", na segunda metade dos anos 80. De volta do exílio em 78, durante o qual assistiu a duas revoluções, em Portugal e em Moçambique, alcunhado então de "decano do ócio", Zé Celso realizou dez espetáculos e n performances na década de 90, bem depois, portanto, de ter criado um autêntico furacão no palco brasileiro na passagem dos anos 60/70.

Além de cansativo, ensaiar pode ser embaraçoso: sem figurinos, sem luz, sem música, sem os artifícios da chamada magia do teatro, o sentimento do ridículo, que espreita a todo momento, encontra terreno para prosperar. Na primeira vez em que pisei na "língua escarlate" que recobria o piso do teatro durante essa temporada pude ouvir meus passos no recinto vazio e enorme. A sensação de que você e sua capacidade vocal são pequenos demais para a tarefa é acachapante. Uma coisa é atuar (ou achar que está atuando) na naturalidade da voz normal falada, outra coisa é fazê-lo de modo que suas sílabas sejam audíveis por centenas de pessoas dispersas por todos os lados. Eu me sentia profanando o silêncio de uma catedral com minha voz inepta.

O prédio da rua Jaceguai, 520, abrigava um teatro espírita, os Novos Comediantes, quando Zé Celso e outros alunos da Faculdade de Direito da USP alugaram o local para suas primeiras apresentações no palco, em 1958. Oriundo de uma família tradicional na ultracatólica cidade de Araraquara, no interior paulista, o futuro diretor nunca mais deixaria o lugar. Parece que toda a área do atual Bexiga pertenceu, no século passado, a uma escrava alforriada, chamada por isso mesmo de Libertas e que o encenador às vezes invoca como protetora do endereço. Mais tarde, as terras foram griladas por imigrantes italianos que haviam enriquecido e ali instalaram mansões e *villas,* cujos restos ainda irrompem em meio ao casario, sobretudo em noites de luar, como ectoplasmas do passado.

Para mim, o Teatro Oficina começou a existir como lugar mitológico em 1971, quando conheci Ana Helena de Staal (então, de Camargo) numa excursão de secundaristas à Europa, dessas em que você visita quinze países em um mês. Ana Helena era a ovelha negra da família e fazia contraste com sua irmã Ana Flora, logo eleita a beldade loira do ônibus. Também loira, aos catorze anos Ana Helena se vestia como um rapaz, era sarcástica, intelectual e socialista, tendo declarado em Roma, para escândalo dos demais excursionistas, que só levantaria cedo para ir ao Vaticano "se fosse pra dar um chute no culhão do papa". Ela foi minha primeira amiga do sexo oposto, se bem que o hoje compositor Carlos Rennó e eu, amigos entre nós, éramos menos amigos dela do que aprendizes fascinados com sua inteligência, sua liberdade e seu mundo onde política, revolução e teatro eram uma coisa só. Ana Helena é sobrinha de Zé Celso e mantinha, com o tio, um vínculo parecido com o que eu estava desenvolvendo em relação a ela. Ela me falou das montagens de *Galileu* e de *Gracias, señor*, em que ocorriam extremos de improviso e agressão à platéia estupefacta. Durante anos, depois de adulto, mantive um receio físico de Zé Celso que remonta àqueles relatos que eu ouvia assustado e seduzido. Voltei a ver Ana Helena poucas vezes desde então; foi graças a ela, que vive há muitos anos em Paris, que os arquivos do Oficina foram preservados e organizados, e mais tarde comprados pelo acervo da Universidade Estadual de Campinas.

O papel de Antônio Conselheiro cai bem ao diretor. Zé Celso é um homem alto, esguio, de porte aristocrático e jovial, que tem na cabeça uma auréola de cabelos prateados e faz arabescos com as mãos enquanto fala com eloqüência. Seu nariz adunco, sua fisionomia ibérica, sua personalidade inteira faz lembrar outro visionário que ele encarnaria bem no palco: Quixote. Obsessivo como esse personagem, cheio de caprichos e rompantes como ele, Zé Celso vem dedicando sua vida a um objetivo que nada tem de fantasioso, exceto no sentido de que todo teatro o é.

Haveria outros modos de ressaltar suas qualidades de encenador, autor, compositor, ator e tradutor, e de abordar a importância de seu trabalho para a cultura brasileira contemporânea. O mais simples talvez seja destacar que, até o advento de Zé Celso, no começo da década de 60, embora já tratasse de temas incômodos do prisma político ou moral, nosso teatro mantinha uma atitude convencional, "apropriada". O diretor foi o primeiro a reunir os dois lados da contestação — político e moral — numa mesma manobra que abrangeu também a estética do espetáculo, resultando num teatro que não era revolucionário apenas no que sugeria à audiência, mas na maneira como era feito e vivido pelo grupo. As montagens ganharam uma liberdade plástica e expressiva inédita até então, o texto passou a ser um elemento entre outros, integrado por uma rede de associações e referências intelectuais no mesmo plano que a música, a luz, a projeção de imagens, a dança, a performance, o happening, na expressão da época.

Zé Celso absorveu as influências de toda a mitologia internacional dos anos 60 — sexo livre, experiências com antipsiquiatria e drogas, revolução social no Terceiro Mundo, contracultura no Primeiro — e ao mesmo tempo deu uma feição brasileira ao tratamento desses temas, filiando-se ao tropicalismo, que naquele momento renovava a música popular e o cinema, e à sua matriz literária, o pensamento de Oswald de Andrade. Nos anos 20, esse escritor havia cultivado a idéia do choque "antropofágico", em que a periferia retardatária do capitalismo "devorasse" seu núcleo mais dinâmico, pela justaposição de formas arcaicas e modernas a fim de obter um resultado criativo que subverteria tanto a sociedade como a arte ao escancarar suas fraturas e descompassos. Isso era o que eu mais ou menos já sabia.

Novidade foi conhecer de perto os processos utilizados pelo diretor para concluir, como Polônio em *Hamlet*, que "há muita lógica nessa loucura". Tidas por desvairadas, as peças de Zé Celso são máquinas de significar em que cada aspecto da encenação contribui para o assalto à sensibilidade do espectador. É pena que a platéia, desatenta e cansada pela extensão oceânica dos espetáculos (*Ham-let*, na versão inicial, chegava a durar cinco horas e meia), não perceba boa parte desses elementos, mas a idéia é que eles acabem por redundar, até pelo barroquismo do excesso, numa percepção em parte inconsciente do conjunto posto em cena. Nenhum espaço fica inexplorado, nenhuma possibilidade expressiva é negligenciada, todo o palco e suas imediações devem irradiar signos que contribuem para o impacto de cada trecho. Se no cinema o trabalho da ilusão consiste em criar uma falsa realidade, no teatro, onde os recursos técnicos são muito mais precários, a ilusão é ela mesma ilusória, e o forte de Zé Celso é levar essa sensação ao extremo. Um enorme lençol de seda azul, sacudido ao rés-do-chão pelos atores, torna-se o mar; a tinta vermelha escoada num plástico transparente de uma ponta à outra do teatro é a trepanação do crânio de Cacilda Becker. Seus espetáculos são abusivos, orgiásticos e monumentais, mas minuciosos. Fiquei imaginando se um ator, depois de atuar nos espaços multidimensionais das encenações do Oficina, não voltaria a um teatro de palco italiano com a sensação do estudante de matemática que, tendo se dedicado ao cálculo diferencial, retrocedesse à tabuada.

Três dias antes de minha estréia como o repórter de Nelson Rodrigues, tive meu único ensaio com o famoso diretor. Participava de três cenas, cada uma o preâmbulo de uma das versões de Dona Guigui sobre Boca de Ouro. Existe no teatro uma instituição que são as reuniões após os ensaios. Ao chegar a um ensaio, deve-se entrar sempre pé ante pé, pois um dos atores, gente suscetível por direito adquirido, pode explodir diante do menor ruído ou interrupção, às vezes simples cumprimentos, que devem ser terminantemente evitados enquanto houver alguém ensaiando. As reuniões são oportunidades ainda mais perigosas, pois ali ocorrem as cobranças, as brigas se tornam públicas, alianças são reconfirmadas, uns jogam responsabilidades sobre outros e todos falam mal da produção, lava-se, enfim, a roupa suja, e os ânimos podem ficar exaltados. A pessoa de fora do círculo que por acaso entra nesse momento atrai descargas de fúria como um pára-raios. Se for sensível, ela desenvolve depressa um olho clínico para perceber num relance como está o "clima" e quem foi o pivô da crise do dia, pois crises ocorrem quase todos os dias, aumentando de intensidade na proporção em que o dinheiro da produção se vaporizar, antes da estréia, e que a bilheteria cair, depois.

Fiz as cenas com os demais atores e a seguir houve uma dessas reuniões, em que Zé Celso criticou cada desempenho. Ele, que sempre fez questão de não me mimar, ao chegar a minha vez desatou em críticas que culminaram na ameaça de que, se fosse para me preservar, se fosse para não "cair no barraco", era melhor que ficasse fora da montagem. Súbita, inesperadamente minha presença parecia inviabilizar o espetáculo. Houve um silêncio de expectativa, e logo outros atores secundaram as críticas, até o pipoqueiro em frente ao Oficina parecia ter reparos à minha performance. Estes depoimentos que venho redigindo têm sido um exercício de humildade em que sempre me encontro na condição de principiante ou neófito entre profissionais e iniciados, mas poucos momentos foram humilhantes como aquele. Concordei em silêncio com todas as objeções e me levantei espumando, os olhos marejados de raiva, quando o diretor determinou que as cenas fossem refeitas mais uma vez. Passava das duas da manhã. Ele queria engajamento, de modo que me atirei à cena como um possesso, distribuindo sopapos a torto e a direito sobre os atores, os quais, liberados pela crítica do encenador, também me agrediram aos tapas e empurrões, e assim quebrei a redoma da fisicalidade que é algo como a barreira do som no Oficina. Estreei na noite de 20 de abril de 2000, uma quinta-feira.

Não me recordo com nitidez do momento em que entrei em cena, estava convulsionado demais para fixar um registro metódico. Lembro-me do silêncio, um silêncio perturbador preenchido por centenas de pares de olhos que não se vêem em meio ao ofuscamento dos refletores, e no qual você ouve sua voz ressoar entre os ossos da própria cabeça. Comecei a entender que o ator tem uma consciência interna que incorpora uma multidão de detalhes: você se dá conta de que as falas estão se sucedendo, nota certos atrasos e inflexões, calcula o momento seguinte, registra pequenos erros. Tinha em mente uma recomendação de Mika que foi providencial, a de prestar a máxima atenção ao que os outros atores dizem, e realmente antagonizá-los. Sob os refletores, compreendi o porquê dessa instrução à medida que o fluxo mental interno, que teimava em divagar, ansioso por fugir à ação, insistia em me conduzir às próximas passagens do texto e até bem mais longe, a ponto de quase ter perdido o fio do que estava ocorrendo em cena quando minha *deixa* chegava com a brutalidade de um coice. Digamos que existe o tempo objetivo, que passa de maneira igual para atores e platéia e do qual você tem uma noção longínqua, e um outro tempo, até então desconhecido, uma duração interior extremamente plástica em que, conforme evolui pelas *marcas* (os pontos da cena em que o ator modifica sua posição ou atitude), é possível e até inevitável discutir consigo mesmo, fixar a atenção num detalhe, prolongar cada segundo. Isso ficou nítido logo na minha primeira cena, quando por um triz não aconteceu o acidente que eu temia.

 O fotógrafo (Tommy Ferrari) e eu tentávamos persuadir Dona Guigui a falar sobre Boca de Ouro, em frente à casa dela e contra as advertências de seu corpulento marido (Nivio Diegues). Era o começo do "barraco" a que o diretor se referia no ensaio, e havia um momento em que, para evitar que ela entrasse em casa, eu subia alguns degraus e me interpunha entre Sylvia-Guigui e a escada, de onde ela me empurrava ao passar, para que o marido em seguida me arrancasse dali pelos colarinhos. Ao ser empurrado, eu me agarrava nos ensaios a um cano de metal que havia na parede. Esse cano desapareceu aquela noite. Eu devia estar mais adiantado do que de costume, mas o fato é que me lembro de dar braçadas no ar, perdendo lentamente o equilíbrio, e nada de o cano aparecer. O instante durou o tempo necessário para que eu examinasse minhas escassas alternativas e concluísse que ou bem minha mão agarraria logo alguma coisa que houvesse no caminho ou eu me estatelaria de uma altura considerável de costas no chão. Uma quina no corrimão da escada me salvou quando parecia que meus longos segundos tinham se escoado. Não sei se isso deve ou não ser combatido pelo bom ator, mas em cena ele sempre é uma pessoa dividida em duas, a que é o personagem e que o público vê, e a que tem consciência de um mundo íntimo, vedado ao personagem e ao público.

Será que essa duplicidade desaparece naqueles momentos fortuitos em que o intérprete entra em comunhão profunda e transitória com seu personagem? Esses enigmas da psicologia do ator se colocaram pela primeira vez claramente para mim dez anos antes, num ensaio para uma leitura pública de minha peça *Tutankaton*, dirigida por Gabriel Villela, quando vi Bete Coelho entrar no que os atores chamam de *choro técnico* em cerca de trinta segundos. Aquelas lágrimas desciam-lhe do cérebro ou lhe subiam do coração? Deveria ficar lisonjeado, como autor principiante e cheio de fantasias, não fosse o fato de que ela ainda não sabia direito o texto que a levara ao pranto, pulava pedaços e enrolava outros, só faltava pedir um sanduíche num aparte, como pediu sopa para os atores no bar do teatro na noite da apresentação. Todos pensaram que ela estava brincando, inclusive eu, mas logo ficou claro que não haveria encenação se não aparecesse a tal sopa, que foi providenciada às pressas. Nunca entendi se naquela hora ela fazia sindicalismo, se desejava manter viva a tradição imemorial de dar de comer aos atores, se ministrava uma lição de usos e costumes do teatro aos presentes, se aplicava um trote ou se simplesmente estava com fome, o que é mais provável, mas eu recebi sua mensagem de altivez em que havia algo de escarninho, mensagem que ela promulgava em nome de todos os atores de todas as eras. Conheci essa atriz em 1988, nas primeiras montagens do diretor Gerald Thomas em São Paulo. Meu interesse pelo teatro só tinha aumentado na época da universidade. Discutia o tema com Maurício Paroni de Castro, que mais tarde se tornou um diretor bem-sucedido em Milão e fez com Maria della Costa uma elegante montagem da primeira peça que tive levada ao palco, *Típico romântico*; traduzi peças de Harold Pinter e do americano Sam Shepard, estas com Marcos Renaux e Marilene Felinto; fiquei amigo do grande crítico Decio de Almeida Prado, que teve a paciência de ler textos meus. Sempre que viajava ao exterior fazia peregrinações solitárias e melancólicas a todo teatro disponível, na cidade que fosse, tendo conhecido inúmeras espeluncas em bairros ermos e assistido a espetáculos de todo tipo e qualidade. Certa vez, o mesmo homem que me serviu o almoço num restaurante reapareceu na bilheteria do teatro à noite e estava, em seguida, à frente do elenco mambembe que se apresentou para mim e outros gatos-pingados. Da mesma forma que para muitos da minha geração, porém, as montagens de Gerald Thomas, sobretudo a sua *Trilogia Kafka*, foram um acontecimento decisivo.

É um pouco ocioso debater se os aportes trazidos por esse diretor foram concepção sua ou apropriações do teatro experimental que se fazia na mesma época na Europa e em Nova York e que ele teve a oportunidade de conhecer de perto. Sua personalidade ególatra não deveria interferir, tampouco, na avaliação de sua obra e na recusa a situá-lo junto de Antunes Filho e do próprio Zé Celso entre os mais inventivos encenadores do país. Os recursos que o celebrizaram a ponto de se tornarem anedóticos — a fumaça de gás carbônico e a tela de filó, "hímen entre palco e plateia" —, imprimiam uma tonalidade misteriosa às desoladas paisagens de seu teatro estetizante e pós-político. Embora capaz de gerar um estado de comoção genuína na platéia, em suas peças o sentido da encenação se ocultava sob textos truncados e fugia por tangentes rumo ao irônico, ao paródico ou ao desconexo, quando não se esgotava em círculos obsessivos a enredar personagens inextrincáveis. O efeito era sombrio e majestoso, impondo-se pela solenidade wagneriana, largamente utilizada nas trilhas sonoras. Aquele parecia ser um encenador brilhante à espera de que lhe dessem algo para dizer. Tais espetáculos memoráveis, sugerindo que os mistérios do teatro não eram terreno esgotado, foram conseqüência da parceria entre o diretor, Bete Coelho e a cenógrafa e também autora Daniela Thomas. Embora fizessem eco à temática de cada peça e vibrassem no mesmo diapasão enigmático, seus cenários tinham uma auto-suficiência inédita no teatro brasileiro, eram obras de arte em si, e poderiam figurar como instalações em qualquer bienal do mundo.

Assisti a *Um processo*, a peça central da *Trilogia*, e continuei indo nas noites seguintes ao Teatro Ruth Escobar para rever o espetáculo desde a platéia elevada, que ficava vazia e onde eu não era percebido. Manipulando o nonsense kafkiano e os pesadelos judaicos do escritor, Thomas estava em seu ambiente mais propício. Mas o foco da montagem era a performance de Bete Coelho, atriz até então quase desconhecida, que reunia o domínio da lamentação trágica com a condensação teatral do cinema mudo, de onde extraiu um aspecto chapliniano para seu Joseph K. Ela capturou a angústia impotente e desarvorada desse personagem na abreviatura de um gesto que ficou famoso na época, um cacoete em que penteava os cabelos com a mão trêmula e que era repetido maquinalmente. Seu talento frutificou num estilo que passou a ser imitado e que a levou ainda jovem à condição de uma das principais atrizes de um país de ótimas atrizes. Sua capacidade dedutiva e sua presença de espírito são mediúnicas, e sua força de personalidade se projeta para fora do palco, onde ela lidera uma facção como a das amazonas que comandava em *Pentesiléias*, de Daniela Thomas, embora o faça com um tato próprio da escola política de seu estado de origem, Minas. Passei a chamá-la de Sua Alteza Betal ou de Betossauro, conforme meu estado de espírito, a partir de 1992, quando ela reuniu Sérgio Mamberti e Renato Borghi, que fora o alter-ego de Zé Celso na "dentição" 60 do Oficina, para fazer uma peça minha sobre intelectuais e jornalistas, *Rancor*, cuja direção Bete entregou a um diretor jovem e imaginativo, Jayme Compri. Se você escreve uma peça teatral, assistir aos ensaios é uma tortura, seja porque as falas quase nunca são o que você imaginara, seja porque os atores quase nunca as dizem como você gostaria. Fiz essa peça, no entanto, no único estado em que é possível escrever uma, totalmente obcecado pelo assunto, e aos pedaços, uma cena de cada vez, que era então lida e criticada pelo grupo. A essa altura meu irmão Luís e Bete já viviam juntos, e as leituras geralmente aconteciam na casa dele, que toca violão e guitarra e fez diversos papéis. Acabou-se formando um grupo mais ou menos flutuante de pessoas, atores e não-atores, que se reuniam regularmente para ler textos, o que durou anos e ainda hoje acontece de forma esporádica. Foi também nessa época que o "salão" de Cosette Alves, além de intelectuais e políticos, passou a ser freqüentado por gente de teatro que ela ajudou de uma forma ou de outra. Essa empresária é uma mulher incomum que cedo teve de assumir os negócios do marido e soube se fazer respeitada entre seus pares masculinos, sobre os quais sua efígie de Nefertiti exerce notório fascínio. Por suas origens, deveria ser uma madame reacionária e carola, sendo mérito dela a maneira distinta pela qual se converteu no oposto disso tudo. Montagem que deu certo, ao menos do ângulo do autor, *Rancor* foi o ápice de minha autoconfiança para escrever teatro, antes que ela desmoronasse num episódio que mencionarei adiante.

* * *

    Agora, tendo conseguido evitar uma queda que poderia ter ido além do mero fiasco cômico, começava a ganhar outro tipo de autoconfiança, aquela que o ator precisa ter diante do público. Como tudo o que concerne ao palco, essa é uma relação paradoxal, para voltar ao tema de Diderot, que se assenta num precário equilíbrio de poder. O ator, em princípio, tem a platéia à sua mercê, pois comanda o espetáculo, sabe o que virá a seguir, conhece cada palmo do lugar e conta não só com a cumplicidade dos colegas mas com o que em inglês se chama *stagefright* — "medo do palco" — por parte do público. O espectador sabe que, se não se comportar como mandam as convenções teatrais, corre o risco de ser exposto pelo ator ou até acareado com ele sob os refletores. Além disso, não foi o ator quem caçou o espectador na rua (embora isso possa ocorrer em casos extremos...); ele veio e pagou porque quis. Por outro lado, o ator teme o público como um domador que tivesse de submeter uma fera diferente a cada noite, ou o equilibrista pendurado na corda bamba do ridículo, ciente de que a assistência ao mesmo tempo quer e não quer que ele despenque. A platéia é desconhecida, dispersiva e não precisa chegar aos extremos da vaia para manifestar seu aborrecimento em ataques coletivos de tosse, espirros ou movimentos nas poltronas que não existem no Oficina.

    A sensibilidade dos atores é treinada, assim, para nuances que só eles detectam. Da mesma maneira que sentem diferenças entre um espetáculo e o seguinte, insistindo em que um foi frio e o outro estava ótimo, sutilezas que passariam batidas por quem assistisse às duas apresentações, os atores qualificam o público conforme sua capacidade de aceitar a ilusão que lhe é proposta e reagir a ela. Marcelo Coelho comentou certa vez que o espectador de qualquer obra narrativa hesita num primeiro momento, sem saber se está gostando ou não, como se lançasse prós e contras numa calculadora do gosto que de repente lhe desse o saldo na forma de um veredicto ao qual ele se manterá fiel dali em diante. Esse primeiro momento é crucial para o ator de teatro, ali ele decide sua sorte e a profundidade do domínio que passará a exercer sobre o público. É preciso uma intensa convicção no que está fazendo para que ela se transmita aos circunstantes. Embora todo mundo já tenha visto atores que desempenham enfaticamente e nem por isso convencem em cena, minha opinião é que no teatro, como em qualquer atividade que dependa de contágio mental, a autoconfiança do ator, educada na técnica, é quase tudo.

Na terceira cena em que o Caveirinha aparecia, Dona Guigui passava a exaltar os atributos viris de Boca de Ouro. Seguindo as marcas do diretor, que durante o espetáculo são executadas sempre com mais entusiasmo que nos ensaios, Sylvia arrancou o bloco de anotações de minhas mãos e o esfregou com volúpia entre as próprias pernas, requebrando. Ela ficava perto o bastante para que eu sentisse as cálidas ondas de perfume que seu corpo exalava junto com a transpiração e pudesse ver gotículas brilhando nos poros da pele de sua barriga, que se contraía ao expelir o ar de cada fala. O teatro é uma experiência física que tem uma poderosa conotação sexual: pode ou não envolver texto, música, pensamento, arte, mas não prescinde da materialidade dos corpos em movimento, corpos que transpiram, que se tocam, mudam de roupa, tomam banho. Um dos aprendizados que o teatro propicia é a consciência de quanto nossos corpos são negligenciados, esquecidos, anulados nessa amputação das faculdades e dos sentidos a que chamamos "vida real". Naquelas semanas, foi como se um continente antes invisível se apresentasse para mim na plena exuberância de suas surpresas exóticas, só que os acidentes geográficos eram tons de voz, posições de mão, jeitos de andar e se sentar, pausas, olhares, interjeições — modos de o corpo preencher seu espaço no éter que não me cansava de descobrir em mim mesmo e nas pessoas com quem me encontrava, temendo consumir, nesse estudo, minha pouca espontaneidade.

E no entanto o teatro realiza também uma espécie de transfiguração do corpo, um fenômeno que na sua forma mais alta pode significar a superação do tempo e que na forma mais vulgar assume o aspecto idealizado da aura que envolve a *diva*. Essas idéias são de Kierkegaard, que escreveu sobre o caso dramático de uma atriz contemporânea sua. Ainda jovem, ela se destacara como a mais encantadora Julieta que Copenhague já vira em cena, tendo os críticos ressaltado a perfeição com que o ímpeto despertado pelo amor na adolescente até ali banal se consubstanciava na juventude inflamada da atriz. Anos depois, já uma respeitada diva, ela voltou a fazer a mesma personagem, para ser flagelada pela crítica e escorraçada pelo público, pois se achava que não tinha mais idade para o papel, o que não chegou a lhe custar a vida, mas a carreira. O ensaio de Kierkegaard é o elogio dessa segunda Julieta, na qual o amanhecer da fecundidade se emancipara enfim das vicissitudes do corpo da intérprete e esta alcançara um plano superior de realização artística, capaz de transcender a passagem do tempo. Para a maioria dos mortais, porém, o teatro reveste as atrizes de uma sedução mundana e noturna, cintilante e inatingível, que se derrama pelo ambiente inteiro como se fossem ondas radioativas tão logo uma delas entra no recinto, e muitas vezes me vi percorrendo portas de teatro, remanchando pelos camarins, fazendo hora até o fim de algum ensaio na busca vã de uma dessas quimeras.

Associei às casas de espetáculo do Centro do Rio, que freqüentei com a atriz Giulia Gam, a miragem de que o teatro é apenas a face visível de um submundo misterioso que começa nos camarins e se ramifica num labirinto de depósitos, alçapões, escadarias e passagens secretas que por sua vez conduzem a vielas mal iluminadas e fantasmas de velhos edifícios em redor de armazéns abandonados no cais. Uma vez, o cabeleireiro de Giulia na montagem de *Otelo*, que por ironia era quase homônimo do poeta Haroldo de Campos, convidou o grupo para uma apresentação em certa gafieira da Lapa, após o espetáculo, onde diversos amadores fariam a versão *cover* de divas e cantoras do passado; Aroldo seria Emilinha, creio, ou Marlene. O lugar era desses em que, por trás de uma portinhola que parece mal-assombrada, fervilha um formigueiro humano que se comprimia, no caso, dentro de um salão pequeno e comprido, no fundo do qual resplandeciam, em meio à fumaça luminosa de cigarros, os paetês de um palco estreito como o de um navio. Conforme meus olhos foram se acostumando às trevas, notei que praticamente só havia homens no recinto, tipos populares em que eu julgava discernir um motorista de táxi, um dono de boteco, um porteiro de prédio, muitos deles cinqüentões ostentando respeitáveis barrigas, e que esses homens formavam duplas, e que essas duplas trocavam carícias como os adolescentes de Verona. É sabido que a transgressão gera suas formas de disciplina, geralmente estritas: nunca vi casais que se amassem com tanta candura, nem ambiente tão alegre e amistoso. Logo fizeram abre-alas, escorregaram copos de cerveja gelada em nossas mãos e nos deram lugar de honra entre as mesinhas, pois o show ia começar. Aroldo brilhou naquela noite, que culminou num *gran finale* em que as atrizes e os travestis, oficiantes do mesmo mistério fugidio das aparências, subiram juntos ao palco para serem consagrados. Com duas peças bem encenadas e outras duas por montar, eu me sentia mais perto do que nunca do coração do teatro.

    Mais ou menos na época de *Pentesiléias*, resolvi entregar um texto meu, que ainda não estava pronto, a Gerald Thomas, depois de ele manifestar a intenção de montar um *Don Juan*. Terminei a peça às pressas, quase a contragosto, e tão logo começaram os ensaios ficou patente a incompatibilidade entre a Companhia da Ópera Seca, o grupo do diretor, e o que eu havia escrito. Havia muitos diálogos, o andamento imitava as comédias de Feydeau e o enredo era fechado demais, talvez, para encenador tão autoral. Começou um processo de negociação que, mesmo mediado com discernimento por Sérgio Salvia Coelho, então dramaturgista da companhia, não reparava um problema de origem, de maneira que de um *Don Juan* a peça foi se tornando um *Frankenstein*. Lembro-me de ter virado a véspera da estréia no teatro, vendo a marcação da luz, enquanto Gerald e eu olhávamos para o cenário como quem contempla o *Titanic* prestes a levantar âncoras. Havia algumas cenas muito boas, especialmente as protagonizadas por Ney Latorraca e Fernanda Torres, mas o conjunto era assombroso.

Quando as luzes se acenderam após a estréia para convidados, os aplausos foram tão morosos e escassos, embora a platéia estivesse lotada, que a impressão era a de que parte do público havia falecido nas poltronas. Dois dias depois, no primeiro sábado da temporada, os ingressos estavam esgotados, muitos ônibus haviam vindo do interior para a peça. Já no começo do espetáculo diversos casais se retiraram — normal. Mas então um grupo saiu em peso, reclamou a devolução do dinheiro e chegou a perseguir o produtor, que teve de se esconder. Ao deixar o teatro, picharam a placa que anunciava o espetáculo. Dessa vez, quando as luzes se acenderam metade da platéia começou a vaiar resolutamente. Estávamos sendo introduzidos ao público do Ney, uma multidão de casais "normais" para quem ir ao teatro no sábado era a chance de descontrair, dar umas boas risadas e, obviamente, *ver de perto o Ney*, o que não incluía uma cena de estupro duplo no consultório de um ginecologista impotente nem a visão angélica de duas noivas que se beijam na boca a título de *happy end*.

Numa reação que me pareceu de mera implicância "progressista", mais que de apoio às teses, aliás inexistentes, do espetáculo, a outra metade da platéia redobrou os aplausos. Com um sorriso nos lábios Gerald Thomas puxou os atores pela mão para agradecer ambas as manifestações. A gente se arrepende do que não faz, e este teria sido um caso doloroso se não me tivesse ocorrido, atarantado como estava em meio à platéia, a súbita inspiração de que era meu dever subir e compartilhar as vaias com o elenco. Mais tarde os atores me disseram que, ao ver um sujeito de terno e gravata escalando o palco, calcularam que haveria uma invasão. Dei a mão a Vera Zimmermann e examinei aquela cena inolvidável, um mar de "madames que ululavam como apaches", como Nelson Rodrigues descreveu a vaia contra *Perdoa-me por me traíres*, e que me visita em pesadelos até hoje.

As cortinas se fecharam rapidamente e Gerald se mostrou exultante com a proeza, tão rara nos dias que correm, de ter provocado indignação moral numa platéia, deslumbrado, na verdade, que ainda houvesse alguma cidade escandalizável no planeta, mas seu entusiasmo não era compartilhado pelos demais atores. Estava escrita no rosto da Fernandinha a expressão *bem que eu poderia ter passado sem essa*. Ney se trancou no camarim, do qual emergiu meia hora depois como se tivesse sido espancado, limitando-se a balbuciar monossílabos desconexos. O diretor viajou para um de seus compromissos intercontinentais e eu fiquei vários dias sem aparecer. Quando voltei, o espetáculo era outro. Ney tinha se assenhoreado da obra, que ele instintivamente convertera num *vaudeville* que de fato fazia o público rir (e eu chorar), tomando pelas dúvidas a precaução, que julgo sem precedentes no teatro universal, de introduzir *cacos* em que dizia à platéia coisas como: *estou muito carente hoje, por favor mostrem que gostam de mim e aplaudam bastante no final!* A peça fez uma razoável carreira, sempre muito aplaudida, e eu fiquei anos sem escrever mais nenhuma linha de diálogo.

Claro que o episódio da vaia me abalou, mas ele corroborava uma sensação anterior e mais íntima. Depois de *Rancor* e *Utilidades domésticas*, não tive mais o entusiasmo necessário para superar as resistências da minha própria crítica, entusiasmo imprescindível a quem se dispõe a escrever. Larguei originais pelo meio. Sentia, também, que Dioniso é um deus cioso, que castigava o amadorismo de meu envolvimento com o teatro. E passou a me incomodar cada vez mais algo que, na falta de expressão melhor, direi que era a insinceridade que sentia nos meus textos e a superfluidade de escrevê-los, sentimento pernicioso para quem acredita não ter outra vocação e que este livro é uma tentativa de debelar. Passei a freqüentar o Festival de Teatro de Curitiba como um antigo viciado em apostas que agora só fosse ao hipódromo para assistir às corridas.

Daí por diante tudo passou muito depressa, o paroxismo do Boca de Ouro assassinado, os corpos estendidos no IML, as últimas declarações do repórter Caveirinha à rádio, a corrida para o porão do Oficina (que em *Ham-let* era o túmulo da cena dos coveiros), de onde o elenco emergia para os "possíveis aplausos", na expressão que Gabriel Villela gosta de usar, como se saísse de um vestiário, ao som do hino do Fluminense e envergando a camisa do clube, devoção de Nelson Rodrigues. A tradição no teatro reza que o primeiro dia é bom, o segundo é ruim. Toda a crispação que antecede a estréia mantém o ator num estado de alerta, de tensão nervosa que o torna mais rápido e preciso, enquanto o relaxamento do segundo dia, dando a ilusão de autodomínio, faz cair a voltagem do desempenho. Foi o que aconteceu comigo. Errei pelo menos uma fala, estava letárgico e desatento. Talvez por isso pude observar com mais afastamento o que acontecia, ao contrário do dia anterior, quando tinha uma noção intensa de tudo o que se passava no palco e pouca do mundo ao redor. Considero minhas atuações sofríveis. Estive lá, disse as falas, cumpri as marcas, fui audível, mas não cheguei a me revelar um Laurence Olivier.

Não abordei duas perguntas que me parecem interessantes. O ator é um tímido? Sim e não. É claro que uma pessoa morbidamente tímida não poderá atuar, da mesma forma que em sua maioria os atores são ou sabem ser extrovertidos. Mas o tímido e o ator comungam uma característica, dividem um segredo, que é a consciência aguda de que o mundo é um espetáculo e que viver é atuar. A diferença é que o ator se submete a essa consciência e faz dela seu meio de vida, ao passo que o tímido se defende do mundo-espetáculo por não encontrar seu lugar nele. Mas é uma diferença que se reduz se lembrarmos que a timidez também é uma máscara, um estilo de atuação elaborado com requinte e de acordo com as regras intuitivas da construção de um personagem. O tímido só não é um ator porque ele é um crítico.

A segunda pergunta é se o ator é um narcisista, e a reposta é obviamente sim. Tudo tem sua compensação, no entanto, e esse narcisismo também se revela paradoxal. Na breve experiência de "ator", levei minha auto-estima para passear numa montanha-russa em que ela era jogada para cima e para baixo, alternando momentos de vaidade quase demencial com o sentimento de anulação do ego que a vulnerabilidade no palco acarreta. Você empresta seu corpo para seres estranhos, os personagens, permitindo que nesse entra-e-sai os nexos íntimos entre seu espírito e sua carcaça, despercebidos na vida cotidiana, sejam perscrutados pelo olhar hostil ou indiferente de quem assiste. Os atores gostam de papéis com muitas falas e que permitam explorar suas inclinações favoritas, mas o profissional do palco fará qualquer papel, por mais vil, ridículo ou abjeto. O desafio para o verdadeiro ator é arrostar personagens que violentem sua maneira natural e o mergulhem no patético e até no infame. Extremidade sublime da arte de interpretar, esses papéis que cobram um preço elevado à auto-imagem do ator são a contrapartida das injeções narcísicas que ele recebe, como jatos de felicidade a cada saraivada de risos que arranca, a cada ovação sincera e calorosa que agradece com uma humildade que é fingida e não é.

* * *

Um ano depois, eu estava novamente diante do espelho do camarim, tentando consertar minha calamitosa maquiagem. Atores ganham mal e se alimentam mal, dormem tarde, tomam comprimidos — primeiro para vencer a insônia, depois para derrotar o efeito dos primeiros comprimidos —, envolvem-se em confusões financeiras, vivem desempregados entre um trabalho e outro, estão sempre mudando de camarim, de hotel, de cidade. Sua casa é o tablado, sua família sempre provisória é a trupe. Estando mais expostos ao contato íntimo do que os demais seres humanos, eles se apaixonam mais vezes, o que significa que passam mais vezes pelas dores do desamor. Apesar disso, sua profissão é não apenas sagrada, por elevar nossas mentes a um entendimento maior do mundo, mas tão prazerosa que todos os dias pessoas abandonam tudo para se entregar a essa vida que permite "viver" todas as outras.

Infelizmente não foi o meu caso. O que havia ocorrido é que a Petrobras aceitara financiar a filmagem das peças do Oficina em repertório, da qual foram encarregados os videastas Tadeu Jungle e Elaine Cesar. *Boca de Ouro* voltaria a ter algumas apresentações com a presença de público a fim de que a peça fosse gravada em DVD. Fui sondado sobre a possibilidade de reencarnar o repórter Caveirinha e declinei sob o pretexto de que não seria justo subtrair ao ator Aury Porto, que fazia agora o papel, pois Flávio Rocha deixara o elenco, a oportunidade de fixar sua performance num suporte durável. Mas a próxima montagem a ser filmada seria *Cacilda!*, texto de autoria do próprio diretor em que figurava um personagem que aparecia apenas numa cena com poucos minutos de duração. A vantagem era que nenhum ator teria de ser deslocado, pois Marcelo Drummond, entre outros papéis mais importantes, defendia também essa ponta, a do crítico Miroel Silveira. Depois de ser um repórter de porta de delegacia, fui designado para ser agora esse intelectual de Santos, um dos "descobridores" da célebre Cacilda Becker, considerada a maior atriz brasileira de todos os tempos.

Muita coisa mudara em um ano. Novamente apaixonado, Zé Celso estava outra vez em sua melhor forma. Os recursos do financiamento elevaram o nível da produção: havia refletores mais poderosos, os figurinos pareciam novos e elegantes e o preço simbólico do ingresso, um real, propiciou lotações nunca vistas. A mudança mais importante, porém, e que me serviu de álibi para assumir a discutível vaidade de ver minha atuação eternizada, julgando-a irrecusável, é que desta vez deveria contracenar com um elenco muito especial para mim. Cleyde Yáconis, atriz e irmã de Cacilda, era Mika Lins; a protagonista era Bete Coelho; a outra irmã era Iara Jamra, comediante que eu admirava desde as primeiras peças de Flavio de Souza, a que assistira encantado nos anos 80. Para completar, a mãe das meninas era interpretada por Lígia Cortez, a única pessoa do meio teatral com quem eu me sentira à vontade para convidar a assistir à minha performance anterior, em *Boca de Ouro*.

Os atores que não fazem parte da companhia regular do Oficina não se adaptam bem à rotina (ou falta de) do grupo, razão pela qual existem duas alas nos camarins, uma ocupada pelo que os anfitriões chamam ironicamente de *teatrão*, outra pelo núcleo da *tragykomédiaorgya* de Zé Celso. Assim como as modelos que faziam o papel de grã-finas no drama de Nelson Rodrigues, as quatro atrizes convidadas ocupavam um camarim à parte, no ponto mais alto do interior do teatro e de onde era possível acompanhar a cena que se desenrolava quinze metros abaixo. Essa gaiola foi o útero que me acolhia diversas vezes durante a longa função da peça, cerca de quatro horas, e onde era tranqüilizador poder sentar-me na penumbra para fumar um cigarro e tomar um gole da garrafa de vodca que integrava meu equipamento de maquiagem, enquanto conversava aos sussurros com quem não estivesse em cena.

Cacilda! é a junção de trechos da primeira e da última das quatro peças homônimas, diferenciadas no título apenas pelo acréscimo de mais um ponto de exclamação, que integram uma faraônica reconstituição do moderno teatro brasileiro, cujo texto recobre mais de mil páginas. A obra reflete o que teria sido a atividade cerebral da grande atriz durante os 39 dias do coma em que submergiu entre o derrame, no intervalo de *Esperando Godot*, e a morte. Li dezenas de resenhas sobre ela, vi seu filme (*Floradas na serra*, direção de Luciano Salce, 1954) e conversei longamente a seu respeito com Decio de Almeida Prado, outro "descobridor" que a conheceu e estimulou decisivamente no início da carreira de ambos. Não tenho idéia, porém, de quem ela era. Isso não é falha da peça de Zé Celso, que considero admirável, mas me parece resultar da personalidade artística dessa atriz. Ainda agora estive folheando um livro que traz imagens de espetáculos que ela protagonizou no TBC dos anos 50, registradas pelo fotógrafo Fredi Kleemann. Cacilda parece às vezes uma mulher franzina e nervosa, outras vezes uma *vamp* de curvas opulentas, outras ainda a esposa de um comendador. Seu rosto mesmo — um magnífico rosto de mulher, com algo de eqüino no contorno alongado e saliente — nunca se deixa apreender, assumindo formas cambiantes a sugerir uma fisionomia que fosse possível refazer à vontade. Desconfio que a impossibilidade de fixar Cacilda numa só imagem esteja relacionada a seu talento sobrenatural de atriz, como se a violenta aptidão camaleônica lhe consumisse fatias da personalidade e desbaratasse até mesmo sua projeção externa, corporal.

Bete Coelho era Cacilda e ambas formavam o centro da constelação de atrizes em volta da qual girava a maioria das cenas. Na minha solitária aparição, perdida em algum ponto daquela galáxia do espaço-tempo teatral, eu entrava por uma extremidade do palco, de onde podia sentir a força gravitacional das quatro estrelas plantadas no centro, como um meteorito que começasse a ser tragado pela deformação no campo geométrico gerada por elas. Miroel Silveira era um papel aparentemente muito mais simples que Caveirinha. Tudo o que eu tinha a fazer ao pisar em cena era despejar um bife enquanto caminhava depressa até Cacilda, convidar as moças a uma recepção onde as apresentava à imprensa, advertir um repórter impertinente e permanecer em cena, solene e principalmente mudo, pelos vinte minutos seguintes. Nada dos dons histriônicos, da contra-regragem frenética nem da movimentação aeróbica exigidas do intérprete de Caveirinha. O chato é que estavam vivas pessoas que conheceram Miroel pessoalmente, como sua aluna Cibele Forjaz, diretora que aprendeu o ofício com Zé Celso, de quem foi assistente. Mika enfrentou situação bem pior, a de interpretar Cleyde Yáconis para... Cleyde Yáconis, dama da mais alta nobiliarquia do nosso teatro, que condescendeu em assistir à peça e formular cumprimentos ao que tudo indica sinceros depois do espetáculo. Mas os *handicaps* de Caveirinha eram também pontos de apoio, veículos da atuação. Já Miroel discursava no vazio conforme descrevia sua órbita monocórdia em redor do sistema estelar. Era mais fácil e mais difícil.

Tempos depois, Marcelo Drummond me arrumou a gravação das cenas. Coloquei a fita no aparelho e vi aparecer um sujeito de terno preto, um corvo de óculos que repetia com ares triunfais um discurso decorado. A câmera se aproxima para o doloroso reconhecimento de que sou eu mesmo quem gesticula como um boneco em amadorística sincronia com as ênfases verbais, quem tenta empostar a voz sem com isso corrigir seu timbre quebradiço, mas conseguindo acrescentar-lhe uma nota a mais de falsidade, quem olha para o antagonista como se implorasse: *espera um pouco, estou tentando não esquecer minha próxima fala!* Meu nariz pontiagudo, minha nuca decepada, certos esgares desagradáveis no queixo e nos lábios completavam um quadro antipático; eu deveria tentar fazer Iago, pensei imediatamente, pois no teatro a vaidade e seu oposto são duas faces da mesma moeda. Revi a cena em vergonhosa e confortável solidão, para verificar se não havia em mim algo de relevante que passara despercebido nesses longos anos em que temos convivido intimamente, eu e eu, e começava a me transformar na Cacilda de mim mesmo, incapaz de me reconhecer por trás daquele fantasma ou mesmo de agarrar a bruma de suas aparências. Uma coisa me consolava: oferecia enfim o testemunho que julgava ser uma obrigação particular contraída com o povo do teatro. Aprendi a conhecer, respeitar e conviver com os pára-quedistas ou os adeptos do Santo Daime, por exemplo. Embora tenha sido tratado com toda a hospitalidade, tinha consciência, entretanto, de que em seu meio eu estava entre estrangeiros. Aqui era diferente, como se a parte livre da minha alma pertencesse à estirpe dos atores e meu corpo teimasse em ser um filho desajeitado de seu culto milenar.

No caminho das estrelas

No século VIII, a península Ibérica estava quase completamente ocupada pelo Islã. Deflagrado um século antes na Arábia, esse fulminante expansionismo religioso, militar e demográfico progrediu depressa Ásia adentro, avançando também em direção ao Norte e ao Ocidente até abarcar a maior parte das terras banhadas pelo Mediterrâneo. Era a primeira vez que a Europa cristã se via sitiada por um inimigo combativo e determinado. Pelo flanco mais ocidental, os muçulmanos ultrapassaram os Pireneus e chegaram a Poitiers, no atual centro-oeste francês, onde seu avanço foi detido em 732 pelas tropas do rei franco Carlos Martelo.

A população cristã da península Ibérica foi submetida pelo invasor, exceto numa estreita faixa horizontal ao Norte, onde reinos visigodos como Astúrias e Navarra bem ou mal mantiveram a independência. Uma batalha importante vencida pelo rei das Astúrias no ano de 718, em Covadonga, foi mais tarde consagrada como ponto de partida da Reconquista, que no entanto só culminaria muito depois, em 1492 — o mesmo ano do descobrimento da América —, com a expulsão definitiva dos mouros de Granada, no extremo Sul, e a unificação dos reinos de Castela, Astúrias e Aragão sob uma só coroa, embrião do problemático Estado espanhol moderno. A Reconquista não foi um processo linear, mas um ziguezague em que se alternavam períodos de confronto e acomodação, fanatismo e tolerância religiosa, conforme a resultante do complicado jogo de alianças entre os reinos cristãos califados, pois nem sempre o mais proeminente deles, o califado de Córdoba, manteve controle de toda a parte islamizada da península. A longa permanência do invasor favoreceu uma confluência cultural entre as duas civilizações.

O advento do Islã criou a necessidade de um esforço coordenado entre os reinos cristãos da Europa, o que fortaleceu o poder dos principais soberanos — o rei dos francos e o imperador alemão — e, naturalmente, o do papa. Estimulou, também, a primeira das sucessivas reformas que ocorreriam no âmbito do cristianismo, movimentos que de tempos em tempos preconizam o retorno à radicalidade da fé original. A partir do modelo implantado por beneditinos em Cluny, na França, surgiram ordens religiosas imbuídas do propósito de corrigir a lassidão da Igreja e combater os infiéis. O símbolo desse combate passou a ser a retomada de Jerusalém, cidade sagrada para os três monoteísmos, então em poder dos muçulmanos. O espectro do Império Romano, que reviveu na aventura napoleônica e ressurge como reminiscência na União Européia dos nossos dias, dava unidade ao sentimento cristão, uma só fé cimentada numa só língua, o latim, idioma dos documentos e cerimônias oficiais até pelo menos o século XVI. Em 1095, o papa Urbano II conclamou à primeira de uma série de cruzadas à Terra Santa.

Foi na guerra contra o ocupante aclimatado, mas estrangeiro e infiel, que se forjou a aliança entre Igreja e Estado na península Ibérica, num amálgama tão duro que se manteria intacto até anteontem. Os futuros espanhóis tinham sua cruzada doméstica para lutar e logo teriam sua própria rota de peregrinação sagrada. Em 813, sob o reinado de Afonso II das Astúrias, corre a história de que um camponês da Galícia, no extremo noroeste, próximo ao *finisterrae*, "onde a terra acaba", tivera uma visão em que lhe aparecia um caminho de estrelas a sinalizar o monte Libradón, sob o qual haveria um túmulo. Numa iniciativa que hoje qualificaríamos de marketing agressivo, o bispo da jurisdição, Teodomiro, determinou que escavações fossem realizadas no local, e elas não tardaram a revelar uma arca de mármore, dentro da qual Sua Eminência anunciou que estavam os despojos do apóstolo Tiago.

Esse Santiago figura nas escrituras como irmão mais velho de João, supostamente o discípulo predileto de Cristo (a crer em seu próprio evangelho), ambos pescadores e filhos de Zebedeu. Não deve ser confundido com outro apóstolo, seu homônimo, chamado de "Tiago menor". Teria sido Santiago o comensal que primeiro recebeu o pão na Santa Ceia, recém-partido por Cristo, e o segundo mártir da nova fé, executado em Jerusalém no ano de 42, não sem antes ter pregado, segundo a tradição, na Espanha. Sua passagem pela península Ibérica é dada por lendária, embora a idéia estivesse no ar, a ponto de Paulo escrever numa das epístolas que desejava *há muitos anos chegar até vós, irei quando for para a Espanha* (Romanos, 15,24), viagem que tampouco se consumou. Consta que havia o costume, entre os cristãos primitivos, de sepultar os propagadores da fé ali onde haviam pregado, daí a crença, que fazia todo o sentido para um medieval, de que os restos de Santiago estivessem em algum lugar da Espanha, para onde teriam sido transportados por discípulos. Num tempo em que batalhas eram travadas a pretexto de recuperar uma lasca da Verdadeira Cruz, o achado do bispo Teodomiro era altamente promissor. Atento aos acontecimentos, Afonso II mandou construir uma igreja no local, que passou a atrair devotos e recebeu o nome de Santiago de Compostela, derivado da expressão latina para "campo de estrelas". Mas o melhor viria a seguir.

Em 844, nas proximidades de Logroño, o rei Ramiro I das Astúrias perdia uma batalha para as tropas do sultão Abderramã II quando o fantasma do apóstolo Santiago, montando um cavalo branco e armado como cavaleiro, com lança e escudo, irrompe entre suas fileiras e as exorta a segui-lo numa carga heróica contra os infiéis, que dá a improvável vitória aos asturianos. O mito de Santiago Matamoros logo se consolidou entre os peninsulares e começou a atrair viajantes que vinham a seu suposto sepulcro fazer um pedido, agradecer uma graça, pagar uma promessa ou expiar uma culpa. A Igreja passou a conceder indulgências, documentos que anistiavam pecados, a quem fizesse a empreitada. Com o passar do tempo, estabeleceram-se rotas que provinham de Aragão, no leste da península, da França ou da Inglaterra para se reunir em Puente La Reina, de onde um percurso único seguia diretamente para o rumo oeste, em paralelo à linha reta dos montes Cantábricos, que separam o norte da Espanha e o Atlântico, até Santiago. "Não se entende por peregrino se não o que vai à casa de Santiago ou de lá retorna", escreveu Dante em 1293 (*Vita nuova*, capítulo XL). Era tamanho o afluxo de viajantes que em 1139 um padre francês, Aymeric Picaud, publicou seu tratado *Codex Calixtinus*, considerado precursor da farta literatura turística dos nossos dias, que continha um roteiro sobre o caminho, com indicações de hospedagem, alimentação e riscos a evitar. Como o santuário fica a cerca de cinqüenta quilômetros do oceano, passou a ser costume, entre os viajantes, regressar com uma concha de vieira, a prova de que haviam estado lá, e também alusão aos pescadores que teriam levado os despojos do apóstolo para o país do qual ele viria a ser o padroeiro; assim, a concha passou a ser o emblema da peregrinação.

Para quem partia de algum lugar além dos Pireneus, a viagem de ida e volta poderia durar meses, anos em certos casos. Nas condições precárias em que era feita a travessia pela *ruta jacobea* (Jacob, Jacques, James, Giacomo e Tiago são variações européias do mesmo nome), muitos peregrinos adoeciam pelo caminho, o que semeou mosteiros no percurso, destinados a dar hospedagem aos sãos e atendimento médico aos enfermos. A afluência de viajantes fez surgirem feiras de comércio, futuros burgos, em determinados entroncamentos do trajeto, que cortava, porém, uma vastidão inóspita onde o romeiro podia ser alvo de assaltantes e animais ferozes.

Ao mesmo tempo que os castelhanos conduziam sua lenta, penosa, mas afinal bem-sucedida campanha contra os mouros, as investidas patrocinadas pela "Santíssima Trindade" — o papa, o imperador e o rei dos francos — ao coração do império muçulmano tiveram êxito duvidoso, provisório. Durante boa parte dos séculos XII e XIII, entre avanços e recuos, com alguns interregnos, Jerusalém permaneceu em poder de expedições enviadas pela Cristandade. O que impulsionava as cruzadas não era apenas a energia ideológica e militar que elas colocavam à disposição dos soberanos europeus, mas também as oportunidades de arrecadação, saques e comércio que essas gigantescas operações ensejavam, embora os historiadores estimem que seu saldo final tenha sido deficitário. Às vezes o papado parecia utilizá-las a fim de deslocar a perigosa belicosidade dos francos para um objetivo longínquo e conveniente. Ao mesmo tempo, ordens religiosas inspiradas no modelo de Cluny haviam despertado uma renovação do fervor cristão em toda a Europa, flagelada por ondas periódicas de fome e doenças, condições em que um número ainda maior de pessoas estariam dispostas a abandonar suas casas para fazer uma arriscada viagem de penitência em busca de salvação ou pilhagem, que no caso se sobrepunham. Mesmo assim o domínio cristão sobre a Terra Santa nunca foi firme; as dificuldades de manter artificialmente uma ocupação à distância, as dissensões entre os comandantes (alguns dos quais tentaram se fazer reis de Jerusalém) e a resistência encarniçada dos muçulmanos terminaram por encerrá-lo de maneira inglória.

Enquanto durou, o controle de Jerusalém demandava a presença de uma tropa capaz de prover a defesa, manter a ordem e assegurar o livre trânsito de peregrinos que vinham ao Santo Sepulcro e voltavam à Europa. Foi para suprir essa necessidade que o papado autorizou a criação de milícias organizadas como ordens religiosas. Integrada por cavaleiros — elite militar treinada e equipada de montaria e armamentos — que se convertiam em monges guerreiros ao se obrigarem pelos votos de obediência, castidade e pobreza, a principal dessas organizações se chamava Os Pobres Soldados de Jesus Cristo, mas ficou conhecida, por ter instalado sua sede no monte do Templo, em Jerusalém, como Ordem dos Templários. Dada a prioridade da retomada da Terra Santa, que chegou a assumir aspectos de histeria coletiva na Europa, os templários foram beneficiados com doações e isenções tributárias. O mestre da Ordem respondia diretamente ao papa, o que conferiu autonomia política à organização. Logo o Templo, como também era chamado, tornou-se a base de um amplo empreendimento econômico que explorava terras, administrava bens e mantinha mosteiros Europa afora. Foi assim que os templários passaram a guarnecer também o caminho de Santiago de Compostela.

Se não esmagaram os muçulmanos, as cruzadas solaparam o Império Bizantino, no qual o antigo Império Romano se fossilizara, dando ensejo a um novo surto de expansionismo islâmico, representado dessa vez pelos turcos otomanos, que logo estariam a fustigar a Europa central. As grandes linhas fronteiriças entre a Cristandade e o Islã, porém, estavam definidas, e os maiores reinos europeus se encontravam num estágio mais avançado de centralização política. A dissolução da Ordem dos Templários, que se tornara quase um Estado dentro do Estado no interior da Igreja, passou a ser do interesse tanto do papado como dos soberanos, que cobiçavam o espólio da Ordem a ser deixado em suas terras. Sob a responsabilidade do papa Clemente V, tutelado por Felipe IV da França, montou-se uma farsa judiciária em que os templários foram acusados e condenados por heresia, blasfêmia, furto e sodomia. Muitos foram presos, outros mandados para a fogueira. Segundo o escritor inglês Piers Paul Read, autor do livro *Os templários* (Imago, 2000), no auge de sua atividade os cavaleiros de Cristo seriam cerca de 7 mil; dos 23 mestres que a Ordem teve, seis morreram em batalha ou na prisão. A organização foi dissolvida, e logo os soberanos da Inglaterra e de Aragão também reclamavam sua parte no butim, afinal partilhado entre o papa e os reis em cujo território se situavam as propriedades do Templo. Era o começo do século XIV, e os principais Estados europeus tratavam de sua consolidação interna. Como outras rotas de peregrinação medieval, que serviram para conservar uma Europa ecumênica até a emergência dos Estados-nação, o caminho entrava em lenta decadência. Seu apogeu coincidira, grosso modo, com o florescimento da cavalaria, do castelo medieval e da catedral gótica, três ícones que a imaginação moderna associou, desde os autores românticos, à Idade Média em geral (que vai do século V ao século XV), embora pertençam a um período bem mais específico, o do feudalismo propriamente dito, entre os séculos XI e XIII.

O cristianismo é a única religião a postular o paradoxo de um Deus que se faz humano para morrer perversamente espetado numa cruz, cordeiro imolado em seu próprio altar. O Deus do Antigo Testamento já apreciava esses insólitos sacrifícios do filho pelo pai, como se vê na história de Abraão e Isaac, que prefigura a paixão de Cristo. Na fabulação cristã, o mito da Ressurreição é essencial. Enquanto os evangelhos ressaltam os milagres de Jesus para compelir à fé, as epístolas, textos mais diretivos, invocam sobretudo o testemunho da vitória de Cristo sobre a morte, sem a qual, como diz o sempre pragmático Paulo, *Se os mortos não ressuscitam, coma-*

mos e bebamos, pois amanhã morreremos... (1 Coríntios, 15,32). Ou seja, se existe vida eterna após a morte, então todo sofrimento terá sido justificado, e todos os sacrifícios nada mais seriam que manobras inescrutáveis de Deus. Ora, o Santo Sepulcro é o cenário onde ocorre a grande e culminante cena da Ressurreição. Mártires ou hereges, o violento extermínio dos cavaleiros-sacerdotes encarregados de zelar pelo lugar mais sagrado do cristianismo deu origem a uma constelação de lendas em torno da Ordem.

Seus remanescentes, desbaratados pela Europa, teriam se reaglutinado, mantendo viva a antiga regra sob a forma de uma fraternidade sacrílega, renovada mediante zelosa iniciação de discípulos recrutados em sigilo, depositária de alguma revelação apocalíptica ou guardiã, segundo rumor horrendo, da maior de todas as relíquias, furtada ao Sepulcro e mantida entre outros tesouros em local secretíssimo: a cabeça cravejada de espinhos. Como não poderia ser diferente, a tradição da Ordem, tornada herética da noite para o dia por decreto papal, desviou-se da ortodoxia: a cabala, a seita dos cátaros (maniqueístas do sul da França contra os quais se empreendeu, também, uma cruzada), a feitiçaria, a astrologia e outras variantes do misticismo medieval, assim como posteriormente a maçonaria, foram associadas à suposta atividade conspiratória dos templários. Mesmo que mais tarde, depois de expurgada, a Ordem voltasse a colaborar com monarcas europeus, prestando apoio, inclusive a Portugal, no início das grandes navegações, sua imagem estaria para sempre marcada pela heresia.

A mística do caminho de Santiago recebeu mais uma camada de pensamento mágico quando pesquisadores modernos passaram a alimentar a hipótese, ao que tudo indica destinada a permanecer especulativa, de que o trajeto teria antecedentes pré-cristãos, que remontavam não somente ao difuso domínio romano na região, mas antes, à época dos povoamentos celtas. Para esses estudiosos, a rota de Santiago tal como estabelecida durante a Idade

Média não passou de bem-sucedida cobertura destinada a "cristianizar" uma peregrinação muito mais antiga, pagã, da qual a Igreja se apropriara, já que não pudera erradicar. Daí a estabelecer conexões entre a romaria de Compostela e o fabuloso continente de Atlântida, desaparecido num maremoto de proporções formidáveis que ressoa no Pentateuco e nos escritores da Antigüidade clássica, e para cuja suposta localização geográfica o caminho aponta, é um passo. Tanto pelo estigma que recaiu nos templários, propiciando o desvio que imprimia sua silhueta sobre as mais diversas heresias, quanto pela geologia de estratos míticos que se depositaram sobre o mesmo percurso físico ao longo de séculos, o caminho de Santiago é um veio profundo onde se combinam repertórios de crenças na órbita de um misticismo cristão ampliado — eclético, permissivo, sincrônico, heterodoxo.

Essa ainda é a fonte em busca da qual acorrem as multidões de peregrinos que, em nosso tempo de turismo facilitado e valorização de atividades aeróbicas, voltaram a palmilhar o antigo trajeto, agora oficialmente fixado e demarcado por sinais a cada duzentos metros. Uma rede de albergues, mantidos por óbolos mais ou menos espontâneos dos romeiros e por uma espécie de ONG do caminho, ligada à Arquidiocese de Compostela, oferece abrigo ao longo da marcha. Para conceder uma indulgência, a Igreja Católica aceita um percurso de pelo menos cem quilômetros antes de chegar a Santiago de Compostela, transpostos de preferência a pé, mas também em bicicleta ou até a cavalo; nos albergues e igrejas do trajeto o *passaporte* do peregrino é carimbado, a fim de coibir fraudes. Estima-se que 55 mil pessoas tenham percorrido algum trecho válido do caminho no cabalístico ano de 2000. Apenas uma minoria desses romeiros terá coberto o percurso considerado como o caminho propriamente dito, o chamado *caminho francês*, a extensão de 774 quilômetros entre a fronteira com a frança e a cidade do apóstolo, de uma ponta à outra da Espanha, seguindo as pegadas de um número incalculável de precursores, geração após geração, desde eras remotas. Eu fui um deles.

Uma tradição católica vincula cada um dos doze apóstolos a uma dada virtude; a de Santiago é a esperança. Quem percorre o caminho geralmente espera encontrar algum sinal que o (re)aproxime de Deus ou de si mesmo, sinal oculto em meio ao torpor do dia-a-dia e sua rotina, mas cuja eclosão o isolamento do viajante solitário termina por favorecer. Muitos dos insights e revelações que sobrevêm durante a experiência, segundo relatos freqüentes, decerto são fruto de auto-sugestão, posta a trabalhar sob pressão da carga legendária que pesa sobre o caminho, sem subestimar o efeito catalisador que a fadiga, a insolação, o padecimento físico, as inevitáveis horas de fome e sede e o mero deslocamento, tão drástico, de ambiente, desempenham na formação desses fenômenos da sensibilidade. Mesmo os que se põem a caminhar por motivos mais práticos, ligados a uma contabilidade íntima — desincumbir-se de uma promessa, por exemplo —, esperam quitá-la, não menos do que quem se presenteia com férias diferentes, ao ar livre, em busca dos encantos da natureza e da sensação de vitalidade que o exercício físico produz. Meu caso, entretanto, não se enquadrava entre esses. Não tenho gosto por esportes nem preparo adequado para praticá-los, a convivência com artrópodes sempre bastou para me manter longe de acampamentos, jamais havia feito caminhadas dignas do nome até então e meu interesse pela natureza é restrito, quase protocolar, mais heróico e fantasioso do que sincero, descambando da indiferença para a hostilidade conforme os desconfortos da vida selvagem se apresentam.

    Quanto à religião meu ceticismo dificilmente poderia ser maior. Ao me perguntarem, depois da viagem, se aprendera alguma coisa — e esse "aprender" já vinha untado na cumplicidade de sugestões místicas ou no mínimo paranormais — minha resposta, aliás verdadeira, era que aprendi a respeitar os pedestres. Desde o início da adolescência, fase que eu tinha na conta de uma espécie de "iluminismo" particular, havia transitado de um catolicismo mais devoto do que o comum nessa idade a um deísmo no estilo de Voltaire, e em poucos meses ao ateísmo puro e simples.

Para onde meu pensamento se voltasse todas as evidências implicavam que Deus era um Papai Noel, um coelho da Páscoa para adultos, mero fantoche sobre o qual projetávamos nossos medos e desejos, igualmente descabidos, e por meio do qual nos consolávamos das dores e da finitude inerentes à vida, tanto mais terríveis quando se trata de vida sensível, reflexiva em alto grau, como julgamos ser o nosso caso.

Achava que o consolo para a condição precária em que nos encontramos não estava nas fantasias bizarras da religião, aliás perigosas, além de inconsistentes, já que a patente inverossimilhança daquelas quimeras logo despertava no crente o impulso de inculcá-las a pancadas na cabeça do próximo, a fim de firmá-las na sua própria. Esse consolo só podia estar no conhecimento. Conhecer era a nossa compensação; a razão científica, o nosso instrumento — modesto porém confiável, capaz não só de melhorar a única vida de que comprovadamente dispomos, mas de reduzir nossa perplexidade ao postular, com a legitimidade advinda do muito que já elucidara, todo o inexplicável apenas como ainda inexplicado. O mais clamoroso, passei a achar, não é que Deus fosse desnecessário para justificar esse caos auto-regulado que é o Universo, nem que sua alegada existência coincidisse de forma tão suspeita seja com nossas esperanças, seja com as conveniências das autoridades de todas as épocas e lugares, mas sim que um Universo onde Deus existisse — onde houvesse um Deus impassível enquanto uma criança é jogada contra a parede até arrebentar, como no exemplo de Ivan Karamázov — seria monstruoso demais para admitir. Pode um sofrimento assim ser necessário? Pode jamais ser esquecido, anulado, extinto? Pode, por acaso, fazer parte de um plano cósmico de fomento ao amor? O que eu tinha era quase uma "fé" na inexistência de Deus.

Era capaz de compreender que a religião forjasse uma dimensão imaginária por meio da qual o indivíduo transcendia os limites de sua frágil corporalidade e experimentava uma comunhão com o todo, reconciliando-se com a impermanência, como dizem os budistas. Com o tempo, pude conceber até a possibilidade de uma religião que prescindisse de Deus, espécie de fé negativa em que a divindade figurasse não como ente real, mas como alegoria destinada a ressaltar, pelo contraste, a miséria da condição humana, a insignificância da nossa vida e do controle que pretendemos ter sobre ela. Claro que eu atentava para o amplo fundamento prático da religião, a evidência empírica de que ela ajuda a maioria das pessoas a tolerar reveses e suportar as asperezas da vida, pautando cada existência por uma lógica da qual pendem prêmios e castigos fantasiosos, lógica que, nem mesmo por ser absurda, deixa de impor algum sentido ao mundo e alguma ordem às comunidades. Eu entendia que as religiões, ao se desenvolverem, passavam a substituir a oferta de recompensas imediatas por outras, de maior alcance e ambição, integrando todos os atos da vida a uma mesma disciplina e compelindo a renúncias continuadas, sem as quais não haveria acumulação material nem progresso. Era intrigante que mais ou menos numa mesma época, no decurso de uns poucos séculos, correntes díspares como o budismo, o platonismo (ao censurar as paixões) e o cristianismo passassem a favorecer uma atitude altruísta, tão avessa aos impulsos que o próprio Deus incutira no cerne de todo ser vivo a fim de dotá-lo dos meios para prevalecer numa natureza avara e hostil, assim criada por Ele mesmo. Estabeleciam com essa pregação um ideal destinado a ser traído e a espalhar hipocrisia, manipulação, culpa e mais sofrimento no rastro de suas vitórias seculares, de tal modo ele é contrário à maioria das nossas inclinações, parecendo um paradoxo cruel que Deus condene os homens pelo crime de continuar praticando a ferocidade que lhes rendeu a primazia na natureza, que os punisse por permanecer fiéis, em suma, à condição humana — outra obra, aliás, desse mesmo Deus.

No entanto, a semente do altruísmo fora plantada, se não por Deus, pela seleção natural em todo mamífero, a fim de que seus filhotes, de desenvolvimento mais complexo e demorado, permanecessem o tempo necessário sob os cuidados maternos. Essa é a matriz a partir da qual se generaliza e diversifica o sentimento altruísta, na medida em que a consciência em ampliação permite que nos coloquemos cada vez mais no lugar de qualquer outro, compreendendo que a sua pele dói da mesma forma que a nossa. Se aquelas grandes doutrinas alcançaram tamanho êxito, só podia ser porque fora atingido um padrão de cultura evolutiva a partir do qual era possível que se exacerbasse a sensibilidade altruísta, do parente ao vizinho e ao estranho, enquanto a lei de talião, que governou toda a Antiguidade, sofria restrições crescentes, ao menos nominais, resultando dos dois vetores uma trama social mais cooperativa. A religião era o instrumento apto a produzir esse resultado, disponível para moldar comportamentos e enraizado nos medos e esperanças comuns a todos. Não é que eu fosse alheio à dimensão histórica e sociológica da religião; eu não conseguia ver outra.

É comum o cético adotar os cacoetes do fanático, justamente ele, que deveria cultivar seu ceticismo antes de mais nada com relação a suas próprias convicções ou falta delas, resguardando-se do preconceito mesmo quando este provém da ciência. Pois existe uma faixa de fenômenos que paira entre a mistificação e a parapsicologia, disciplina hoje desacreditada, mas que esteve em voga nos anos 60 e 70, quando se desenvolveu sobretudo entre os soviéticos, materialistas empenhados, segundo versão da época, em demonstrar de uma vez por todas a inexistência do sobrenatural. A maioria desses fenômenos com certeza são embustes ou casos de sugestão psicológica. Muitas vezes são coincidências que se cristalizaram por força da seletividade mental que relega, por exemplo, as profecias fracassadas ao esquecimento, enquanto fixa na memória aquelas que se "cumprem". Mas até que ponto estamos dispostos a transigir para considerar elucidados todos esses casos? Uma sensibilidade qualquer para registrar oscilações que não percebemos? Uma aptidão treinada para decifrar centenas de sinais que emitimos na expressão, no tom, no cheiro, nos gestos? Telepatia? Telecinesia, a suposta capacidade de movimentar objetos à distância? Depois de duzentos anos de civilização científica, em que o saber verificável, experimental, conquistou enfim a última palavra sobre todas as questões objetivas, é espantoso que essas dúvidas ainda não tenham sido erradicadas por completo. Talvez nunca venham a ser, talvez seu fundamento pertença à franja estatisticamente mais implausível do conjunto dos fenômenos ou ao fundo difuso e constante da nossa credulidade, como aquele "ruído" que os astrônomos "escutam" no fundo do cosmos, vestígio do enigma original — talvez as duas coisas ao mesmo tempo. Todos nós conhecemos casos assim. Tenho uma amiga muito inteligente, formação universitária, esclarecida, moderadamente católica, que "vê" pessoas pelas casas. São vultos, sombras arredias, mas concretas o bastante para que ela às vezes sinta como se as mãos dessas pessoas deslizassem por seus cabelos e roupas enquanto elas sussurram palavras indiscerníveis em seus ouvidos, e possa até reconhecer algumas como "habitantes" daquela casa a quem ela já "vira" antes. Não parecem hostis, tampouco amigáveis. A freqüentação desses estranhos a levou até círculos espíritas, onde logo ao entrar os iniciados a apontam como médium; se vai ao candomblé, dizem que é "cavalo" dos orixás. Sei que não está mentindo e que não é "louca". Sugestão psicológica por parte de todo o pessoal envolvido? Também acho.

* * *

Quando comuniquei o projeto às pessoas mais próximas ouvi as mesmas reações, próprias da mentalidade do nosso século e que chegaram a me abalar: *trinta dias andando? A troco do quê? Já pensou em tudo o que dá para fazer em trinta dias?!* Conforme o plano, aparentemente descartado, continuava a se fixar em meu espírito, passei a me dar conta de que meu impulso de fazer o caminho tinha a ver com a volúpia de um ato gratuito e até absurdo, traduzido numa empreitada para mim sem sentido — ou sem esperança, para falar em termos apostolares —, e com a liberdade que parecia fluir dessa perspectiva, como um futuro dourado pelo qual nos acostumamos a ansiar secretamente. Em 1976, por exemplo, ainda adolescente, fiz com amigos uma viagem de carro de São Paulo a Santa Catarina, quase setecentos quilômetros de estrada. À noite, um desses amigos e eu pegamos o carro para dar uma volta pela vila e caímos, por engano, na rodovia. Não me lembro se a coisa começou como uma aposta ou algum outro desafio idiota entre adolescentes, mas o fato é que rodamos dez quilômetros, e depois mais dez, e assim por diante, até que com uma hora de viagem surgiu a idéia de seguir em frente, direto até São Paulo, sem objetivo algum exceto o de fazer algo justamente sem objetivo. Cada um tinha uma pretendente em São Paulo, que nós visitamos ao amanhecer, antes de voltar a Santa Catarina, aonde chegamos na noite do dia seguinte, ao final de um périplo de 1400 quilômetros, e elas pareceram desvanecidas diante do feito, com sabor de gesta medieval, em que figuravam como Dulcinéias da idade rodoviária, mas nós sabíamos que o interlúdio romântico era antes o pretexto para uma missão que só parecera irresistível por não ter finalidade. A decisão quanto ao caminho era, tantos anos depois, como a versão madura e transfigurada pela experiência de um gesto semelhante, agora ampliado no tempo e no espaço, de liberdade pessoal.

A rigor, eu tinha uma expectativa em relação à viagem. Não contava com êxtases visionários nem esperava alcançar aquele nível de concentração ou alheamento que os ascetas chamam de meditação, mas imaginava que iria ao menos *pensar* pelo espaço de trinta dias. Antecipava um oceano de horas preguiçosas em que meu espírito, amplificado na paisagem ocre da meseta espanhola — antiga obsessão de certo professor de geografia que tive no ginásio e cujas desolações freqüentavam minha fantasia —, teria tempo e vagar para uma exaustiva faxina, uma ampla revisão interior em que, entrado na meia-idade, revolvesse os escombros de minhas ilusões, metas de vida, noções adquiridas e reminiscências dolorosas, ordenando umas e outras, se possível a fim de separar, como na parábola dos evangelhos, o joio do trigo. Concebia o caminho como uma viagem interior, psicológica, tanto quanto os místicos, mas consciente. E no entanto essa expectativa se frustrou.

Não demorou para perceber que o esforço físico, o efeito irritante e cumulativo dos incômodos, a mesmice de um caminhar sem fim que as variações no panorama — campina, deserto, mata — depois de um determinado ponto deixam indiferente, tudo isso bloqueava o raciocínio e o fazia girar em círculos, de volta ao mesmo ponto, esgotado por uma psicossomatização às avessas, ou levava a procurar alívio na repetição de devaneios mentais, quase sempre os mesmos, em que vinha à mente a lembrança de meu prato predileto ou da própria cama. Uma das coisas em que mais pensei foi no banho que tomaria, ao voltar, em meu próprio e prosaico chuveiro. O aspecto turístico ou cultural da expedição se confinava à exigüidade do caminho propriamente dito, na maior parte do tempo uma trilha ou estrada de terra que se estreitava entre os morros, pois o peregrino logo aprende a não se desviar dela por nada, desistindo de conhecer qualquer atração, por mais recomendada nos guias, que possa acrescentar algumas centenas de metros que seja a uma jornada diária média de mais de vinte quilômetros.

Reflexo, talvez, da paisagem arrasada de meu próprio deserto espiritual, o caminho foi para mim, antes de tudo, uma contraviagem, espécie de longa peregrinação em direção ao nada.

De todas as recomendações que passaram a brotar conforme me preparava nos meses anteriores à expedição, a mais imprescindível é a mais óbvia: calçados confortáveis. Existe uma Associação de Confrades e Amigos do Caminho de Santiago de Compostela no Brasil. Sua sede, um sobrado no bairro paulistano de Santana, parece mais uma loja de equipamentos esportivos do que a ramificação de uma seita medieval. Mulheres de roliças coxas bronzeadas e roupas de lycra multicolorida atendiam e eram atendidas no estabelecimento, que fornece, além do equipamento completo, o passaporte sem o qual você não é um peregrino. Foi lá que comprei calçados especiais para caminhadas, parecidos com pesadas botas de esqui, para fazer um primeiro teste, antes de dar a viagem por acertada e comprar o restante da tralha: guia (o do jornal *El País*, muito bom), mochila, saco de dormir, capa de chuva, bastão de apoio (este, sim, de esqui), cantil de alumínio com capacidade para setecentos mililitros, duas bermudas de tecido lavável, toalha de algodão, meias grossas, que se usam em camadas, duas de cada vez, para acolchoar ainda mais o interior das botas. Charles Lindbergh, o primeiro aviador a cruzar o Atlântico, em 1928, conta em sua autobiografia que o grande desafio (além da luta contra o sono durante o vôo) fora tornar o avião o mais leve possível, de modo que a maior quantidade de peso fosse ocupada pelo combustível. O peregrino deve ter preocupação semelhante. Levar mais de dez quilos é temerário; a carga recomendada é o equivalente a 10% do próprio peso. Lembro-me de dar risadas, como se fosse piada, quando na loja da Associação me contaram sobre caminhantes que arrancavam páginas do guia relativas a etapas já vencidas, a fim de aliviar peso. Fomos avisados: *levem o dinheiro escondido no cinto, chinelos para a noite, uma muda de roupa, um agasalho leve, bolsa de primeiros socorros, canivete suíço, uma lanterna e mais nada*, e mesmo assim vocês vão mandar coisas por correio de volta para casa no meio da viagem — e foi exatamente assim.

Andei dez quilômetros com as botas, num sábado, e no seguinte andei mais dezoito. Fiquei como qualquer pessoa que não está acostumada a cobrir essas distâncias a pé ficaria, mas tive a convicção de que não seria impossível fazer isso por cerca de trinta dias se estivesse decidido a tanto. Afora algum incidente capaz de abortar a empreitada, o problema, mais do que físico, parecia psicológico, ou seja, não desistir. E não *roubar*, como dizem os peregrinos, referindo-se à prática, bastante comum, de fazer parte do trajeto em trem, ônibus ou de carona. Rumores insistentes dão conta de que o próprio Paulo Coelho, autor de um livro que continua a pôr legiões de novos peregrinos em marcha, teria feito boa parte da aventura acomodado no banco traseiro de um Citroën. Pois o compromisso do nosso grupo — Marta, que idealizou e organizou a viagem, sua amiga Anamy e eu — era composto de três cláusulas, a saber: *1*) faríamos o percurso inteiro a pé; *2*) ficaríamos juntos até onde fosse possível; *3*) tomaríamos decisões por voto. Eu não conhecia Anamy, de modo que Marta era o elo em nosso trio. Elas eram amigas que iam ao cinema a cada quinze dias, embora fossem muito diferentes uma da outra: Anamy, leitora de Paulo Coelho, caminhava de maneira pachorrenta, mas persistente, ao passo que Marta, apreciadora de jazz, andava num passo concentrado e marcial.

Nessa época de preparativos, a fantasia que eu alimentava sobre o caminho era inspirada numa tarde, muitos anos antes, em que passava uma temporada no interior e saí para uma volta a pé. Estava lendo *Ana Karenina*. Tinha acabado de ler a passagem em que Levin, vítima da paixão pela vida camponesa que acometeu a intelectualidade russa no século XIX, resolve um dia trabalhar na colheita, colocando-se desde a madrugada ombro a ombro com os lavradores, submetendo-se à mesma alimentação rude, ao mesmo regime de trabalho brutal sob o sol de verão da Rússia, que há de ser tão impiedoso quanto seu famigerado inverno, até cair inerte, vítima de insolação. A descrição dessa jornada me fez estender o passeio; querendo imitar Levin, caminhei durante sete ou oito horas pelos campos, atravessando extensões de terreno recém-arado, cruzando riachos, indo bem adiante das obras de uma estrada em construção, vencendo morro após morro até sentir os pés moídos e a camisa empapada de suor, enquanto prolongava a sede na antecipação dos copos de água fresca que tomei ao chegar em casa, o rosto pegando fogo, quando a lua cheia prateava a noite. Há uma verdade no exercício físico extenuante que nos liga de volta ao mundo e restitui o direito de estar respirando, de continuar vivo.

Pousado nas encostas dos Pireneus, a uma altitude de 952 metros de onde se avistam, lá embaixo, as colinas douradas do antigo reino de Navarra, Roncesvalles é menos que um vilarejo: em volta de um mosteiro do século XI hoje convertido em albergue só existem duas ou três hospedarias onde começa o caminho propriamente dito, ao menos em terras da Espanha, pois a ortodoxia manda situar o marco zero no lado francês da cordilheira, a 24 quilômetros dali. Quando chegamos, num fim de tarde, e desembarcamos as mochilas do táxi, estava começando a missa do Peregrino na igreja do mosteiro. Tive a sensação, ao entrar, de que se tratava da reprodução moderna de uma capela gótica, com os vitrais tão coloridos que pareciam de plástico, e o cimento ainda recente entre os cubos de pedra lisos e regulares — mas não, a igreja é autêntica e seu aspecto ainda é o que teria apresentado no século XIV.

Nada menos que três padres celebravam a missa, como se fosse necessária uma equipe de reforço para encomendar os fiéis na véspera de travessia tão longa, e não foi sem emoção que no final da cerimônia ouvi os sacerdotes pedir aos peregrinos, que prestavam uma atenção própria de novatos, que orassem por eles e pelos que ficavam quando chegassem à cidade de Santiago. O apelo foi repetido em latim, francês, espanhol e assim por diante, inclusive em português, como numa Babel da concórdia que redimisse os erros da primeira, dando à singeleza quase egoísta do que era pedido um alcance de solidariedade cosmopolita, universal. Achei aquilo bonito da parte dos religiosos e aceitei de bom grado a incumbência, mesmo sabendo que não rezaria ao chegar, se chegasse, mas estimulado pela idéia, que dava ânimo para enfrentar as vicissitudes, de que pudesse haver uma "mensagem" a ser entregue e da qual eu seria apenas o veículo. Ao amanhecer, posamos para a nossa foto "oficial", braços e pernas abertos, desajeitados sob o equipamento como astronautas, e só às 10h25 do dia 19 de junho, uma segunda-feira, começamos a descer a encosta pela trilha sob um túnel de árvores viçosas e baixas que margeava a estrada de asfalto.

Era pleno verão. Nessa altura, o sol nasce às seis da manhã, atinge o zênite, quando queima com fúria, às 2h45, para se desmanchar em hemorragias pegajosas somente quando já passa de dez da noite. A memória mais alegre que tenho do caminho corresponde a essa etapa estival e florida, em que tudo era novidade, quando ainda nos comportávamos como calouros, fazendo exercícios de alongamento a cada pausa e conversando animadamente enquanto caminhávamos a passos rápidos — hábitos abandonados pelo meio da viagem. O ar é seco e limpo, fazendo rebrilhar a paisagem de campos loiros, cortados rente como cabelos, estampada aqui e ali pelos recortes das videiras e que desce em declives nem sempre suaves até o fundo do vale, onde se retorce ao longe, em redor de algum riacho oculto, uma mata cerrada de um verde quase azul-marinho.

Mas ao vencer esses planos marejados de colinas, logo o viajante se depara com uma garganta mais íngreme, recoberta por uma extensão de floresta quase tropical em sua petulância e cujos ruídos silvestres não abafam o reboar de uma corredeira que percorre seu interior como uma artéria. É por ali o caminho, por ali, indicam as conchas estilizadas ou as setas amarelas, pintadas à mão, que aparecem quase sem falta, a cada duzentos metros, nos locais mais impensáveis: em placas na estrada ou no próprio chão de asfalto, sim, mas também numa pedra mais visível nesta encruzilhada, naquele tronco de nogueira, numa carroça abandonada, num meio-fio em Pamplona ou na base de um painel luminoso em Burgos, como se esse pontilhado discreto, invisível a olhos profanos, ligasse numa mesma circulação toda a torrente de peregrinos vertida ali desde tantos séculos — ou repetisse as intermináveis filas indianas de formigas negras e vermelhas que eu via pelo chão.

    Caminhamos, assim, pelo interior da mata, quase tão fresco quanto o de uma basílica, os braços rajados de luz infiltrada entre a ramagem, os olhos no chão escuro e úmido onde fervilhavam civilizações: cigarras, formigas, grilos, besouros, mosquitos, abelhas, borboletas, nações de pequenos seres ocupados em trinchar, cortar, sugar, carregar, armazenar, ganhar o pão, enfim, com o suor do próprio rosto, conforme a maldição lançada no Gênesis. Que vegetação seria aquela? Bétulas, salgueiros, choupos, olmos, os nomes de uma sucessão de árvores européias investidas de prestígio literário vinham à mente, todas elas íntimas desconhecidas. Lamentei que minha ignorância em botânica e entomologia, a arte de observar insetos, que Thoreau praticou a ponto de descrever batalhas que duravam dias, tornasse aquele ambiente tão indecifrável para mim quanto um tratado de escolástica.

    Subimos, resfolegando, agarrados aos cipós, pela vereda sempre cada vez mais íngreme conforme o topo se aproxima e então, do cume onde rasteja uma vegetação rala, humilhada pela ventania imperturbável, desvenda-se o panorama do outro lado, uma ribanceira pedregosa onde ruminam tristes cabras, e lá embaixo mais uma extensa planície, aldeias fumegando, como nos contos de fadas, ao longo de outro riacho que cintila como um fio de mercúrio ao sol, e no fundo de tudo o perfil pontiagudo, enevoado e ameaçador, de uma serra que se alteia até um turbilhão de nuvens pretas. É quase inacreditável que duas ou três horas depois, sem que o sol tenha parecido se mover um palmo, estejamos escalando uma ravina qualquer nas fraldas arenosas daquela mesma serra antes tão longínqua, olhos postos no casario esbranquiçado que se pendura lá em cima, onde os medievais preferiam construir suas cidadelas, de modo que fossem mais protegidas em época de guerra e menos expostas ao flagelo das febres. Diz a tradição que numa encosta assim, particularmente longa e escarpada, a do Alto del Perdón, o diabo tentava os peregrinos, oferecendo água se abjurassem a fé cristã.

    Ao entrar numa dessas cidadezinhas a impressão é de que uma fratura no tempo nos devolvesse aos dias da peste negra (1347-52), pois os arcos e as pontes de pedra, as escadarias misteriosas e as ruelas estreitas, sobre as quais se debruçam os telhados dos casarões quase sem janelas, tudo está ermo e vazio, a aldeia mergulhada numa sonolência mortífera de Idade Média. Se os automóveis Fiat e Renault estacionados não deixam esquecer em que século estamos, a fantasmagoria passa a ser a de que uma arma de nêutrons, disparada em meio à guerra nuclear que teve início lá fora, no mundo histórico real, tenha vaporizado os habitantes do burgo, deixando intactas as estruturas, as igrejas, as fachadas, até mesmo as televisões cujo bruxuleio azulado ainda se entrevê por trás das janelas trancadas, poupando também, por alguma razão desconhecida, os cachorros que perambulam.

    Mas ao chegar o andarilho está transido de sede e apenas se arrasta em meio aos ecos de seus próprios passos e dos golpes metálicos do bastão na laje, que estalam no calcário secular das paredes, à procura da igreja, pois na frente dela haverá uma praça e em seu centro uma fonte de água fresca. É uma delícia, então, engolir borbotões de água que desce fria pelo cano de cobre como se rolasse da montanha por um leito de gelo, molhar os braços, o rosto e os cabelos em desafio contra o sol, encher e reencher os cantis e se atirar no átrio defronte ao portal de entrada de igreja, protegido por um cone de penumbra quase maciça que vem desde o campanário, alisando o corpo contra o mármore leitoso que os medievais amaciaram de tanto pisar com seus presumíveis tamancos rústicos. Lá em cima, naquelas alturas de azul beatífico e congelado, não demora a aparecer uma finíssima linha branca que um ponto invisível risca como um compasso na direção oeste, a mesma do caminho, naquilo que é na verdade o caminho de Santiago do nosso tempo, a rota dos jatos comerciais que buscam os Estados Unidos.

Aos poucos o visitante se ergue, achando estranho aquele silêncio de cemitério, assaltado pela sensação perturbadora, ao vagar pela praça, de que está completamente sozinho em todo o vilarejo. No melhor livro dos que li sobre o assunto, *Caminhos para Santiago* (Nova Fronteira, 2000), o holandês Cees Nooteboom descreve uma aldeia que "não passa de ruínas, varandas de ferro enferrujado, janelas sem vidraças, bocais sem lâmpadas, tudo foi demolido, saqueado, as bordas das janelas foram invadidas pelos espinhos, as azinheiras crescem tortas até a parte interna das casas, caminho por cima das pedras instáveis. Todos os habitantes se foram ao mesmo tempo? Nenhuma voz, nenhum barulho de passos...". Isso nos ocorreu certa tarde, quando nos demos conta de que estivéramos dormindo em bancos de praça de um antigo vilarejo onde não havia mais ninguém. Se a morte tem uma pátria, se existiu jamais um país que a cortejou e amou, é a Espanha, onde se chegou a ouvir o brado ¡*Viva la muerte!* a título de divisa cívica. Ao longo do Caminho, é comum topar com pequenos monumentos ou placas alusivas a certo massacre ocorrido na época desse lema, na Guerra Civil Espanhola (1936-39), cujo ódio irredutível retalhou cada lugarejo ao meio, de modo que às vezes uma distância de poucos passos separa os muros onde caíram fuzilados mártires de uma e de outra facção. Havia um monumento assim naquela vila abandonada aos cães, fotografias esmaltadas dos respeitáveis inquilinos ainda guarnecendo as criptas. Deixamos às pressas o lugar, incomodados pela sensação de que sombras furtivas vigiavam por trás dos postigos arruinados.

Mas geralmente o peregrino encontra um bar que parece fechado, experimenta abrir a porta, sempre protegida por cortinados de pingentes plásticos coloridos, e lá dentro existe não apenas vida, mas o mais banal e corriqueiro burburinho do século XX: homens de bigode bebendo e fumando no balcão, outros em volta de uma velha mesa de bilhar, alguma canção pop guinchando no alto-falante, na televisão um jogo de futebol que ninguém está assistindo e, atendendo as mesas com preguiçosa má vontade, uma garçonete de saia preta e curta com quem os homens já têm intimidade demais para continuar dirigindo gracejos. Às vezes eu dispensava o ritual da água fresca na fonte da praça para liquidar a sede numa dessas escuras cavernas de fórmica, onde entrava afoito para engolir duas ou três canecas de chope antes de pensar em qualquer outra providência, gostando de presumir que o amarelo fervilhante da bebida, mantida em temperatura tão fria nos vasos de porcelana, fosse o mesmo dos campos de cereal pegando fogo lá fora. Era melancólico ver os homens encalhados nos fundos desses bares, jogando paciência ou olhando para o nada, bebendo *pacharrán*, aguardente com gosto de anis feita com uma espécie de pitanga, homens para quem a vida tinha passado em brancas nuvens, que nunca haviam posto os pés, muitas vezes, fora daquele mesmo povoado e que continuariam ali por perto logo mais, depois de mortos, entre as fileiras de seus ancestrais, plantados na colina do cemitério na saída da vila. Eram os que não migraram, os que ficaram para trás, e vê-los dava vontade de continuar o caminho nem que ele fosse três vezes mais longo. Mais tarde entendi que, na sociologia desses vilarejos, a maioria dos homens passa o dia nos campos, e as mulheres se trancam com as crianças no recinto fresco das casas, não por reserva, mas para se isolar do calor escaldante.

Apesar das divergências, que logo apareceram, pelo menos uma característica unia nosso grupo, no qual ninguém tinha muito sono à noite, nem era madrugador. A maioria dos peregrinos põe o pé na estrada antes do nascente, a fim de chegar ao destino no máximo até o meio-dia, quando o sol é forte, sem estar no apogeu. Nós saíamos com o sol já alto, parávamos no começo da tarde, aderindo ao costume hispânico da *siesta*, para prosseguir até a noite, chegando quase sempre quando a luz do dia se afogava em convulsões de escarlate no horizonte, o grosso dos peregrinos já aquartelado nos albergues. Aos que se espantavam com nosso horário, batizado de *brazilian time*, dizíamos que estávamos acostumados, que vínhamos do país do sol por excelência — e a um peregrino que fez um comentário filisteu sobre nossos hábitos, respondi de brincadeira, mas citando ferinamente os evangelhos, que *os últimos serão os primeiros* (Mateus, 20,16).

Meus dias preferidos eram esses, em que saíamos sem pressa, geralmente enxotados dos albergues, onde não é permitido ficar mais que o pernoite, ou de uma das pensões a que recorremos muitas vezes, para fugir daqueles dormitórios públicos em que você passa a noite em companhia de um batalhão de germanos, visigodos, francos, lombardos e normandos, como se ali fosse o ponto de encontro de uma confederação de suas tribos. Às vezes, antes de sair da vila, comprávamos mantimentos para um piquenique. Entrávamos, então, pela estrada de terra, atravessando um pasto onde poderiam estar dispersos enormes sacos de plástico preto, como travesseiros de gigantes largados sobre o capim, faiscantes e estufados de feno. São uma imagem perene durante o caminho e responsáveis, quando o calor fermenta seu conteúdo, por um cheiro açucarado entre o fumo de cachimbo e o chiclete de frutas, que atrai e enjoa ao mesmo tempo, estendendo-se às vezes por quilômetros.

Seguíamos em frente, sempre contando que apareceria um lugar mais apropriado, até o caminho penetrar num bosque de árvores altas e esguias para descer, através dele, ao remanso de pedras numa curva do rio Arga. Eu ficava surpreso com a inventividade das mulheres para as compras, com os requintes que sabiam acrescentar à refeição tão frugal e os detalhes de que se lembravam: não apenas guardanapos e sacos de lixo, mas azeite de oliva, sal e pimenta, talheres de plástico. Numa passagem de suas *Confissões* relativa aos anos de juventude, Rousseau — que era adepto de longas caminhadas e dedicou seu último escrito, *Os devaneios do caminhante solitário*, a esse tema — relata certo passeio em que ele e sua companhia se perderam num vasto descampado até deparar, enfim, uma casa de camponeses, onde foram recebidos com rações de água fresca, pão e queijo. Repasto nenhum em nenhum palácio jamais se equiparou àquele, do qual ele se recordava tantas décadas depois. Eram assim esses piqueniques, mas compostos de um cardápio mais extenso: aspargos, tomates, cenouras, sardinhas, ovos cozidos, patê, presunto e frutas, acompanhados de uma garrafa de vinho que eu deixava gelar, como um personagem de Hemingway, mergulhada num encaixe de pedras nas águas nervosas do rio, feliz tanto por bebê-la quanto por me livrar do frasco no próximo lugarejo.

Devido a nossos horários tardios, só nos encontrávamos com a maioria dos colegas de peregrinação à noite, quando já cuidavam carinhosamente das bolhas nos pés ou contavam peripécias nos bares das imediações. As diversas falanges invasoras estão nessa hora distribuídas pelos aposentos e confraternizam ruidosamente, como a escolta turbulenta do rei Lear, na copa do albergue, muitas vezes um convento medieval, hoje dotado de máquina de café e utensílios modernos na cozinha, que acomoda dezenas de beliches enfileirados nos amplos quartos de pé-direito altíssimo e paredes sem reboco. Geralmente há dois banheiros, um para os homens, outro para as mulheres, nem sempre em condições desejáveis de uso. Os colchões são sujos e curvos, apropriados para deixar seqüelas em quem tem propensão a dores nas costas. Mas o clima é festivo e o assunto animado, geralmente em torno dos padecimentos do caminho: trocam-se conselhos em que são muito valorizados os fármacos naturais e alternativos, há uma competição um tanto mórbida para ver quem tem as piores bolhas, que são exibidas como estigmas, numa alusão sacrílega, ainda que inconsciente, às chagas de Cristo.

Alguns ficam para trás, outros se adiantam, mas os peregrinos avançam em ondas, de modo que se estabelece uma camaradagem, ao longo das semanas, às vezes entre grupos que apenas se felicitam ao se avistarem de tempos em tempos. Aqui é preciso fazer a distinção entre os ciclistas, na maioria franceses ou holandeses, que assolam o Caminho aos enxames, e os andarilhos. Pois o tempo frenético dos ciclistas é outro, seus hábitos e sua personalidade — grosseiramente desportiva — também. Entre os peregrinos propriamente ditos, que avançam em ritmo de caramujo carregando, como esse molusco, a "casa" nas costas, existe talvez um corte etário que separa, para simplificar, jovens aventureiros de um lado e quarentões zen de outro, em busca de uma experiência que os prepare para a vida real e que lhes permita sair dela, respectivamente.

Descontados uns poucos devotos com ares de congregados marianos, a maioria é de místicos do mais diversificado jaez, espíritos abertos a quaisquer manifestações do sobrenatural, seguros de que sob a sabedoria milenar do culto a todas elas se desdobra um fio condutor, alfa e ômega de todos os enigmas. Não é de espantar que nesse ambiente de misticismo retrospectivo, em que cada devoção é bem-vinda para contribuir com lendas cujo lugar estará garantido na complacente credulidade do labirinto de todas elas, Paulo Coelho, que popularizou tal ecletismo numa prosa leve em que doses de auto-ajuda são inoculadas sob o manto do mistério, seja visto como um verdadeiro profeta. Depois de espanhóis e franceses, os brasileiros são o terceiro contingente a abastecer o caminho (seguidos de alemães e americanos), mas a veneração ao evangelho de Paulo Coelho ignora nacionalidades e alcança a maioria dos peregrinos, que não raro trazem um livro do escritor enfiado na mochila, vertido na língua do caminhante, que lhe fará companhia nas horas de reflexão sob alguma árvore frondosa.

Lembro-me de personagens fugazes, que era agradável encontrar mas que, como nós, iam e vinham conforme os azares da caminhada sem que soubéssemos se e quando voltaríamos a encontrá-los — mais ou menos como na vida real. Havia um rapaz nissei de São Paulo que fizera o caminho no ano anterior e agora repetia o percurso de carro, a mãe a tiracolo, para que ela conhecesse também tudo o que ele vira. Havia uma família de mexicanos que parecia saída de algum seriado cômico, um marido que galanteava todas as mulheres que chegassem perto, arrastando atrás de si uma senhora que parecia sua mãe, mas era sua mulher, mais a mãe desta e outro parente que fazia as vezes de um vago cunhado. Os dois mexicanos costumavam apresentar um dueto de roncos à noite, espetáculo que começava manso, como acontece às vezes com os concertos, mas que a seu devido tempo preenchia o aposento com um *allegro vivace* de contrapontos e harmonias, terminando por arrancar acessos de riso, que soavam como aplausos sufocados nos colchonetes, dos mesmos que os mandavam silenciar, desmoralizando seus esforços. Havia Sara, uma das que liam o profeta do caminho, lânguida e esquiva garota de Badajoz que um belo dia sumiu de vista, deixando o jovem marselhês Sebastian, que mais tarde se juntaria a nosso grupo, enfeitiçado. Havia a carioca Mônica e sua pupila adolescente, a belo-horizontina Cris, amigas inseparáveis que se conheceram no aeroporto. Havia uma americana cinqüentona sempre vestida como se fosse a um safári, tão pertinaz no andar quanto lacônica no falar, da qual nunca soubemos o nome, ao contrário de sua conterrânea Lisa, estudante californiana nostálgica da ascendência italiana que seus pais não cultivaram e que agia como se estivesse entre os polinésios, receosa de magoar os nativos, entre os quais ela nos incluía, assim como a todo falante de qualquer língua que lhe soasse latina. E houve a velhinha que, certa tarde, ao chegarmos a uma dessas vilas no final do dia, sem dizer uma palavra projetou o corpo pela janela de sua casa e esticou a mão o máximo que pôde, numa façanha muito além do que sua precária saúde parecia autorizar, até conseguir passar a mão sobre os cabelos de Anamy, como se, impossibilitada de tocar ela mesma o santuário do apóstolo, buscasse fazê-lo por meio da nossa amiga.

 Não é freqüente, mas existem pessoas que repetem o caminho de trás para a frente ou durante o inverno, quando tudo muda. O carioca Acácio, *hospitalero* de um dos melhores albergues do caminho, o de Logroño, foi um meticuloso aventureiro que em seus trinta e poucos anos de idade fizera o caminho nada menos que sete vezes. Remodelado nos rigores de tantas caminhadas, o corpo de Acácio parecia uma máquina de andar: era magro e seu tórax, curto e compacto, emendava diretamente nas coxas superdesenvolvidas com as quais dava suas amplas passadas de Pernalonga, as costas arqueadas para absorver o impacto dos calcanhares no solo, parecendo deslizar sem esforço sobre qualquer superfície, como se possuísse várias pernas, sempre lépido e sorridente. Para ele o caminho era tudo: revelação mística, diálogo consigo mesmo, comunhão com a natureza, aventura existencial, exercício para o corpo, alimento para a alma e também, por que não, meio de vida.

 Levou seus neófitos compatriotas para jantar, e na conversa que se prolongou pela madrugada ficamos conhecendo sua teoria.

Estabelecia, em consonância com o fatalismo que comanda toda a "teologia" compostelana, que o elemento propriamente ativo é o caminho, não o peregrino. Não é você, por exemplo, quem perde algo durante o caminho, mas o caminho que "chamou" a coisa desaparecida, nem é você quem desiste, mas o caminho que houve por bem rejeitá-lo. O caminho é sábio e não comporta acasos ou acidentes gratuitos, estando tudo predeterminado, repleto de sentido desde o início, à espera de uma decifração que se confunde com a própria experiência de... fazer o caminho. Por decorrência, o caminho representa significados múltiplos, virtualmente infinitos, um para cada pessoa que já o trilhou ou venha a fazê-lo. Normalmente, sempre segundo a doutrina do *hospitalero*, esse significado reproduz, em plano metafórico, a vida terrena da pessoa em questão. Daí que o primeiro trecho, o das campinas de Navarra, muitas vezes se apresente como a infância, fase tanto de birras quanto de alegre despreocupação. Na meseta, que se estende pelo meio do percurso, eclodem as revoltas e os conflitos próprios da juventude; é ali, conforme nosso *hospitalero*, que o demônio tenta o peregrino, atiçando-o a blasfemar contra o caminho e abandoná-lo. Grupinhos como o de vocês, disse, balançando um dedo desdenhoso, sempre se desfazem nessa parte da viagem, quando explodem as brigas e vai cada um para um lado. É somente na verdejante Galícia, depois da travessia do pico conhecido pelo nome galego de O Cebrero, que é dado ao caminhante atingir a serenidade da velhice, quando suas paixões estão equacionadas e sua mente enfim tranqüila. Antes disso, como diriam os evangelistas, "haverá choro e ranger de dentes".

No caminho de Santiago, o tempo — o próprio tecido inapreensível de que são feitos os dias — muda. Não me refiro à facilidade com que o viajante se vê postado na vigia de um castelo em que um sarraceno apoiou seu arco, ajoelhado na mesma pedra de altar onde se rezava há mil anos ou pisa, em certos trechos do trajeto, o mesmo chão que o peregrino Francisco de Assis pisou. Essa aproximação dos séculos, cuja distância parece encurtar bruscamente, decerto ocorre no caminho, como nas ruínas do Fórum Romano ou dos templos maias de Chichén-Itzá. Mas a perturbação mais chocante fere a relação entre tempo e espaço a que estamos habituados, que sofre violento transtorno no qual desaparece da noite para o dia a aceleração dos eventos produzida pela civilização tecnológica. Um exemplo ilustra bem essa sensação.

Já estávamos em Astorga, perto de entrar, enfim, na Galícia. O palácio da diocese local é um projeto encomendado a Gaudí, o celebrado arquiteto catalão cujo estilo exorbitante deu ao art nouveau a plástica dos sonhos e dos contos de fadas. Concebido no final do século XIX, esse edifício é uma paródia de castelo medieval, pequeno e acinzentado, com torres exageradamente agudas, escadarias em caracol por todos os lados, pontes levadiças sobre um fosso estreito, uma pantomima cujo descaramento, como é comum na arquitetura humorística de Gaudí, faz rir. Quando vi o castelinho me veio a idéia de uma réplica da réplica, feita para alguma refilmagem de *A Bela Adormecida* ou *A família Addams*. A atração faz grande sucesso entre os turistas e o lugar está sempre coalhado de ônibus a caminho de Compostela. Senhoras brasileiras estavam num deles e se acercaram como urubus ao descobrirem que éramos peregrinos conterrâneos, para tirar fotos e fazer perguntas, na verdade atraídas, acho eu, pelos ferimentos em nossos pés, dos quais tratávamos num banco da praça como se fosse um ambulatório improvisado. Foi uma conversa trivial, mas ela me deu como nunca a dimensão do que estávamos fazendo, pois era uma da tarde e aquelas simpáticas velhotas nos informavam que estariam em Santiago antes das cinco, a mesma Santiago que nós só atingiríamos doze dias depois. O tempo se expande, por efeito de uma deformação psicológica, e as distâncias se tornam intergalácticas. Eram, com efeito, imagens de ficção científica as que me ocorriam por analogia, como se aquelas senhoras, viajando numa nave movida a um tipo de propulsão ainda por ser inventado, pudessem atingir a constelação de Pégaso ou a estrela de Antares numa fração mínima de tempo.

Na primeira escola em que estudei havia um exercício intrigante, aparentemente destinado a inculcar nos alunos o gosto pela aritmética ou ao menos pelos números. Cada criança recebia tiras de papel estreito e quadriculado onde passava a escrever os números em seqüência: 1, 2, 3 etc. Com o tempo, atingiam-se cifras elevadíssimas e as tiras eram emendadas e enroladas, ficando parecidas com aqueles rolos de papel usados nas antigas calculadoras mecânicas. Não sei se era esse o espírito da coisa ou se a atividade escapou ao controle, e era apropriada como passatempo pelos alunos, alguns dos quais devem ter se viciado nela, pois me recordo da inveja que sentia de certos colegas que passeavam com rolos quase tão volumosos quanto uma bola de handebol, presos por elásticos como um maço de cédulas, e cuja numeração já atingia a casa dos milhares. Havia muitos garotos judeus na escola e mais tarde me ocorreria a alucinação de que eles eram como pequenos rabinos com suas microtorás enroladas nos bolsos. Fazer esses pergaminhos tornou-se mania, sobretudo entre os meninos, durante os anos que passei nessa escola, sendo surpreendente que a mera emulação fosse capaz de converter exercício tão monótono num jogo apaixonante que invadia os recreios. Como pedagogia, aquilo não tinha muito sentido: o que poderíamos ganhar ao escrever a sucessão interminável dos números inteiros exceto um vislumbre arrepiante de como é árido, morto, desesperador, de como é infinito o infinito? Acho até que a dada altura as professoras tiveram o bom senso de reprimir aquele hábito infernal, mas pode ser que isso seja fruto da imaginação. Evoco essa reminiscência porque meus passos no caminho iam se tornando exatamente como aqueles números no papel quadriculado.

    Não houve um momento preciso em que o tédio tenha se estabelecido em nosso grupo; ele veio se instalando aos poucos, conforme a exaustão física e as noites desconfortáveis depositavam uma camada de fadiga permanente em nosso espírito. Passados os primeiros dias de entusiasmo, quando parecíamos um grupo de escoteiros crescidos, cada um de nós foi fixando suas rotinas silenciosas. O ritual de se vestir pela manhã era complicado: passar vaselina entre os dedos dos pés, antinflamatório nas bolhas, calçar as duas meias sobrepostas, as botas, cobrir de protetor solar (fator 15) as partes expostas do corpo, guardar o saco de dormir e o resto da tralha, recolher as roupas lavadas na véspera e pendurá-las nos "varais" no lado posterior das mochilas, abastecer os cantis, estudar no guia o percurso a ser feito... era freqüente termos de voltar pois um de nós havia esquecido o bastão ou o boné — e, no caminho, voltar é tudo o que você não quer.

    Andávamos então com afinco, para compensar o avançado da hora, até finalmente chegar a uma vila onde pedíamos na primeira taverna aberta uma garrafa de vinho comum e *bocadillos*, a comida "oficial" do caminho, imensos sanduíches de presunto cru ou salame rústico. Voltávamos a caminhar à tarde, depois de dormir na calçada, onde houvesse sombra. Creio que nas primeiras semanas, enquanto andávamos, tivemos a oportunidade de jogar todos os jogos verbais e cantar todas as músicas de que nos lembrávamos, incluindo jingles publicitários correntes no Brasil entre os anos 60 e 80. Trocamos recordações, piadas obscenas e confissões particulares, pois era comum que dois de nós andassem em dupla, enquanto o terceiro ia à frente, irrequieto, ou atrás, ensimesmado. Falamos de comida, de viagens, de amores, de filmes, antigos programas de televisão, de livros, de amigos comuns, de planos para o futuro, dos outros peregrinos a quem avistávamos à distância, de hora em hora, como navios que se saúdam de passagem. E depois caímos em silêncio. Não tínhamos mais nada a dizer ou estávamos cansados demais para abrir a boca.

Seria injusto dizer que os nativos não são corteses com os romeiros. Houve pessoas que chegaram a se desviar de seus afazeres, como o bom samaritano do Evangelho, para nos ajudar em algum momento crítico. Às vezes nos perguntavam, sinceramente intrigados, por que tantos brasileiros vinham de tão longe fazer essa romaria. Não é raro, porém, sobretudo nas cidades maiores, que os peregrinos sejam olhados com certo desdém, como falsos turistas que gastam pouco e aventureiros maltrapilhos dos quais as mães discretamente protegem as crianças, passando o braço por seus pequenos ombros, ao cruzar com eles na rua. A Espanha parece tomada pelo espírito da globalização; respira-se nas cidades uma atmosfera agressiva de êxtase capitalista e mundano da qual o estilo de vida desses andarilhos que imitam peregrinos do século XII não poderia destoar mais.

Atravessamos o caminho de vários religiosos, padres e freiras. A reação de quase todos foi idêntica: ao nos perceber à distância, apertavam o passo e enfiavam a cara no chão ou assestavam os olhos no horizonte, seguindo reto, sem uma palavra de estímulo, um olhar de simpatia. Imaginavam, talvez, que conspurcássemos a religião com nossas maneiras esportivas, nossas roupas sumárias e nosso aspecto que as intempéries iam tornando um tanto marginal? Ou será que, ao contrário, nossa presença apontava um dedo acusatório contra eles, que certamente nunca haviam se dado ao trabalho de peregrinação semelhante, como se esfregássemos em suas caras, com a autenticidade de nossa disposição, o farisaísmo com que desfilavam seus hábitos e batinas? Ou será que nossa aparição os fazia lembrar dolorosamente de uma época antiga, em que deveriam ter cedido ao impulso de fazer o caminho, que alguma vez os acometeu, quando os ardores da fé ainda compensavam as abstinências da carreira eclesiástica, tornadas agora ainda mais amargas pela evocação dos prazeres e aventuras nunca vividos? Mas não julguemos, para não sermos julgados.

Uma das coisas que penso ter aprendido no Caminho é que o chão do mundo é sempre o mesmo. Pude estudar o assunto, por assim dizer, de perto, pois o caminhante é obrigado a passar muito tempo com os olhos postos no solo em que pisa e onde há de tudo, desde cacos de vidro até cobras, como as três que cruzaram o nosso caminho nos 750 quilômetros. Convém estar atento, pois uma torção de tornozelo pode inviabilizar o prosseguimento da caminhada. Era curioso que, tão longe de casa, eu visse pela estrada de terra exatamente o que lembrava ver no interior de São Paulo, quando observava o chão com o interesse típico das crianças, do qual estão sempre tão próximas. Os mesmos sulcos crestados que as rodas deixavam após as poças de chuva secarem, o mesmo matinho veludoso e renitente entre eles, os mesmos seixos quase translúcidos, os mesmos caminhos torturados que a erosão fazia nos barrancos e as mesmas formigas zanzando em desespero. Peguei o costume de fixar os olhos num determinado seixo e tentar acertá-lo, enquanto caminhava, com a ponta do bastão, atirando-o como se fosse um arpão mas sem soltá-lo completamente, à maneira de pescar dos índios. Minha pontaria ficou exímia na segunda semana. Nessa época eu achava que estava tirando o caminho de letra. *Pán comido*, se diz em espanhol, "café pequeno".

Havia pessoas que enfrentavam dificuldades bem maiores que as nossas. Estávamos na meseta. Havíamos sido alertados sobre as extensões dessa "mortalha fosca", como Nooteboom chama tais planícies semidesérticas castigadas pelo sol e pelo vento, onde é prudente, em certos trechos, levar provisões de água nas mochilas, além dos cantis cheios, pois às vezes passam-se mais de dez quilômetros sem vestígio de presença humana. Certa vez tentamos, sem êxito, desatarraxar e até furar uma torneira agrícola, única fonte de água numa vastidão deserta. Apesar disso, eu amava a meseta pela excelente razão de que esse "oceano de terra" é plano. No tédio da travessia, avistamos ao longe dois peregrinos que pareciam se deslocar sobre motocicletas. Ao chegar mais perto, compreendemos que não eram motos, mas cadeiras de rodas. Não sei como faziam nas subidas e descidas, que podem ser íngremes antes e depois da meseta; provavelmente um carro os acompanhava à distância, ao menos em certas partes do caminho. A vergonha que sentimos, ao ultrapassá-los andando, impediu que expressássemos nossa admiração, nosso apreço por sua epopéia tão mais temerária que a nossa, nosso arrependimento pelas próprias queixas, todos pensamentos igualmente vexaminosos, de modo que ao nos aproximar deles nos limitamos à saudação universal dos peregrinos, que eles retribuíram com entusiasmo: ¡Buen Camino! Bem mais adiante, na Galícia, encontramos outro peregrino em cadeira de rodas: ele tentava localizar um gato que miava alto, aparentemente ferido, num bosque à margem da estrada. Marta o ajudou a pegar o gato, que ele depositou no colo, pois fazia questão de levar o bicho até o próximo povoado.

Eu empregava as horas vagas na tentativa de ler o único livro que levei, a *Vida de Santa Teresa de Ávila segundo ela mesma*, obra que essa monja, depois situada entre os maiores escritores da língua espanhola, redigiu em 1562 a título de confissão, penitência e relato edificante por ordem de seus superiores religiosos. Santa Teresa expõe sua constante e obsessiva auto-recriminação pelas mais triviais falhas de conduta, tais como, por exemplo, conversar demais com as outras freiras, e discorre sobre a bênção que lhe coube, embora ela não a merecesse, de atingir estados cada vez mais transcendentais de êxtase religioso por meio apenas da oração. Apesar de meu sincero esforço para aceitar a atmosfera proposta pelo livro, a leitura me deixou impassível e a seguir contrariado com o despropósito que via naquilo tudo: o egoísmo ostensivo que parecia mover sua busca da salvação, seu pânico de que toda a fé do mundo pudesse não ser suficiente para salvar tamanha pecadora e a certeza obstinada com que, ainda assim ou por isso mesmo, ela se deleitava nas mortificações aptas a lhe garantir o bilhete para o Céu. Toda essa temática parecia incongruente, por sua vez, com o tom profissional e alegre, quase gaiato, em que as peripécias da autora vinham narradas, em ritmo de diário de moça. Ela parecia determinada a omitir a conexão entre as preces ardentes e as visões maravilhosas, as quais tampouco se dava ao trabalho de esclarecer. Persuadido, enfim, de que eu não era o leitor daquele livro, em que tanta maestria de estilo estava a serviço de escopo tão irreconhecível (ou, pior, demasiado reconhecível sob a forma de caso clínico), guardei-o no fundo da mochila e fiz a extravagância, em Burgos, de sair de uma livraria com um pesado exemplar de *O fio da navalha*, de Somerset Maugham, em que a peregrinação filosófica e espiritual do protagonista termina por levá-lo aos altiplanos do Tibete, romance que eu havia lido com paixão quando estudante. No caminho, a apreciação crítica de qualquer obra literária é expressa em gramas, mas mesmo assim não me arrependi da compra, contente por estar de volta ao ambiente verossímil de meu próprio século.

 Calculo que cerca de 15% do caminho, talvez mais, correspondam a trechos de rodovias onde o peregrino, sem trilha alternativa pelo mato, é forçado a avançar penosamente pelo acostamento. Nessas passagens todo encantamento medieval se dissipa e súbito nos damos conta, pelo contraste violento, da devastação que a idade tecnológica, embora tão benéfica em termos materiais e práticos, acarretou ao panorama do planeta. No entanto, é justamente nas estradas de asfalto que um elemento crucial da peregrinação pré-moderna ainda está presente: o risco de vida. Encontramos quatro túmulos de peregrinos ao longo do caminho, três deles atropelados (o quarto morto, parece, por colapso do coração).

Automóveis em geral são aparições odiadas pelo caminhante — porque ensurdecem, ofuscam à noite, assustam ao passar depressa e perto demais, levantam pó, deixam fumaça —, mas caminhões são como os monstros e dragões nos quais acreditamos que o homem medieval acreditava. Num insólito filme neozelandês, *The navigator* (1988), de Vincent Ward, os habitantes de uma aldeia inglesa do século XIV, assolada pela peste, decidem escavar o chão com pás e guindastes de madeira na tentativa de abrir um túnel até o outro lado do mundo, que os medievais, como sabemos, acreditavam ser chato. Eles com efeito atravessam a terra e assomam magicamente por um bueiro, no meio da noite, nos arredores da Wellington dos nossos dias, onde enfrentam caminhões como se fossem hidras e um terrível Leviatã metálico — um submarino — que descobrem habitar a baía da cidade quando tentam cruzá-la num barquinho achado às margens. Essa justaposição de séculos torna-se um sentimento familiar durante o caminho.

O caminhoneiro se considera cúmplice do peregrino, ambos viajantes solitários condenados a arrastar seu fardo pelo chão interminável. Caminhões buzinam por solidariedade ao passar por você, cumprimentando à distância. Ainda assim, a visão desses veículos, às vezes opressivos de tão gigantescos, pode ser angustiante quando você se esgueira pela margem da auto-estrada ou aperta o passo nas proximidades de um viaduto; não é difícil ter pesadelos com eles. Eram para nós os moinhos de Dom Quixote. Pensava em como Stephen King, nas histórias que deram origem a filmes como *Encurralado* e *Pet cemetery*, soubera conferir uma dimensão maligna, demoníaca, aos caminhões, mostrados como forma passível de ser encarnada em nosso tempo pelo cortejo de Lúcifer, elegendo, dentre todos os trastes que integram a parafernália ruidosa e fumacenta da civilização do petróleo, as carretas desgovernadas como entes em que as forças do Mal haveriam de se incorporar a fim de permanecer vivas num mundo assim, desencantado e rodoviário.

Ao cair da tarde do oitavo dia de caminhada fomos colhidos pela chuva que vinha se formando fazia horas no céu e da qual fugíamos em passo acelerado, pensando chegar à próxima vila, Navarrete, a tempo de evitá-la. As capas impermeáveis, feitas para cobrir não só cabeça e tronco, mas também a mochila, passaram muito bem pelo teste. Mas não há como impedir que a água entre nas botas, de modo que, chegando ao albergue já lotado da cidadezinha, era como se tivéssemos andado os últimos quilômetros calçando pés-de-pato. Naquela mesma noite, em que nos alojamos num soturno hotel de beira de estrada, quatro bolhas apareceram nos meus pés.

 A bolha é uma reação ao atrito do pé contra a superfície interna do calçado ou de um dedo contra o outro. Tende a se formar nos pontos de maior fricção, nos calcanhares, nas laterais dos dedos ou na sola do pé, geralmente naquela almofada que fica sob a base do dedo maior. Existem duas maneiras de reduzir o atrito, e como esse assunto tão aparentemente banal passa a ser da maior relevância no caminho pode-se dizer que há duas escolas. Uma delas aconselha manter os pés secos, mediante uso de talcos e remoção das botas, a cada duas horas, para arejar os dedos e calcanhares, e deixar as meias secar ao sol, conforme prescrevia o *hospitalero* Acácio. A outra manda lubrificá-los algumas vezes ao dia com vaselina, pela mesma razão que as peças de um motor são banhadas em óleo. Ambas concordam que a umidade tem efeitos desastrosos. A pele se torna mais delgada e frágil, o atrito contra meias molhadas parece aumentar. Apesar das comodidades modernas são muitos os padecimentos que podem acometer o andarilho, como a lembrá-lo de que se trata, na expressão da Igreja medieval, de uma *peregrinatio paenitentialis*. Ocorrem alergias, queimaduras de sol, ataques de nuvens de insetos, dores nas costas e nos joelhos, cãibras e assaduras, déficit na resistência imunológica. Pode haver uma queda da auto-estima, resultado das noites maldormidas, dos banhos precários, do uso das mesmas roupas dia após dia, do abatimento físico e mental. Bolhas nos pés, porém, maltratam quase todos os caminhantes e chegam a torturar os mais sujeitos a elas.

    O tratamento universal é um tanto sádico e consiste em furar as bolhas (*pinchar las ampollas*) com agulhas desinfetadas em álcool, às vezes passar um fio de linha preso à agulha pelo interior da pele, a fim de drenar o líquido, e depois pincelar o local com mercurocromo, que na época ainda não estava banido, para prevenir infecções. Todas as noites, antes de dormir, nós três nos dedicávamos a esse delicado ritual de automutilação. É mais aflitivo do que propriamente doloroso. Também se usam injeções de iodo aplicadas diretamente no interior da bolha, expediente que depois de alguns poucos dias demos por ineficaz e abandonamos. Ao caminhar no dia seguinte, o corpo escolhe pisar nas partes que não foram lesadas. A sobrecarga nessas áreas não tarda a produzir novas bolhas em tecido até então ileso. No outro dia você voltará a se apoiar sobre as primeiras bolhas, que assim não têm a oportunidade de cicatrizar. Formam-se bolhas sobre bolhas, logo você estará andando permanentemente sobre brasas. A dor é cumulativa, e o que começou como leve incômodo evolui até se tornar um tormento.

    Chegamos antes do almoço a Sahagún, que parece uma cidade marroquina, com suas casas quadradas e paredes caiadas. Levamos Anamy a uma consulta com don David Casado Medina, um dos inúmeros podólogos estabelecidos ao longo do caminho, e decidimos ficar na cidade, descansando. No dia seguinte, como nossa amiga estivesse bem melhor e nos atrasáramos um dia, decidimos sair cedo a fim de andar o máximo possível. Caminhamos o dia todo. Jantávamos num vilarejo quando fomos abordados por um homem de meia-idade, valenciano que fazia o percurso de bicicleta, sozinho. Sentou-se à nossa mesa, fez perguntas e falou maquinalmente, para então se despedir às pressas, com o que parecia ser um pedido de desculpas, dizendo por brincadeira que precisava falar com alguém para não ficar louco. Aquela entrevista insólita não pareceu o melhor dos agouros. Mas fazia tempo que planejávamos caminhar à noite e, quase sem pensar, numa euforia que a exaustão e o vinho branco talvez expliquem, deixamos a mesa dispostos a prosseguir até a próxima parada, Puente de Vilarrente. Era uma noite morna de lua crescente. Abandonamos a cidade por uma idílica ponte de madeira, onde um casal de namorados nos desejou *buen camino*. Um vira-lata preto nos seguia desde a saída do restaurante e nos acompanhou pela estradinha de terra que seguia em paralelo à rodovia. O céu estava encoberto por nuvens baixas e velozes. De vez em quando eu tinha de acender a lanterna, para consultar o caminho à frente e iluminar as duas moças, que vinham atrás em clima de franca camaradagem com o cachorro. Eu estava preocupado por causa do trecho da rodovia pelo qual teríamos de passar antes da chegada ao nosso destino, trecho que o guia do *El País* assinalava como *muy peligroso*. Tentei enxotar o cachorro, mas ele veio me lamber a mão, o que nas circunstâncias era comovente. Um dos imprevistos freqüentes no caminho é ter de fugir correndo de cachorros demasiado ciosos das propriedades que os abrigam. Levei muitos sustos por causa de cães que irrompiam uivando, como se saltassem do nada, para morder minha mão. O comportamento do nosso novo companheiro não poderia ser mais diferente. Tinha duas advogadas nas minhas amigas, que chegaram a cultivar a ilusão de que ele talvez nos seguisse até Santiago. Era de fato um cão simpático e corajoso, que se adiantava para inspecionar o terreno e voltava otimista como se quisesse dizer *podem vir!* Pensei em seus antepassados, que teriam acompanhado os meus há muitos milênios, quando os homens de Neandertal vagavam por estas mesmas planícies. Se eu era capaz de sair da minha toca e cruzar a Espanha em um mês, não admira que aquelas criaturas circulassem à vontade pela Eurásia.

Andamos assim por mais de uma hora e nada de o cachorro nos deixar. De repente o caminho de terra se interrompia, éramos obrigados a continuar pelo acostamento da estrada. Vestimos camisetas brancas sobre as que tínhamos no corpo. Fui na frente, piscando a lanterna sempre que aparecia algum veículo. Mais um pouco e pudemos retornar ao caminho marginal, sempre com o cachorro na comitiva. Minhas amigas agora o consideravam parte da família e eu desisti, por sentimentalismo, de escorraçar o bicho. Chegamos ao último trecho de rodovia. Já víamos o brilho noturno da cidadezinha adiante, como um disco voador estacionado. Naquelas condições de pouca segurança, optamos por caminhar em fila indiana pelo acostamento esquerdo, na direção oposta ao tráfico, cada vez mais apreensivos pois o cão dava mostras de não ter familiaridade com carros, menos ainda numa noite escura em que tudo o que se via eram os faróis, seguidos pela massa de ar deslocada a cada veículo que passava. Agora vinham muitos pares de olhos luminosos no escuro, cheguei a gritar que elas não parassem nem tentassem acudir se algo acontecesse ao cachorro. Alcançamos a ponte sobre o rio Porma, na entrada de Vilarrente, extensão de uns duzentos metros em que o acostamento quase desaparece. Os carros buzinavam em protesto contra a nossa imprudência. Apertei o passo, seguido pelas sombras das mulheres projetadas na mureta no outro lado da ponte. Houve uma sucessão de três ou quatro freadas com uma pancada entre elas. Anamy havia gritado, eu tive a impressão de que o primeiro carro brecara a tempo de evitar o cachorro, versão desmentida por Marta, que viu o animal ser atropelado em cheio. Elas fizeram menção de ajudar, eu gritei de novo, ou antes implorei: *não pára!* Terminamos de atravessar a ponte e paramos logo adiante, no primeiro motel de estrada. Passava da meia-noite. O bar da espelunca ainda estava aberto, entramos e pedimos uísque. As pessoas olhavam com curiosidade, estava na cara que tinha acontecido alguma coisa. Anamy passou a alimentar em segredo a convicção de que o cachorro morreu no lugar de um de nós. Eu me arrependi de não tê-lo afugentado jogando pedras logo que começou a nos seguir. Ninguém comentou o episódio depois daquela noite, nem o mencionou para outros peregrinos. Não voltamos no dia seguinte para saber do corpo. Ficamos ainda mais silenciosos.

Havíamos caminhado 43 quilômetros no dia do episódio do cachorro, nosso recorde. A condição de meus pés se deteriorou para nunca mais se recuperar. Nossa amostragem é obviamente pequena demais para que se conclua em favor da propalada maior resistência física das mulheres, mas enquanto minhas companheiras sofreram com as bolhas na primeira metade do percurso, passando a encontrar uma forma de conviver com elas depois, meu caso foi inverso. Não tive bolhas até a primeira chuva; elas se agravaram no segundo aguaceiro e desde então pareciam piorar a cada dia. Um coquetel de medicamentos foi tentado: Betadine, uma solução desinfetante à base de iodo, pomadas do antiinflamatório Cataflan, do analgésico Voltaren e de arnica, o mais popular dos remédios naturais no caminho. Experimentei até produtos que até hoje não sei muito bem para o que servem, como o álcool de rameiro, que é etanol iodado. Aprovei os Anéis do Dr. School, rodelas de espuma plástica afixadas com esparadrapo em torno da bolha, de modo a isolar o ferimento. Naquela estação, era moda nas farmácias um produto chamado Compide, pele artificial, segundo a propaganda, que aderia às regiões feridas enquanto a pele orgânica supostamente renascia sem ser lacerada de novo. Havia pelo chão embalagens da maravilha, a meu ver um inofensivo engodo que logo soltava e ficava dançando dentro da meia.

O Cebrero nos fez companhia por dias a fio, sua muralha tremenda parecendo recuar conforme avançávamos a passo de tartaruga. Mas há um momento preciso em que a montanha chega, enfim, com pompa e tabuletas. Relutamos, comendo e bebendo num boteco, até começar a subida que consumiu uma tarde inteira rumo ao topo que nunca vinha, escalando terrenos cada vez mais inclinados, cobertos de vegetação cada vez mais agreste. Devoramos um frango inteiro lá em cima, assado na lenha conforme o que nos pareceu a mais deliciosa das receitas medievais, protegidos de um vento gélido e sibilante que nunca deu trégua; do lado oposto aveludavam-se as encostas da etapa final, a "verdejante Galícia" com suas temíveis chuvas.

Chegando a tomar uns dois ou três dias, a descida me fez conhecer um novo suplício, resultado do peso do corpo contra a ponta dos pés e dos efeitos ruinosos da inclinação sobre as unhas dos dedos. Amarrei as botas na mochila e desci aos trancos e barrancos de tênis, que evitara dispensar pelo correio em Pamplona, quando nos desfizemos de alguns quilos cada um. Cheguei a Sarriá, comprei sandálias de couro numa loja e me arrastei até o pouso. Barba por fazer, capa sobre os ombros, estava cada vez mais a caráter no papel de romeiro medieval. À noite concluí que ao menos uma das unhas estava infeccionada e chegara a minha vez de visitar um podólogo. Este era um homem jovem e cortês, embora seu impecável consultório, decerto herança do pai ou avô, parecesse anterior à penicilina com seus elevadores de portas pantográficas e seus ferros cirúrgicos em formatos arcaicos e fantásticos, como se desenhados pelo próprio Gaudí, a postos em solução desinfetante no fundo de uma bacia de latão esmaltado. O especialista examinou meus pés, extraiu metade da unha, que estava encravada, limpou o lugar e fez um curativo imenso. Perguntei se poderia continuar, mas ele não quis se comprometer com uma resposta conclusiva. Mesmo sobre a unha, disse que poderia sarar ou não; neste último caso, que eu procurasse um médico.

Nunca tive tamanha consciência do próprio corpo como nessa viagem "espiritual", nunca ficou tão óbvio que a mente não passa de ficção a que só é dado existir enquanto o corpo se mantém recolhido na silenciosa ruminação de seu funcionamento normal. Ora, na dor o corpo toma plena posse da mente — é esse o obstáculo quase invencível que os ascetas se propõem sobrepujar. Alguns meses depois, dei por acaso com esta citação de Nietzsche: *Por detrás de teus pensamentos e sentimentos, encontra-se um soberano poderoso, um sábio desconhecido — ele se chama si mesmo. Em teu corpo habita ele, ele é o teu corpo* (*Assim falou Zaratustra*, I. "Dos desprezadores do corpo"). Nas condições em que me encontrava, digamos que eu era os meus pés, vivia para eles, era consumido por eles, sem poder esquecê-los nem por um minuto. Mais do que a Édipo, que pela etimologia quer dizer *pés inchados*, porque seus tornozelos foram atados quando seus pais o abandonaram para morrer, eu me comparava em fantasia a Filocteto, o arqueiro que a esquadra grega deixou numa ilha a caminho de Tróia, depois que seu pé, ferido por uma serpente, entrara em gangrena, levando-o a urrar de dor e sobressaltar as tropas embarcadas. Já passei por crises consideráveis de cólica renal — o que eu sentia não era mais ameno. Nada nos obrigava a continuar, exceto a sensação de fracasso caso não o fizéssemos. Certa manhã, quando nos aprontávamos para sair de León caiu mais uma chuva. O mau humor reinava. Decidimos colocar em votação se seguiríamos a pé ou tomaríamos o ônibus direto para Santiago. Foi a única vez que recorremos a plebiscito. Apurados os votos, ninguém escolhera desistir.

Para facilitar a comunicação com Marta, que é da área médica e me tratou com o maior desvelo, demos nomes às bolhas principais: Grand Canyon, Bolha Assassina, Eu Voltei e Fio da Navalha. As fotos que ela tirou da sola de meus pés poderiam figurar em um desses livros escabrosos de patologia. A partir do centésimo quilômetro antes de Santiago, marcos de pedra passam a assinalar a contagem regressiva quilômetro a quilômetro, o que encoraja e exaspera ao mesmo tempo. Quando chegamos a Portomarín fui aplaudido, enquanto claudicava pela calçada, por dois casais de professores de Boston, que estavam a par de minha ida ao podólogo e não resistiram, americanos que eram, a saudar minha exibição de tenacidade. Eu me sentia como aquela atleta que terminou uma prova olímpica meio morta, trôpega, as pernas se desfazendo a poucos metros da linha de chegada. Estava com febre alta. Marta foi comprar remédios na farmácia e me deixou no hotel com os pés metidos em salmoura numa bacia plástica. Fiquei ali, chorando, mais de autopiedade que de dor. Economizava idas ao banheiro para não ter de pisar. Os lençóis ficavam empastelados de pomada e pus, as feridas exalavam um cheiro horripilante de peixe estragado, o quarto parecia uma enfermaria. Combinamos que Anamy seguiria adiante com o marselhês Sebastian, sempre calmo e bem-humorado, enquanto nós dois interrompíamos a jornada, na expectativa de que um dia de repouso me permitisse continuar. Faltava pouco, muito pouco se comparado ao que já tínhamos feito, mas como no paradoxo de Aquiles e da tartaruga cada fração restante se subdividia em duas e assim sucessivamente e nunca chegávamos.

Só tive certo alívio quando, a partir do antepenúltimo dia, passei a encher a cara de Novalgina. Minhas anotações ficaram mais esparsas, mas não me esqueço de uma ida noturna a um restaurante que só servia *pulpos*, polvo, na cidadezinha de Melide, que se toma por capital mundial dessa iguaria. Repleto de peregrinos, era um refeitório onde os apreciadores se acotovelavam em longos bancos de madeira, as mesas abastecidas de travessas fumegantes nas quais se empilhavam roxos tentáculos amputados aos quais a luz fria do ambiente dava um aspecto fantasmagórico, como num banquete de pesadelo em que o cardápio principal, aliás único, fossem corpos de ETs. Atraídas pelos pratos, moscas gordas e lentas zumbiam por toda parte, especialmente interessadas nas minhas feridas. Fiquei pasmo com a desfaçatez desses insetos, normalmente tão ariscos, que agora ignoravam meus repelões e voltavam a pousar com acinte, mal tinham sido afastados, nas meias que eu calçava sob as sandálias, como abutres que o estado terminal da vítima torna destemidos. Levemente anestesiado, eu imergia num torpor em que o vozerio ao redor se embaralhava e a visão periférica ficava turva, mas os detalhes sobressaíam com nitidez. Dormimos entocados num quarto de aluguel no porão de um bar. Caía um temporal e foi uma noite animada, de entra-e-sai. Sebastian havia sido expulso do albergue, depois de brigar com a responsável pelo lugar, que se conflagrara; outros peregrinos haviam tomado partido de um lado e de outro; ele parecia agitado, sussurrando às pressas; depois saiu e tornou a voltar, por conta de uma tal chave que precisaria devolver; eu não compreendia bem, incapaz de distinguir o que era sonho e o que não era.

Nas extensões mais aborrecidas do caminho, naquelas longas tardes em que se atravessam terras esturricadas pelo sol e o ar parece espesso como se fosse líquido, quando a caminhada se faz insuportável e a vontade de desistir volta com a violência de um vício, não é raro encontrar a mensagem que algum peregrino solidário rabiscou na areia do chão horas antes: *Ultreya!*, "avante!" em latim medieval. É a divisa do caminho, deixada ali a título de encorajamento por alguém que sentiu as mesmas dificuldades, que passou pelo mesmo vazio. Na manhã em que demos início, porém, àquela que seria a nossa investida final rumo a Santiago, foi outra a mensagem inspiradora que nos deu ânimo para o último esforço. Sobre uma placa qualquer alguém havia escrito simplesmente

¡Puto camino de mierda! Adorei o lema e passei a repetir essa nova divisa como um demente, reconfortado pela idéia de que pelo menos uma outra pessoa fizera o desabafo que eu queria gritar para o mundo, enquanto enfiava a cara no capuz e enfrentava a chuva rala que cai permanentemente, parece, sobre a Galícia. Foi quase sem perceber que chegamos ao monte do Gôzo, célebre colina de onde os peregrinos de todas as eras avistam pela primeira vez a cidade do apóstolo. Ali foi plantado um grotesco monumento em homenagem à recente visita papal. Podíamos ouvir os sinos da catedral e começamos a descer, cada vez mais depressa, até entrar quase correndo nos primeiros bairros da cidade. Cantávamos "La cucaracha" como bêbados. Estávamos tão esfuziantes que repetíamos a mesma brincadeira tola para moradores com quem topávamos nas esquinas: *¿ Por favor, cuanto falta hasta Santiago?* Penetramos no âmago medieval da cidade, o habitual aglomerado irregular de ruelas calçadas com pedras, atulhado pelo casario de madeira pintada de preto; girávamos nesse labirinto esbarrando na multidão de turistas, mantendo os olhos nas torres da catedral, que nos pregava ainda uma última peça, parecendo refugir mais uma vez, inatingível. Era o cúmulo que depois de vencer tantas imensidões solitárias um compacto rebanho humano se interpusesse entre nós e nosso destino quando ele já parecia ao alcance da mão. Perguntávamos como loucos qual o acesso à entrada da igreja e ainda assim erramos uns quinze minutos em meio aos passantes, dando em becos sem saída ou em acessos laterais que estavam fechados, até chegar afinal à desolada praça defronte à escadaria que leva ao famoso pórtico da Glória, com o qual eu sonhara tantas e tantas vezes, dormindo e acordado, o ponto final da longa viagem onde enfim apoiamos as mãos espalmadas.

Era quase uma da tarde do nosso dia número 37, uma terça-feira, 25 de julho, dia de Santiago. Chegamos em meio ao culto em louvor do santo e nos enfiamos na massa de pessoas que se espremiam para assistir à celebração, peregrinos e não-peregrinos, estrangeiros e nativos, católicos e curiosos. A sensação era claustrofóbica, as pessoas se esmagavam. De longe, podíamos ver o *botafumeiro*, símbolo da Catedral de Santiago, um colossal incensório que pende de uma corrente tão grossa como a de uma âncora, presa na abóbada mais alta do templo, a descrever arcos impetuosos em câmera lenta enquanto inunda o ambiente com rolos de fumaça escura e a fragrância ancestral do incenso. Como faria qualquer peregrino, pensei antes de mais nada na minha mãe, na minha família, nos meus amigos, nas pessoas de quem gosto e de quem gostei, nas pessoas que alguma vez gostaram de mim, nas pessoas a quem sou grato e naquelas com quem fui injusto ou cruel, nos mortos. Pensei na multidão de precursores aos quais eu afinal me juntava, tomando meu anônimo lugar numa fila que há de se estender por muitos séculos. Pensei no episódio do cachorro, que encerrava para cada um de nós três um significado profundo e incompreensível. Pensei naqueles frades de Roncesvalles e depositei sua prece solenemente diante da estátua do apóstolo. Chorei de alívio, de dor, de alegria, de humildade, de orgulho. Peregrinos que nunca tinham se visto se abraçavam aos prantos na saída da igreja. Tiramos fotos no pórtico, comendo uma bisnaga especialmente comprada numa padaria para essa ocasião tão única: *pán comido*... Passamos o tempo que nos restava na cidade quase sem sair do hotel onde, ao chegar, dormi por catorze horas. A primeira providência que tomei ao acordar foi jogar as botas na lata de lixo. Perdi três quilos. Demorei semanas para deixar de mancar. Perdi também algumas unhas nos meses seguintes. Até hoje, se caminho por mais de meia hora, fantasmas dos ferimentos latejam nos meus pés.

Casal procura*

Dizer que o sexo ocupa um lugar muito importante na vida é dizer pouco. Se o que define todo ser vivo é a capacidade de se replicar, se o único objetivo que conseguimos discernir em qualquer forma de vida é essa propagação contínua, cega, incessante — então sexo e vida como que se confundem. Junto com o impulso de sobrevivência (que também pode ser visto como seu mero prolongamento), o impulso sexual é compartilhado por uma incomensurável gama dos mais diferentes organismos e espécies, inclusive a nossa. Embora uma evidência tão óbvia como essa só tenha sido aceita oficialmente e admitida por toda pessoa sensata há menos de cem anos, ela sempre foi reconhecida por poetas, filósofos e artistas, para não falar dos apaixonados de todas as épocas e lugares. O amor romântico é derivado do sexo ou, para ser mais exato, produto do sexo negado ou postergado. A cultura humana como

* Esta narrativa não retrata pessoas e situações reais. Episódios e testemunhos verídicos foram deslocados do contexto de origem. "Dario" é uma síntese de vários personagens.

um todo repousa sobre um interdito sexual, o incesto. Além de ser o veículo pelo qual se transmite o patrimônio genético entre as gerações, o sexo passou a atuar também como meio de transmissão do poder político e da propriedade privada logo que ambos se organizaram em formas estáveis. Muitas religiões cultuaram o sexo como fonte de fecundidade, energia e poder. A mitologia de todos os povos está repleta de narrativas sexuais. Nossos sonhos e devaneios também. A grande maioria das obras de arte trata, ainda que obliquamente, de temática sexual. A própria Bíblia contém numerosas passagens, que podem ser chocantes pela crueza, sobre sexo e suas perversões.

O empenho com que autoridades e pregadores se voltaram tantas vezes contra o sexo, em tentativas tão furiosas quanto insuficientes de contê-lo nos limites prescritos, é a prova de seu poder social e do comando que exerce sobre cada indivíduo. O prazer sexual é descrito como um dos mais intensos que nosso aparelho nervoso pode experimentar, como se a seleção natural houvesse definido o melhor chamariz possível para tornar atrativa a reprodução. Os legisladores sempre se ocuparam dessa "volúpia cruel que afeta quase todo mundo e é a fonte única de quase todos os pecados da humanidade", na definição de um narrador de Dostoiévski, paixão tão poderosa quanto a cobiça na facilidade e freqüência com que induz ao crime. Feiticeiras, dissidentes e visionários — quase tanto quanto os libertinos — foram acusados de delito sexual. Desejos imperiosos mas inofensivos de milhões de pessoas foram asfixiados ao longo dos séculos por medo dos sacerdotes e da opinião do vizinho. A psicologia nasceu como ciência ao postular que a sexualidade é um iceberg do qual vemos apenas o cume aparente, sustentando que a sufocação excessiva de seus impulsos está na origem de transtornos mentais. A abordagem científica induziu a um enfoque mais compreensivo, a indústria da propaganda e do entretenimento disseminou o apelo sexual no mundo público cotidiano, os distúrbios sexuais se deslocaram da alçada do inquisidor para a do terapeuta, os costumes se tornaram flexíveis. Ainda assim o sexo parece algo tão perigoso que não basta excluir dele as crianças, policiar os adolescentes, ignorar os idosos, limitar as expressões sexuais que não estejam orientadas para a finalidade reprodutiva, tornar técnica a linguagem sobre o assunto, desencorajar condutas que divirjam da monogamia heterossexual entre pessoas de idade e condição social compatíveis — continua sendo necessário cobrir o sexo com um manto de pudor, segredo e intimidade. Aceitamos o erotismo, isto é, o sexo delicadamente nublado, esmaecido ("pornografia é o sexo dos outros"); concordamos que a medicina trate do assunto de forma aberta, sob a condição de manter a mesma indiferença que dispensa às amígdalas e ao baço; mal toleramos o humor obsceno. E não abrimos mais exceções.

Imperativo como outras necessidades do organismo, o sexo difere delas por ser adiável. Ninguém pode ficar sem respirar, comer, beber ou dormir por tempo indefinido, mas é perfeitamente possível — e até aconselhável, segundo ascetas e puritanos — abster-se de sexo temporária ou definitivamente. Essa diferença fisiológica tem conseqüências fundamentais, como Freud foi talvez o primeiro a observar. Ela permite que uma enorme quantidade de energia sexual seja desviada de seu objetivo e encontre satisfação provisória, alternativa, quando empregada em finalidades não sexuais. O produto histórico desse investimento acumulado seria a civilização, com sua armadura de artefatos materiais e simbólicos. Em conseqüência de sua natureza plástica, amoldável, o impulso libidinoso se transfigura, forçado a se ocultar sob disfarces e a desempenhar tarefas impostas pela repressão sexual, que dessa forma se confirma em seu legítimo lugar como mola propulsora da civilização. Mas a satisfação assim obtida nunca é pacífica nem conclusiva, como se o impulso sexual teimasse em retomar seu objetivo de origem. O resultado dessas tensões é que toda dimensão da vida pode vir a ser sexualizada, bastando que circunstâncias oportunas num momento decisivo ou reiterado tenham vinculado o impulso sexual a uma representação imaginária qualquer, desde as formas mais elevadas de espiritualidade até as mil variações da perversão, na qual ele ficasse aderido. A fome e a sede podem ser unívocas, objetivas, sem maior espessura simbólica, mas o sexo é como um abismo aberto na subjetividade e um esperanto por meio do qual todos os afetos se comunicam.

Vivemos numa época que cultiva a subjetividade tanto quanto nenhuma outra, que considera cada vez mais a busca da felicidade pessoal, entendida como ampliação dos prazeres e ganhos individuais, como o mais legítimo dos propósitos. Não por acaso, é também a época de maior liberdade sexual que já houve. Embora alguns interditos que protegem a vítima de sexo involuntário, como os que vedam o estupro e a pedofilia, tenham sido reforçados, a maioria dos tabus caiu em desuso ou perdeu capacidade de sanção. O paradigma legal de que é livre o sexo consentido e privado entre adultos passou a ser aceito pela maioria dos tribunais, ao menos nos países laicos. Casamentos e parcerias assemelhadas se tornaram mais numerosos ao longo de uma mesma vida e menos restritivos em termos de conduta. Os homossexuais são menos discriminados e as práticas sexuais mais extravagantes, embora continuem restritas a guetos, não sofrem perseguição policial como antes.

O ponto de inflexão foi a década de 1960, quando um surto internacional de rebeldia destruiu convenções e liberalizou atitudes. No vendaval dessa revolução que varria comportamentos enquanto deixava intacta a estrutura da sociedade, uma mesma política de experimentação explorava as vertentes do nudismo, do amor livre, do feminismo, do sexo grupal e da pornografia, com grande visibilidade nos meios de comunicação. Passado esse ímpeto inicial, que durou alguns anos, houve uma decantação em que os extremos foram descartados, uma versão amena do feminismo se incorporou ao dia-a-dia, a monogamia agora flexibilizada recuperou seus direitos e a pornografia, embora emancipada da clandestinidade em que sempre estivera confinada, continuou reprovável, salvo como estímulo erótico passageiro. Mesmo com esse refluxo, a vida sexual da maioria das pessoas se tornou provavelmente mais rica e diversificada do que a de qualquer geração anterior. Foi nesse ambiente (e em alguma medida favorecida por ele) que irrompeu a epidemia de aids, no começo dos anos 80.

Chegou-se a imaginar que o advento da aids acarretaria uma contra-revolução sexual. Apesar do recrudescimento da retórica moralista nos Estados Unidos (o que, aliás, ocorre de tempos em tempos) e dos esforços um tanto patéticos para restaurar o tabu da virgindade, a epidemia teve efeitos morais contrários aos previstos, até porque seu curso parece relativamente controlado. Apoiada nas evidências de que o contágio não ocorre apenas por via sexual nem necessariamente entre homens, a cultura gay venceu uma batalha ideológica decisiva ao cabo da qual a aids, em vez de desumanizar, humanizou a imagem dos homossexuais. Como se trata de uma enfermidade cuja prevenção depende de cuidados que antecedem o ato sexual, aumentou, em vez de diminuir, o grau de conhecimento e divulgação do assunto. Quando uma criança vê um anúncio de camisinha e pergunta do que se trata, está puxando o fio de uma longa meada. Entre adultos, seu uso cada vez mais disseminado em conseqüência de maciças campanhas de saúde pública estimulou uma atitude mais pragmática e egoísta em relação ao sexo. No lapso de alguns poucos anos, o gesto de pegar uma camisinha ao tirar as roupas deixou de ser visto como insultuoso para passar a ser sinal de respeito entre os parceiros. As pessoas se tornaram cúmplices num certo hedonismo calculista.

Quando se pensa em sexo na década de 90 logo vem à mente o aparecimento do Viagra e de outras drogas parecidas, que não apenas corrigem disfunções eréteis e ampliam a vida sexual de homens mais velhos (para inquietação, em vez de felicidade, muitas vezes, de suas esposas novamente ciumentas), mas tornam possíveis verdadeiras proezas de sexo recreativo. Ainda não se conhecem os efeitos de longo prazo desses medicamentos, nem que grau de dependência física ou psicológica seu uso pode suscitar com o tempo. Duas outras tecnologias que se banalizaram nos anos 90, porém, estão exercendo um impacto talvez subestimado no âmbito das práticas sexuais. A internet pode não resolver os problemas do comércio mundial ou da educação dos jovens, mas abriu perspectivas extraordinárias para aquela parcela de pessoas que se sente sexualmente insatisfeita ou atraída por sexo heterodoxo. Textos e imagens sobre todas as formas de atividade sexual estão disponíveis, organizados em nichos especializados. É possível "conversar" virtualmente com pessoas que compartilham fantasias semelhantes, excitar-se e até se masturbar on-line, preservando o próprio anonimato. A qualquer hora e em qualquer lugar do mundo o interessado em látex, digamos, encontrará aficionados do mesmo fetiche a postos, pois os sites sexuais da internet são um catálogo inesgotável em que todas as taras e perversões estão organizadas por categorias, como prateleiras de um supermercado sexual que faria a delícia de Sade, que tanta dificuldade tinha em recrutar companhia, contentando-se geralmente com prostitutas a quem pagava e criadas que forçava a consentir. Claro que parte das pessoas que entram na internet em busca de sexo não se limita a olhar imagens lúbricas ou manter conversações picantes; acabam marcando encontros em carne e osso. Floresceram clubes fetichistas e casas de sexo livre que se sustentam em boa parte na clientela amealhada assim. A outra tecnologia que teve efeito de facilitação foi o celular, a que só se atende quando se quer, ao permitir uma privacidade telefônica que preserva o domicílio dos interlocutores, conveniente para conversas reservadas com vistas a compromissos clandestinos com estranhos.

Seria hipócrita alegar que me enfronhei nesse mundo misterioso, ameaçador e fascinante para escrever a respeito. Isso passou a ser verdade a partir de certo momento, quando me ocorreu pela primeira vez que um dos capítulos deste livro deveria necessariamente tratar de sexo. Procurei conduzir investigações metódicas a partir de então, fazendo entrevistas e visitando lugares munido agora de um álibi que, se não servisse para os outros, curiosos e importunos eventuais, servia para mim mesmo. Mas meu interesse pelo assunto era muito anterior e minhas primeiras incursões nesse território proibido também. Apesar de uma persistente timidez, nunca tive preconceitos intelectuais em relação ao sexo, que era tema tratado com naturalidade no ambiente em que cresci. A conclusão da jurisprudência moderna, que se abstém de interferir no sexo adulto consentido, correspondia exatamente à minha opinião de adolescente. Considerava o sexo uma fonte legítima de prazer e conhecimento que não deveria ser limitada enquanto não prejudicasse ninguém. Mas nada disso passava de convicção teórica, que nunca teve ocasião de ser submetida à prática, nem quando minha vida sexual começou, tardiamente, nem quando ela se encaminhou para os padrões convencionais de época e lugar.

Aos trinta e tantos anos, passei por um revés amoroso. Não era o primeiro nem seria o último, mas acabou comigo. Cumpri todo o rito: perdi interesse por tudo, emagreci, esperava por telefonemas que nunca vinham, conferia datas revisando velhas agendas, dava longos e solitários passeios de carro à noite pela cidade deserta. Tentava em vão me interessar por outra mulher, mas a única coisa que me permitia um doloroso prazer era ficar com pessoas que a conheciam, falando sobre ela. Nesse estado catatônico, quando era freqüente que eu buscasse refúgio em caminhadas a pé no frio cortante, pois era inverno, ao passar por uma banca de jornal vi num relance seu rosto estampado na capa de uma revista. Pensando que a monomania já começava a produzir alucinações visuais, corri até o quiosque e para minha ainda maior perplexidade não apenas se tratava de um rosto de mulher milagrosamente parecido com o dela como ocupava quase toda a capa de uma revista pornográfica escandinava. Os seios que me eram familiares à mostra, as pernas de coxas grandes escancaradas, lá estava ela sorrindo para mim como se quisesse saber o que eu tinha achado do novo corte de cabelo. (Muitos anos depois mostrei-lhe a revista, que havia guardado como uma relíquia, certo de que repudiaria a comparação, mas ela deu um grito de reconhecimento: *é a minha cara!*)

Comprei a revista e passei horas que se estenderam por dias e semanas às voltas com aquela mulher que afinal se negara a mim para reaparecer como fêmea de papel, disponível para quem pagasse o exemplar. Pensei numa sucessão de revistas que freqüentei, as quais chegava a conhecer de cor página por página, um harém mantido no cativeiro da gaveta trancada. Quando éramos pequenos, vizinhos de uma família com muitos filhos, minha irmã Cristina e suas amigas alugaram para os meninos, durante certo verão, a casinha de bonecas que era delas. Dizer "casinha de bonecas" não explica que era de madeira sólida, tinha porta com chave e dois aposentos baixos. Nossa cabana na árvore fora inutilizada por uma catástrofe natural naquelas férias e foi para lá que transferimos nosso clube e onde passamos a estocar exemplares de todas as revistas que conseguimos reunir, furtivos como um bando de contrabandistas. Trancados lá dentro, promovíamos "julgamentos" em que comparávamos fotos e mais fotos das pilhas de revistas que atulhavam o segundo quartinho, com a intenção de chegar um dia àquela utopia, a mulher perfeita, a mais indiscutívelmente linda, gostosa e oferecida de todas. Lembrei da taquicardia que senti pouco depois, por volta dos dez anos, ao folhear ansioso a *Playboy* na casa de um vizinho, enquanto o irmão mais velho e dono da preciosidade estava no banho, e vi pela primeira vez o segredo dos seios da mulher, agressivamente maiores do que eu esperava, revelado por uma sorridente procissão delas, ou do susto quando mais tarde vim a conhecer em outra revista, talvez a *Penthouse*, o aspecto agreste, quase animal dos pêlos pubianos, que parecia tão deliciosamente contraditório com tudo o que possa haver de angélico na imagem da mulher. Lembrei também de como eu tremia sem parar ao ler pela primeira vez, já adolescente, em pé numa livraria de Buenos Aires, um trecho de um livro de Sade, que comprei e li com avidez, alternando momentos de horror e outros de excitação quase inconcebível pela intensidade, odiando o autor pelo que se atrevera a escrever e a mim mesmo por emprestar tamanho eco a seus desvarios. Admitamos que os fanáticos têm razão no seu frenesi histérico para esconder e censurar, que nada do que for sexual nos deveria ser estranho, que abrigamos em germe muitas, se não a maior parte das fantasias possíveis — mas para que elas despertem é necessário, além de uma libido investigativa, que estímulos externos nos façam vê-las pela primeira vez antes que as possamos reconhecer em nós mesmos.

O curto-circuito entre uma relação que eu romantizara talvez em excesso e o clone da amada na revista obscena gerou um efeito perverso em mim; achava abominável e ao mesmo tempo me excitava que sua imagem sofresse tamanho abuso. Passei a pensar com volúpia nas fantasias sexuais que figuraram alguma vez na minha imaginação e me haviam sido negadas, antes mesmo, aliás, que me ocorresse solicitá-las. Algumas eram inexeqüíveis por um motivo ou por outro, algumas eu mesmo talvez não me dispusesse a tornar reais, mas e as outras? Não teria direito a elas? Vivia na época sexualmente mais livre de todos os tempos, era um homem adulto, sem compromissos, sem filhos nem religião, tentando sair de um luto amoroso que se prolongava por mais de seis meses. Eu passara a freqüentar os fundos das bancas de jornal numa busca obsessiva, que logo me convenci ser inútil e abandonei, de outras fotos da sósia. Foi assim que um belo dia comprei uma revista sem perceber que era uma publicação nacional especializada em classificados sexuais.

Sabia que existiam revistas assim, mas não *exatamente* assim: quase todas em suas páginas, em papel de boa qualidade e muito bem impresso em cores, eram ocupadas por fotos dos anunciantes — casais, homens, mulheres, duplas de mulheres, duplas de casais — que a revista publicava de graça, conforme a ordem de chegada. Havia mais homens do que mulheres, mas fora isso o mostruário de polaroids reproduzia um corte transversal da humanidade, onde apareciam corpos gordos e magros, claros e morenos, jovens e maduros, feios e bonitos, quase sempre nus. Era, tanto quanto possível, a nossa espécie outra vez em estado de natureza. Casais procuravam casais ou propunham *ménage* com outro homem ou mulher. Homens procuravam homens, e mulheres procuravam mulheres. A grande maioria não exibia o rosto, mas fornecia caixa postal para envio de correspondência e fotos por parte de interessados que *se enquadrem no que buscamos*, o que era descrito no texto telegráfico que acompanhava cada foto (mais tarde, as caixas postais viriam a ser substituídas por e-mails). Eu olhava abismado para aquele desfile de imagens silenciosas, instantâneos tomados numa praia deserta, num quarto de motel ou no próprio ninho de amor que visivelmente era o dos cônjuges, uma legião de tarados do Oiapoque ao Chuí. Quem seriam? O que teria levado essas pessoas a romper as barreiras da repressão, do decoro, do medo de prováveis decepções ou de violação do sigilo, sem mencionar eventuais riscos físicos, para dar um salto em direção a outro mundo, onde vigorariam outras regras sexuais, outros critérios do que é lícito e desejável? Teriam realizado coisas como as que diziam buscar? Seriam indivíduos carentes que se dispunham a qualquer coisa por algumas horas de atenção sexual? Seriam falsários e masturbadores compulsivos (já que várias fotos traziam advertência contra indecisos, curiosos e colecionadores de fotos alheias)? Como teriam começado?

Mais ou menos nessa época travei contato com uma mulher interessante e inteligente, de perfil voluntarioso, desprovida de noções estereotipadas sobre a sexualidade, assunto que muito a estimulava. Conversamos durante horas na primeira vez em que nos vimos. Vitória — vou chamá-la assim — parecia interessada nas mesmas coisas que eu e começou a se formar na minha cabeça o plano de que poderíamos constituir uma espécie de dupla. Havia pouco tempo ela visitara um dos clubes de casais que estampavam anúncios de página inteira na revista que tanto tinha me impressionado; sim, ela toparia voltar lá comigo. Foi assim que uma determinada noite nos dirigimos, encorajados por alguns drinques, ao célebre Kasablanca, o mais antigo e tradicional dos cerca de oito clubes de *swing* da cidade. O Kasa, para os freqüentadores, é uma boate cafona na qual você pode permanecer por algumas horas sem se dar conta, se não for previamente informado, de que além das mesinhas servidas por garçons engravatados em volta da pista de dança, além da luz estroboscópica e dos sucessos de discoteca que tocam em volume estridente, o estabelecimento oferece também dependências mais ao fundo, em direção aos banheiros, onde o sexo é livre. O único indício de que é essa a finalidade do lugar será a insistência com que todo mundo flerta com todo mundo. Alguns desses aposentos não têm porta e são separados dos corredores por treliças de madeira através das quais se pode ver o que acontece dentro. Outros permitem que duas ou mais pessoas se tranquem no interior, de forma privativa, exceto se os ocupantes quiserem abrir a cortina de um pequeno visor pelo qual serão observados por quem passar. Todos os ambientes são escuros e acarpetados. No final, uma ampla sala dotada de sofás onde não há restrições ao sexo coletivo. Alguns dos clubes têm sauna e piscina, outros apresentam como atração o *labirinto* — um conjunto de passagens e cubículos formados por divisórias de pano preto que funciona como se fosse um trem-fantasma sexual.

Era sábado depois da meia-noite, hora de grande agito nesses clubes. Tivemos dificuldade para conseguir lugar. Foi somente depois de me sentir protegido atrás de uma mesa e de um copo que passei a observar a clientela. Havia pelo menos cem pessoas. O equilíbrio demográfico entre os sexos é mantido pelos preços do ingresso que dá direito à consumação básica: mais barato para mulher sozinha, intermediário para casais, bem mais caro para homens sozinhos, os quais, dependendo da ocupação masculina e feminina naquela noite, nem são admitidos. Os fregueses são pessoas da mais convencional classe média, que deixam seus carros último tipo com o manobrista, dispostas a pagar quase cem reais pela noitada. Depois de algumas visitas aos diferentes clubes, estabeleci uma estimativa quanto à freqüência média: cerca de um terço seriam casais de fato (marido e mulher ou namorados); outro terço seriam homens acompanhados de garotas de programa, e no terço final estariam amigos e amigas libidinosos, duplas que entram como casal ou bandos de conhecidos que chegam, ficam e saem juntos. Havia cinqüentões com as respectivas patroas, muitos rapazes e moças com jeito de estudantes ou comerciários, umas tantas mulheres vestidas como prostitutas e que talvez exercessem a profissão, casaizinhos interioranos, homens atléticos, tipos solitários, divorciadas donas do próprio nariz — outra vez aquele corte transversal, não digo da humanidade, mas da classe média.

As pessoas não sabem muito bem o que pretendem ali, embora paire um clima de excitação e nervosismo. Em tese, homens buscam a oportunidade de fazer sexo com outras mulheres ou de ver isso acontecer (o homossexualismo masculino é rigoroso tabu nesses lugares). Em tese, mulheres buscam se sentir desejadas por outros homens e até por outras mulheres, quando não comparecem de cara amarrada, visivelmente depois de ceder a uma insistência do namorado ou marido. Todos são movidos por uma perturbadora curiosidade sobre o que pode acontecer num ambiente assim, onde as normas sexuais que a sociedade respeita desde tempos imemoriais ficam suspensas num passe de mágica. Muitas mulheres permanecem sentadas e imóveis, como se um hipnotizador as tivesse mandado olhar um ponto fixo no horizonte. Muitos homens se comportam como se estivessem na Disneyworld, de volta aos sete anos de idade, esbaforidos pela aflição de não saber que brinquedo agarrar primeiro. Felizmente para o andamento dos negócios, uma minoria dos freqüentadores é exibicionista e quase todos são *voyeurs* (sendo essa perversão própria dos covardes a mais comum, talvez, no gênero humano), pois se a atividade sexual dependesse da troca efetiva de casais ou parceiros ela seria bem mais restrita. Muitos casais ficam mudos, abraçados, cabisbaixos, parecendo imigrantes clandestinos detidos pela polícia de fronteiras.

Nenhum dos receios mais óbvios capazes de assaltar uma mulher que nunca tenha ido a um clube desses tem fundamento (eles talvez expressem, aliás, suas fantasias). A equipe de segurança não tem trabalho para que o princípio básico — se uma mulher recusar uma abordagem ela não deve ser importunada — seja respeitado; todos ali estão interessados nisso. Se a curiosa se aventurar, sobretudo sozinha, pelas salas ao longo do corredor, corre o risco de ser apalpada, bastando afastar a mão importuna para que o princípio básico funcione. Ninguém é compelido a nada. Certos casais chegam, bebem, dançam, conversam e vão embora, como se lhes bastasse, a título de excitação suplementar semanal, sentir o cheiro vagamente mofado daqueles carpetes pecaminosos e saber que lá dentro ferve uma Sodoma. Os riscos são de natureza mais emocional do que física (o estabelecimento fornece, inclusive, camisinhas). Naquela atmosfera de estímulos ostensivos e ameaças veladas, há casais que se convertem em fios desencapados, bastando uma descarga elétrica ocasional para deflagrar um incêndio de ciúme. Deveria ser o lugar menos propício a esse pavoroso sentimento que se alimenta de si mesmo, a esse estranho remédio causador da moléstia que se propõe a prevenir, mas não: explosões de ciúme, em geral (mas não sempre) da mulher contra o homem, são corriqueiras.

Mesmo que as regras sexuais aceitas aqui fora não tenham validade lá dentro, nem por isso o peso esmagador da educação, da repressão religiosa e moral, das noções convencionais e até do hábito adquirido desaparece. É freqüente que homens entrem em depressão quando, numa só noite, se vêem rechaçados por sucessivas mulheres, nem tão estimulantes assim, abordadas no entusiasmo suscitado por tanta disponibilidade aparente. Também é freqüente que mulheres passem a maior parte do tempo controlando seus parceiros, comparando-se a outras mulheres e declinando propostas para ir visitar as salas como se fossem convites para a próxima contradança. É muito arraigada em todos nós a idéia de que o sexo amoroso é uma prática admirável, mas que o sexo recreativo oscila entre o inconseqüente e o imoral. Que o impulso sexual tenha de ser tutelado pela experiência amorosa, que ninguém aplique o mesmo raciocínio a nenhum dos demais apetites humanos, é prova mais do que suficiente de que o sexo implica algo além do prolongamento do corpo na prole, além da própria estabilidade dos casais induzida pelo amor conjugal e que tanto tem beneficiado a nossa espécie. Esse "algo além" não está tanto no fato de que o sexo envolve, mesmo na masturbação, uma outra pessoa (ao contrário da fome e do sono, por exemplo, que prescindem do outro para ser saciados), pois não se pode tachar de imoral o sexo recreativo entre duas pessoas que são honestas uma com a outra e respeitam as respectivas vontades. O segredo é que o sexo, por requerer quase sempre aceitação por parte de outra pessoa, define nossa imagem diante dos demais e, por reflexo, diante de nós mesmos. Conheci mais tarde uma mulher, a quem chamarei de Helen, morena interessante de seus trinta e poucos anos, que havia percorrido toda uma epopéia sexual nesse tipo de clube. Casara-se numa cidade do litoral com o primeiro namorado, que a seguir se transferiu com ela para a capital. Depois do idílio e de um primeiro filho, o casamento esfriou, o marido parecia ter perdido interesse. Certa noite, ela o surpreendeu enquanto se masturbava vendo revistas pornográficas. Estrago feito, ele confessou o desejo de conhecer um clube de casais. No interesse de se reconciliar sexualmente com ele, ela concordou. Haviam ido algumas vezes ao clube quando ele se apaixonou por uma mulher que conheceu lá. Meses depois separou-se de Helen para ir viver com essa mulher. Ela se viu abandonada, longe da família que morava no litoral e com uma criança de colo. Teve uma crise depressiva que durou um ano. Uma noite, sem saber como nem por quê, chamou um táxi e foi para o clube. A resolução inesperada contribuiu para que se recuperasse: sentia-se melhor ao perceber que era desejada não só por outro, mas por diversos homens. Começou a freqüentar o endereço toda semana, sempre no mesmo dia. Nunca encontrou o ex-marido lá. Passou a ter parceiros variados, muitos deles desconhecidos que não voltaria a encontrar, e descobriu que gostava, de alguma forma se adaptava ou se viciara naquele comportamento. Perguntei se ela se desforrava assim do marido, como se o traísse *a posteriori*. Ela me disse que sim, sem dúvida, no início, mas que mais tarde ficou claro que uma série de acidentes infelizes lhe havia revelado seu âmago encoberto, aquilo que ela *era* de fato. Duvidei.

A primeira vez em que visitei as *salas*, como são simplesmente chamadas, deixou uma impressão inesquecível em mim. Não saberia distinguir as cenas nessa noite remota da multidão de imagens que vi nas outras vezes em que estive num clube. As possibilidades da anatomia humana são exíguas, e suas combinações, redundantes. Além disso, o ambiente nas salas é ainda mais escuro do que na boate propriamente dita, quase não se vêem contornos e fisionomias, exceto a uma distância muito pequena. O que ficou na memória não foi esta ou aquela situação específica, mas um conjunto esfumaçado delas. Nos primeiros aposentos, quase vazios, havia uns poucos casais agarrados em duplas, como namorados numa festinha de adolescentes. Depois havia casais sentados lado a lado, trocando carícias íntimas, ainda vestidos. Mais ao fundo, duas mulheres nuas em volta de um homem, e logo adiante três mulheres, ajoelhadas, cada uma chupando um homem sentado na sua frente, enquanto vários casais assistiam formando um círculo em redor. Notei que algumas das mulheres masturbavam seus parceiros enquanto observavam a atração principal. A noção de que o sexo livre deveria ser selvagem ou frenético é um clichê a ser posto de lado. Ao contrário, o que prevalecia naqueles ambientes era uma estranha calma, uma quase-preguiça na maneira metódica como as atividades eram conduzidas e um silêncio só rompido aqui e ali por algum gemido feminino mais agudo ou alguma exclamação de incentivo em baixo calão.

    A entrada do *dark room*, a sala coletiva no final de todas, estava apinhada de gente. Tomei fôlego e me enfiei, afastando as pessoas pelo caminho. Ao contrário do que acontece nas outras multidões, nesta as pessoas se achegam ainda mais quando você se movimenta, como se toda aquela gente estivesse de fato empilhada num dos círculos do inferno, no caso, o dos libertinos, do qual não pudessem nem muito menos pretendessem sair. Fui abrindo passagem aos poucos, meus olhos se acostumavam com a escuridão conforme eu era envolvido numa sauna de vapores humanos. A música agora soava como um longínquo bater de bumbo lá fora, encoberta pela polifonia de murmúrios e suspiros que saturava o salão. Identifiquei um bando de meninas que pouco antes se exercitavam na pista de dança e agora se protegiam mutuamente como se estivessem num jogo de pega-pega, cada uma de costas para as demais e com as mãos espalmadas à frente na altura da pelve, suas risadinhas nervosas destoando da seriedade do ambiente. Num canto, em pé, escorada contra a parede, uma mulher esbelta e de cabelos curtos faz sexo com um homem, enquanto dois ou três outros se masturbam a observá-la. Mais ao fundo do salão, percebo uma concentração maior de pessoas, dessas que se juntam em torno de um acidente de trânsito. Tento navegar até lá no espaço atravancado de corpos suados, contornando homens que empunham os pênis para fora das calças como se fossem lanternas. Quando consigo olhar por cima dos ombros daquela muralha de curiosos, demoro um instante até discernir, na massa de carne branca e ondulante que parece fosforescer no escuro, três mulheres nuas lado a lado, de quatro no sofá, os rostos contra a parede, os cabelos sacolejando a cada empurrão, sendo penetradas por homens com as calças caídas nos tornozelos que conversam entre si enquanto fazem movimentos cadenciados. Fiz meia-volta para descobrir que a mulher de cabelos curtos agora está sendo possuída por outro homem. Quando me aproximo do grupo, um deles, aparentemente seu marido, pergunta se quero experimentá-la. Ainda não estava preparado para isso e me ouvi balbuciar ridiculamente, como um consumidor arredio: *Obrigado, estou só olhando...*

Saí do salão atordoado. Havia visto o que poucos olhos jamais viram, seres humanos fazendo sexo na presença de outros não porque fossem de algum modo obrigados a isso nem remunerados por fazê-lo, mas apenas porque queriam. Transpirava algo de depressivo naquilo tudo, reflexo talvez da repulsa que sentimos sempre que o sexo rompe as amarras e se emancipa da tirania do amor. Eu mesmo, tão curioso e supostamente sem preconceitos, sentia isso o tempo todo, na vulgaridade do ambiente, nos comentários idiotas ouvidos aqui e ali, no aspecto desprovido de atrativos físicos da grande maioria dos freqüentadores, na maneira mecânica do sexo anônimo que era praticado ali. Mas esse mesmo caráter ordinário daquilo que eu presenciara — pois não eram modelos trepando enquanto simulavam orgasmos múltiplos e faziam caras e bocas para a câmera, mas homens e mulheres reais, com as imperfeições e peculiaridades das pessoas concretas — era o que dava às cenas uma voltagem inesperada que eu não saberia atribuir a outra coisa a não ser ao fascínio da verdade, que enfim me era revelada sob o manto encobridor de tantos séculos, tanta mentira e tanta culpa.

Perdida a minha inocência, havia literalmente uma estrada pela frente. Vitória me telefonou duas semanas após a noite em que estivemos no clube para informar que já estava tudo acertado. Por meio de um anúncio fotográfico, minha aventurosa companheira entrara em contato com um casal do interior — simpáticos, experientes e compatíveis —, que nos convidavam para visitá-los sem compromissos. Faríamos um passeio no campo, bateríamos um papo e pronto. Sabíamos que a chance de acontecer algo era mínima, brincávamos que só iríamos adiante se *for mágica*, entendendo-se pela expressão toda uma atmosfera onírica em que, ao final de uma noite de conversação fluente e divertida, ela se sentisse seduzida pelo outro, eu pela outra, e vice-versa sem ciúme, o que parecia estatisticamente implausível.

A imaginação febril da minha amiga transformou essa viagem num roteiro de filme de espionagem: como não sabíamos com quem estávamos lidando, convinha adotar certas cautelas, o que aprovei de imediato. Ficaríamos instalados num motel com piscina na entrada da cidade. Todo contato telefônico seria por celular, o casal não deveria saber onde estávamos. O encontro ocorreria à noite, num bar, que deveríamos visitar horas antes, a fim de reconhecer o terreno. No motel, ela pediu a diferentes funcionários que lhe apontassem no mapa como chegar ao local (*quero que eles lembrem bem de que tinha aqui um casal que iria à noite nesse bar*, explicação que me deixou pasmo em meu amadorismo). Ao sairmos pela manhã, atravessando por rodovias arrojadas um panorama de agricultura impecável, ela já me havia surpreendido ao ligar para a própria casa a fim de deixar na secretária eletrônica indicações sobre aonde estava indo e o número do telefone do casal.

Uma angústia quase intolerável me acometeu ao anoitecer enquanto eu afundava na piscina vendo o pôr-do-sol no horizonte descampado e me comparando mentalmente ao protagonista de *Lolita*, levado por outras transgressões sexuais a perambular por estradas e motéis como aqueles. Era um terror indefinível em que se misturavam os medos de ter uma decepção, de ser rejeitado, de sentir ciúme ou me desentender com minha parceira, de sofrer ameaças, de cair em algum trote, de ser exposto (quem poderia garantir que não estávamos prestes a encontrar conhecidos, que usavam nomes de guerra e alegavam profissões fictícias, como nós mesmos fazíamos?). Também tinha medo de gostar. Para ironizar meus receios, ela aventava hipóteses sinistras, como a de que o marido seria um psicótico cuja doença se manifestasse num ódio patológico contra os adúlteros em geral, que ele atrairia como moscas no açúcar a fim de justiçá-los numa orgia, sim, mas de sangue.

Já estávamos instalados no bar quando eles chegaram e logo que apareceram à porta sabíamos que só poderiam ser eles. O marido era um homem de estatura média, com um rosto atraente, moreno como um indiano, trinta e poucos anos, que vestia seu uniforme masculino de sábado à noite: calças de tergal, mocassim, cinto da mesma cor do sapato e uma camisa Lacoste. Ela era bonitinha, passaria por uma jovem bibliotecária alemã com seus cabelos de Rapunzel e seu vestido de mangas bufantes. Não eram um motoqueiro calvo e barrigudo arrastando atrás de si uma ex-hippie com os braços cobertos por marcas de agulha. Pareciam o casal mediano e "normal", selecionado para responder a uma pesquisa qualitativa de mercado, o que melhorou ainda mais o bom humor da minha amiga, agora exultante com seu discernimento para pinçar, na multidão de anônimos sem rosto, infestada de mentirosos e desequilibrados, um par de pombinhos tão apresentável. Sua história era a de costume: namoro romântico que avinagrou em casamento entediado. Teriam chegado à separação não fosse uma crise de ciúme que os levara a trocar corajosas confidências, compartilhar fantasias e decidir se aventurar pelas turbulências de um casamento aberto. Tais arranjos raramente dão certo, mas seu caso parecia ser um desses, havia equilíbrio de forças entre eles. Nem sempre é assim.

Relataram o episódio doloroso de um casal com quem haviam tido um encontro muito propício tempos antes, até que no final, quando tudo parecia acertado para os quatro irem do bar direto para um motel, eis que a esposa se aproveita da ausência do marido, que fora ao banheiro, para implorar aos dois: *pelo amor de Deus, digam que não, eu não quero, é ele quem me obriga a fazer isso!* Nossa brava Rapunzel não passou uma descompostura no vilão quando este voltou, com receio de provocar uma represália dele contra a esposa, mas fez exatamente isso ao telefone quando o sujeito ligou tentando marcar novo encontro. Era sagrado, para eles, que houvesse franqueza e honestidade entre os cônjuges e que a vontade de cada um fosse respeitada. Aliás, eles não se consideravam menos e sim *mais* honestos e decentes do que os casais ditos "normais". *Antes,* me diz ele, *quando eu via uma mulher gostosa me masturbava no banheiro pensando nela ou tentava seduzi-la escon-*

dido. Hoje penso em levá-la para casa e compartilhar seu corpo com a minha mulher. Minha parceira me olha feio porque me limito a comentar *legal*, detestando não encontrar nada melhor para dizer. Como eles advertiam que um casal só deveria experimentar depois de a opção ser muito amadurecida e não restar nenhuma dúvida pendente, perguntei a ela o que aconteceria se numa dada situação ela quisesse e ele não. Ela me disse que se ele a liberasse, tudo bem, caso contrário ela resistiria à tentação. Cada um mantinha direito de veto sobre a escolha do outro. Perguntei se ele já tinha brochado, entre gargalhadas ela garantiu que sim e ele que não. Pareciam espontâneos, esclarecidos e relativamente felizes, faziam troça do ciúme um do outro, eram como militantes de uma causa complacente da qual ressaltavam as facetas positivas — a liberdade recíproca, a aceitação de desejos legítimos que nada tinham a ver com amor nem deveriam perturbá-lo — no esforço de nos aliciar para o *movimento*, como gostavam de dizer.

O primeiro círculo de *casais liberais* do qual se tem notícia surgiu em meados dos anos 60, por iniciativa dos americanos John e Barbara Williamson, que instalaram numa casa de campo nos arredores de Los Angeles um centro destinado à prática. A história dessa mitológica comunidade, Sandstone, que reunia casais burgueses interessados em terapia sexual, igualdade entre os sexos e experimentação erótica foi minuciosamente documentada no livro *A mulher do próximo*, de Gay Talese (Companhia das Letras, 2002). O autor mostra como o projeto teve precursores antigos, que remontam, para ficar no exemplo mais fantástico, a uma comunidade utópica chamada Oneida, que prosperou no estado de Nova York durante a segunda metade do século XIX, na maior parte do tempo pouco molestada pelas autoridades, e onde algumas centenas de adeptos viveram sob regime que seu líder religioso, o reverendo renegado John Humphrey Noyes, batizou de *casamento complexo*. Era uma espécie de planejamento eugênico por meio do qual homens aptos se acasalavam com parceiras em condições de procriar. As crianças que resultavam desses enlaces episódicos eram educadas como filhos de toda a comunidade. Em Oneida, o ideal socialista do acesso coletivo e igualitário a todos os bens era estendido também ao sexo, desde que mutuamente desejado. Mas ao contrário da californiana Sandstone, típica comunidade da contracultura influenciada por um individualismo ultraliberal e feminista, a fazenda do reverendo Noyes era um sistema autoritário, parecido com outras utopias puritanas exceto pela excêntrica condenação do matrimônio monogâmico, não porque limitasse as possibilidades do indivíduo, mas pelo motivo oposto, por ser uma variante do egoísmo, da avareza e do apego a valores terrenos. A poligamia admitida entre seitas mórmons, religião que também teve origem em meados do século XIX, parece apoiada em idêntica justificativa.

    O que distinguia o movimento de que falavam com entusiasmo os nossos interlocutores era que, diferentemente dos pioneiros de Oneida e dos contestatários de Sandstone, ninguém pretendia reformar a natureza humana ou estabelecer uma autarquia que funcionasse à parte da sociedade. Aquele casal levava uma vida afluente numa região rica do país, tinha um par de filhos adoráveis, piscina, carro, um quarteto de sogros e comparecia à macarronada de família todo domingo. A dupla personalidade que foram obrigados a desenvolver não os incomodava, acrescentando, ao contrário, uma pitada a mais de encanto a suas aventuras íntimas. À medida que contavam de encontros em que cinco ou mais casais passavam fins de semana em chácaras alugadas para seus passatempos eróticos (tais como um carteado em que os perdedores se despem de uma peça de roupa a cada rodada ou um jogo de cabra-cega em que a esposa vendada deve reconhecer pelo tato o pênis do marido entre os demais), comecei a entender que uma rede subterrânea se irradiava secretamente por todo o interior do estado, uma confraria de casais libertinos estimulada, quem sabe, pela escassez das opções de lazer e pela propensão à endogamia nas comunidades menores, onde são habituais os relacionamentos entre primos e o intercâmbio de namoradas dentro de um mesmo círculo de amigos de infância. Apesar de ser da capital, era eu que me sentia um caipira.

Anos mais tarde, um escândalo que nunca veio à luz do dia, mas circulou de forma eletrizante durante meses, atravessando os mais diversos ambientes como uma onda invisível, ilustraria o desembaraço que a vida sexual pode alcançar sob as aparências de um conformismo provinciano. Certo grupo de casais jovens e amigos, entre os quais estavam filhos de figurões da comunidade local, não apenas realizava festas íntimas nas quais podia acontecer troca de parceiros como as fotografava. Um dia o depositário das imagens as deixou num disquete de computador no carro, que foi roubado. Os ladrões acessaram as fotos e tentaram chantagear o proprietário, que não cedeu à extorsão. Dias depois, algumas das esposas que estrelavam o disquete foram aplaudidas ao entrar juntas num restaurante da cidade. As fotos haviam sido despejadas na internet. As vítimas admitiram as festas e as fotos, mas alegaram que as imagens haviam sido adulteradas pelos criminosos de modo a adquirir um cunho pornográfico que os originais não tinham. Aparentemente, nenhum daqueles casais tinha ligação com o movimento.

Voltamos sozinhos para o motel, muitas horas depois. Apesar do clima tão mais favorável do que eu esperava, embora o casal estivesse interessado em nos oferecer uma iniciação prática, além de teórica, recuamos. Já tínhamos ido longe demais para uma primeira incursão e sabíamos que seria possível encontrá-los novamente na capital, para onde viajavam às vezes, o que de fato aconteceria mais tarde. Havíamos colecionado um tesouro de impressões, comentários, dúvidas e piadas que estávamos ansiosos para esparramar sobre a cama do quarto do motel, como piratas que confraternizam num refúgio seguro enquanto contam vantagens sobre as peripécias da pilhagem. Faríamos outras viagens assim, aventuras em que parecíamos crianças brincando de detetive, para encontrar casais a quem "entrevistávamos" e conhecer clubes em outras cidades do país, sempre fantasiando sobre a noite em que haveria *mágica*, em que tudo daria certo e cada coisa iria naturalmente para seu lugar, sem que fosse necessário precipitar nada ou forçar concessões — mas essa noite nunca chegava. Ou ela não se sentia inclinada, ou era eu quem preferia não ir adiante, ou era o casal em questão, que eventualmente tinha ainda menos experiência do que nós, quem desaparecia sem deixar rastro. Cheguei a suspeitar de que ela sabotava inconscientemente qualquer possível consumação (ou era eu o sabotador?). Até que chegou o aniversário da Rapunzel, que ela e seu marido indiano viriam comemorar num dos clubes mais famosos da capital.

Nessa memorável festa, que reuniu muitos dos casais que haviam arregimentado com sua discreta mas operosa militância, conheci uma mulher que me interessou muito. Era psicóloga, olheiras emolduravam seu aspecto exangue, algo indiferente, de mulher tímida, mas logo que a abordei depois de flertarmos ela me acolheu com segurança e desembaraço. Tomei informações com o indiano e ele aprovou minha preferência, esclarecendo que ela fazia sexo com terceiros sob a cumplicidade do marido, que se excitava com a situação. Afastou-se para voltar com o marido pelo braço, um homem jovem, com ares de engenheiro eslavo, que não apenas assentiu como me encorajou, dando conselhos em meu ouvido como faria um técnico ao atleta que se aquece para entrar em campo. Minha parceira, que não era indiferente aos encantos femininos, estava conversando com a vítima, as duas muito próximas uma da outra no sofá, quando convidei a psicóloga para dançar. Eu a beijava e abraçava enquanto dançávamos na pista quando senti uma batida firme de policial em meu ombro e escutei a voz cheia de sílabas de Vitória falando para quem quisesse ouvir, bolsa a tiracolo: *vamos embora ou você vai ficar?* Pedi licença à dama, fui ao guichê, paguei e saímos os dois emburrados, a soturna irritação que se avolumava em mim aumentada pelo fato de que eu não tivera chance de ficar com o telefone da psicóloga, que seguiria abraçada a mim em fantasias durante um bom tempo. Quebramos o silêncio no carro para brigar seriamente, ela me acusando de atravessar seu samba e tentar excluí-la, eu acusando-a de ter se tornado uma megera ciumenta como uma reles dona-de-casa. Compreendi que nossa dupla estava dissolvida e que se eu prosseguisse dali por diante seria sozinho.

Um estranho fascínio em que se mesclassem as transgressões mais primitivas que a memória da infância relaciona à colonização do próprio corpo e à curiosidade inaugural sobre os corpos alheios, fascínio tão bem representado pelas "brincadeiras de médico" que toda criança alguma vez brincou — essa seria uma imagem adequada para evocar os jogos de que eu começava a participar. Estava ciente de que os psicanalistas costumam associar o erotismo com mais de uma pessoa não apenas a tendências voyeurísticas ou exibicionistas, mas a impulsos homossexuais que assim encontram uma forma indireta de expressão. Sabia que tais situações repercutem o triângulo amoroso que se forma a cada nascimento e nunca desaparece por completo depois de ter ocupado o horizonte afetivo da criança durante os cruciais primeiros anos de vida. Mas toda vez que a presença testemunhal ou participativa de outra(s) pessoa(s) conferia ao sexo uma profundidade espacial desconhecida, ao derrubar os muros da intimidade e criar uma perspectiva que se refratava em surpreendentes ângulos, não apenas ópticos, mas eróticos, deixando para trás o que se apresentava agora quase como a monótona solidão do sexo a dois, eu não cansava de me maravilhar como se tomasse parte num festim dionisíaco, uma epifania do homem e da mulher revelada na condição de animais que eles também são.

Enfeitiçado pela cisma de que eu havia começado algo que não tinha conseguido terminar, venci o que ainda restava de resistência (que é sempre cíclica, pois o impulso sexual ataca em ondas diante das quais ela é forçada a retroceder) e mantive encontros sazonais com desconhecidas. Por mais que soubesse o quanto seria improvável que numa situação dessas eu pudesse me sentir estimulado o suficiente ou minimamente à vontade, nunca deixei de ir a um encontro desses sem ter o coração saindo pelos tímpanos, as mãos gélidas de suor. Tive temor de me viciar na adrenalina dessas investidas solitárias nas quais deixava minha personalidade de lado e saía com uma outra, que eu mesmo inventara para esse tipo de ocasião, experimentando uma liberdade que creditava à nossa era, da qual me orgulhava nesses momentos. Não mentia, embora omitisse. Em geral, os encontros eram marcados às cegas, depois de uma troca de telefonemas em que só restava confiar no que era dito e decifrar sotaques, subentendidos, silêncios.

Tentava me dirigir sem expectativas ao local combinado. Logo aprendi a nunca ter certeza de nada, nem mesmo se a outra pessoa apareceria, depois de ficar plantado numa doceira à espera de alguém que nunca veio, que estava brincando ou se arrependeu na última hora. Uma vez marquei encontro com uma mulher que estaria vestida de rosa, num restaurante alemão. Quando cheguei o lugar estava lotado. Como sempre acontece nesses casos, havia talvez dezenas de mulheres desacompanhadas à mesa e vestidas de rosa. Fui ao balcão, telefonei, não atenderam. Pensava em desistir quando me lembrei de um detalhe da conversa telefônica: ela era dona de uma floricultura e nos fins de semana usava a perua de entregas para fins particulares. Fui ao estacionamento do restaurante e vi uma perua onde resplandecia o letreiro FLORICULTURA TAL. Perguntei ao porteiro, *sim, acabou de chegar, ela sempre vem aqui...* Voltei ao restaurante para percorrer metodicamente, como um sargento do Exército de Salvação, cada mesa onde havia uma mulher vestida de rosa, repetindo a mesma pergunta em voz baixa para os mesmos olhares arregalados nas cabeças que se punham a balançar de um lado para o outro quando enfim compreendiam o que eu dizia. Havia tanto burburinho e corre-corre no restaurante que aparentemente ninguém registrou meu comportamento bizarro. Fui embora depois de ouvir *não* da última mulher naquele mar de rosa. Assim como adotei mentalmente o nome de "contato imediato de terceiro grau" para designar os encontros ao vivo, passei a chamar aqueles desenlaces de WO, decepcionantes como os jogos em que um dos times não aparece em campo. São muito raros.

Minha experiência sugere que as pessoas falam basicamente a verdade, sobretudo as mulheres, que parecem levar a palavra muito mais a sério. A primeira coisa de que a maioria delas se desfaz, tão logo adquire alguma confiança, é de seu nome suposto. Mas é preciso certo ouvido musical para entender a linguagem de eufemismos e rodeios subjacente à sua costumeira loquacidade. Quando uma mulher diz que é "gordinha", por exemplo, ela é gorda, quando diz que é "sensual", ela não é propriamente bonita, e assim por diante. Para me animar, dizia a mim mesmo que na pior das hipóteses seria instrutivo recolher as fantasias sexuais de outra mulher demasiado maquiada em companhia de mais um lacônico cavalheiro de bigode, pois aprendi com o tempo a apreciar os enigmas das pessoas comuns e descobrir as imprevisíveis maneiras pelas quais elas nunca são tão "comuns" assim. Começava a imaginar que um dia escreveria algo, não sabia bem o quê, a respeito desses anônimos que vinham sentar-se encabulados à minha frente em balcões de lanchonetes e mesas de cafés para falar abertamente daquilo que não confidenciavam a ninguém e depois desaparecer para sempre na multidão de passantes do shopping center de onde haviam saído.

Fazendo eco à famosa pergunta, eu tentava entender o que queriam *essas* mulheres. Algumas eram solitárias e carentes, às vezes quase desesperadas nem digo por sexo, mas antes de mais nada por companhia. Fazia questão de tratá-las com toda a consideração, era a elas que eu ouvia mais atenta e longamente, até porque minhas atenções não eram desviadas do assunto por outros interesses. Por acaso eu também não enfrentava chuvas e trovoadas para atravessar distâncias em horas improváveis na busca de certo tipo de companhia? Não passara a gostar da intimidade subitamente estabelecida entre estranhos, tão fresca de descobertas e novidades, de me debruçar sobre o poço do desejo do outro e muitas vezes ver meu próprio desejo espelhado na imagem? Havia mulheres mais ou menos atraentes, ainda inconformadas com a falta de romantismo sexual que esvaziava suas vidas ou despertas para as cintilações do sexo depois de um preguiçoso casamento terminado em naufrágio. Havia mulheres que procuravam uma só experiência clandestina, obcecadas por um minucioso projeto no qual desempenhariam a *belle de jour* não mais do que numa única tarde, somente para saber como seria. Outras se queixavam de que a libido de seus cônjuges não acompanhava as demandas da sua. Uma freqüentadora de clubes de casais me relatou que seu tesão era "prostituir-se" (hesito sobre o uso das aspas) para homens selecionados pelo marido, não exatamente pelo dinheiro, que ela tinha a satisfação secundária de torrar em besteiras no shopping, mas pelo prazer de vê-lo conferir a quantia estalando as notas como um cafetão. Cobravam duzentos reais.

Passei a admirar sinceramente essas mulheres — sua liberdade de espírito, seu desprezo pela moralidade tacanha na qual foram educadas, a coragem com que buscavam conhecer a si mesmas. Achava espantoso que pulsasse tamanha inventividade sexual naquelas mesmas pessoas submetidas tantas vezes a um cotidiano insípido, regado a sentimentalismo de telenovela. Achava ainda mais extraordinário que existisse, em meio a muitas mulheres assim, quem se dispusesse a correr os riscos de ir sozinha ao encontro de um desconhecido, expondo no mínimo sua auto-estima, quando não o próprio casamento e talvez a segurança física (onde mais haveria "tarados", se não nesse meio?), em troca de uma aventura que nunca sabia como poderia terminar, sendo esse ingrediente de perigo o que em alguns casos a incitava. Em circunstâncias tão peculiares, sabia que se a outra pessoa postergasse o encontro em telefonemas sem fim, se o adiasse depois de haver marcado ou faltasse na hora combinada, por mais que me irritasse e me entristecesse, eu não poderia nem teria como recriminá-la.

Deveria esperá-la enquanto se desembaraçava dos imprevistos que se agarravam nela como pretextos convenientes, enquanto derrotava as últimas hesitações retocando a maquiagem no banheiro ou se atrapalhava com o endereço por ela mesma determinado. Prerrogativa feminina nesse tipo de encontros, era sempre uma surpresa descobrir o cenário específico que ela havia escolhido a dedo, vislumbre de sua personalidade ainda misteriosa: estranho aos trajetos habituais, mas nunca remoto em relação a seu perímetro, em alguma área pública, por razões de segurança, mas isolada e agradável, onde se pudesse conversar sem ser bisbilhotado. Quando a via e me aproximava para dizer timidamente seu nome muitas vezes falso, num tom de interrogação, e ela abria um sorriso, eu tinha ímpetos de cair de joelhos e agradecer que tivesse vindo. Adotava desde o primeiro minuto um comportamento exemplar, quase cerimonioso, o que conferia à situação certo ar de comédia no qual afogava meu nervosismo. Ostentava com prazer essa atitude de *gentleman*, que dissolvia nosso constrangimento recíproco e nos dava tempo para recuperar o fôlego e ajustar a voz (e as fantasias) que já conhecíamos à fisionomia inesperada daquele estranho que cada um de nós tinha pela frente. Não aprendi apenas a me resignar diante de um WO, mas também a ser rejeitado como nunca havia sido antes.

Na vida cotidiana, cada um de nós se apresenta ao outro em aproximações sucessivas nas quais os aspectos físicos, que os sentidos captam de imediato, aparecem mesclados a outro tipo de informação, coisas que sabemos por ouvir falar ou por indução — toda uma aura de conotações que a outra pessoa implica para nós. Normalmente, a esfera sexual é a última a ser atingida nesse processo de reconhecimento progressivo e sedução mútua. Aqui, nesses encontros anônimos, acontecia o contrário. A esfera sexual não era apenas a primeira, mas a única da qual se sabia previamente alguma coisa (podia ser divertido, então, desenrolar o novelo cara a cara, como se fosse um filme de trás para a frente). Nas raras ocasiões em que uma conversação telefônica parecia promissora o bastante para resultar num encontro real, por mais que se usassem nomes de guerra e outros artifícios, cada um sabia que se apresentava tal como é, apenas uma imagem falante, nada mais do que um corpo sem o emaranhado de conexões simbólicas que lhe atribuem um sentido e lhe destinam um lugar no mundo. Às vezes, sentado a uma mesinha qualquer com alguma dessas desconhecidas, tinha a sensação de que, por trás dos óculos escuros, ela me avaliava menos como duvidoso príncipe encantado do que como combalido *homem de programa*. Não era difícil, se fosse o caso, me desvencilhar delicadamente. Alegava que um primeiro encontro servia para se ter uma idéia de como era a outra pessoa, que não convinha apressar situações, que eu próprio estava em sérias dúvidas sobre o que queria — e tudo isso era quase sempre verdade. Numa atmosfera tão irreal e fugidia, com tantos motivos razoáveis para interromper contato, as pessoas desaparecem.

Fui ao encontro, certa vez, de duas amigas que procuravam um parceiro. Tinha visto fotos das duas, juntas e abraçadas, em algum aniversário ou formatura. Impressionavam tão bem que suspeitei de fraude. Depois de falar algumas vezes por telefone, topei ir a uma das maiores cidades do interior, numa noite de chuva, para um encontro numa choperia. Havia uma cláusula severa, com a qual ainda não tinha me deparado: eu deveria descrever como estaria vestido e me postar num determinado balcão na hora combinada, correndo o risco de elas não se apresentarem caso não se interessassem. Tentei me convencer de que havia uma chance de aquilo tudo não ser trote e fui. Entrei na choperia lotada, que ficava num shopping center suntuoso, às nove em ponto. De acordo com aquela lei que tive ocasião de enunciar mais atrás, quando relatei o caso da dona da floricultura, havia inúmeras mesas ocupadas por duas morenas claras de trinta anos. Passaram-se vinte minutos nessa agonia. De repente, uma mulher se levanta de sua mesa e caminha lentamente até o banquinho onde estou, não para pedir um cigarro ou saber as horas, como eu tinha certeza que ocorreria, mas para perguntar muito séria: *Você é Fulano? Não quer vir sentar com a gente?*

Eram de fato as garotas das fotos e formavam um casal. Uma delas mantinha uma atitude levemente dominante em relação à outra (e a mim, obviamente), mas pouco abria a boca, passeando o olhar pelo salão que regurgitava de jovens como se a conversa que avançava com dificuldade a seu lado não lhe dissesse respeito e ela estivesse sentada ali por acaso. No entanto, era essa, a altiva, o cérebro da dupla, pelo menos era a quem cabia escolher em meio ao manancial de candidatos e candidatas recrutados pela outra. Eu estava tão desnorteado pelos sucessivos golpes de surpresa que devo ter feito péssima figura, intimidado por duas mulheres que se materializavam da melhor forma possível quando eu já as dava por evaporadas e que me explicavam os sutis mecanismos de sua bissexualidade como se eu estivesse boquiaberto, segurando um tacape. Passada uma hora, fizeram menção de ir embora e dispensaram minhas objeções, levantando-se decididas da mesa. Despediram-se prometendo um segundo e conclusivo encontro. Disse a elas na saída que ficassem à vontade caso não quisessem encontrar-se comigo de novo e a mais altiva me deu um beijo encorajador nos lábios. Nunca mais as vi. Telefonei no dia seguinte, ansioso por saber sobre impressões e perspectivas, e a falante esclareceu: *Esperamos que você compreenda, mas não houve afinidades.*

Havia explicação para o fato de terem me abordado no balcão em vez de ir embora, deixando que eu mofasse ali até o fim dos séculos: a altiva esquecera os óculos de distância no carro. *Não houve afinidades* é o jargão sempre usado para dizer: *não fui com a sua cara, não quero fazer sexo com você.* Estava perplexo que uma recusa tão fortuita, vinda de duas aventureiras — talvez duas mulheres que fizessem isso para humilhar os homens ou ganhar apostas com terceiros que também estivessem no local, incógnitos —, pudesse exercer efeito tão devastador sobre minha auto-estima, fazendo latejar velhas cicatrizes afetivas e desfilar na memória o cortejo de rejeições que todo ser humano experimenta. Ingenuamente, eu imaginava que só o amor ferisse sentimentos, nunca o sexo pelo sexo. Agora percebia com amargura que o aspecto desprezível daqueles encontros — o sexo como mercadoria que não se vende, no caso, mas se troca — tornava ainda mais arrasadora uma rejeição sofrida, a qual atingia em cheio o âmago irredutível da pessoa, sua corporalidade mais íntima, não a elaborada *persona* sob a qual nos protegemos. Não era possível, evidentemente, que eu tivesse me apaixonado depois de ver algumas fotos e manter um único encontro num bar, ainda mais por duas mulheres ao mesmo tempo, mas os efeitos eram equivalentes e eu me recolhi, lambendo a ferida.

Pouco tempo depois visitei um clube, como um criminoso que voltasse ao local do crime. Era muito tarde, eu estava sozinho e insone. Restavam poucos casais no lugar, não mais do que sete ou oito, o que dava aos amplos ambientes vazios um jeito de fim de feira e uma privacidade insólita, como se a boate tivesse sido abandonada às pressas e alguns retardatários ainda fossem encontrados aqui e ali, atrás de uma almofada ou dentro de um dos cubículos parecidos com camarotes de trem. Sabia que num horário tardio como aquele talvez não houvesse fiscais na entrada do labirinto para impedir, como costuma acontecer, a entrada de homens desacompanhados. De fato não havia ninguém. Avançava pelos corredores estreitos do labirinto com os braços estendidos, meio às cegas, quando ouço alguém murmurando numa das cabines, um casal com a porta entreaberta. Eles me convidam para entrar. Ela é uma mulher sólida e pequena, quase sem seios, com um rosto sonhador. Sentado, ele me incita a praticar intimidades com ela. Tenho receio de que apareça alguém e de que eu não esteja em condições de praticar nada naquela noite. Vendo que eu demorava a tomar atitudes mais drásticas, ele se encarrega de colocá-la de joelhos sobre o banco preso à parede do quartinho e levantar sua saia, expondo as nádegas e as coxas enquanto mantém sua cabeça erguida pelos cabelos. Ato contínuo, abaixa sua calcinha rispidamente, como se me prestasse um doloroso favor, dizendo que eu devo castigá-la porque ela tem sido uma menina muito levada. Quase para não continuar a desapontá-lo, dei um tapa displicente, desses de namorado, que não o satisfez em absoluto. Para demonstrar o que ela "precisava", conforme disse, ficou em pé e começou a bater com toda a força, desferindo uma série de palmadas secas, estaladas, idênticas, como se sua mão fosse uma máquina de dar palmadas, até que ela começou a gemer mais alto, quase gritando, o que não aplacou a intensidade dos golpes, que se tornaram ainda mais sistemáticos. Quando terminou eu já tinha saído.

Pouco depois deixei também aquela vida, na medida em que posso dizer que a tenha vivido. Como diria o "divino marquês", não realizei nem uma parte do que concebi. Às vezes as uvas estavam verdes. Sentia outras vezes que me obrigava a dadas situações mais pelo desafio de enfrentá-las do que por impulso autêntico. Cheguei a me flagrar a caminho de um encontro daqueles como quem se desincumbe de uma tarefa. Perdiam interesse conforme deixavam de ser novidade. Confirmara minhas antigas suspeitas de que o sexo é uma daquelas divindades bárbaras que exigem oferendas crescentes e não se saciam hoje com o mesmo repasto que ainda ontem aplacava sua voracidade. Desconfiava de que toda viagem sexual fosse uma aventura de ida sem volta; temia incinerar minha sensibilidade e ser engolfado pelo turbilhão diante do qual retrocedera, amedrontado. Estava novamente envolvido com uma mulher "normal", que tinha endereço, trabalho e inibições conhecidos, e assim me reintegrei ao cânone sexual que a sociedade sabiamente estabelece para todos, encerrando um ciclo frenético, estranho como um sonho, que havia começado tempos antes com a imagem da sósia na capa da revista escandinava.

Conheci a pessoa que será chamada neste relato de Dario alguns anos depois, numa semana em que a engenharia genética estava nas manchetes de todos os noticiários. Eu estava de volta ao mundo subterrâneo que havia freqüentado por diletantismo anos antes, decidido dessa vez a empreender uma "pesquisa", embora evitasse usar o termo. Com base na pouca experiência prática anterior, que eu considerava página virada, e munido do álibi da tal "pesquisa", pretendia fazer novas observações que se estendessem de forma mais organizada para campos que deixara inexplorados na outra vez, quando me confinara ao amadorismo de certas curiosidades.

Reconheci Dario logo que entrei no clube. Tínhamos estudado juntos no final da infância, fomos amigos superficiais naquela época e nunca mais nos falamos desde então. Achei que era um azar incrível encontrar um conhecido num lugar daqueles na primeira vez em que voltava a pisar lá, tanto tempo depois de ter freqüentado esporadicamente o local sem nunca topar com ninguém. Passamos um pelo outro fingindo não reconhecer. Depois, arrependido de meu comportamento, o qual sugeria uma culpa em cartório que eu não tinha, aproveitei que ele estava em pé no balcão do bar para abordá-lo. Sem conversa, os laços em comum desfeitos havia tanto tempo, falamos sobre o assunto do dia, que era a ovelha Dolly, o primeiro mamífero clonado. Minha acompanhante, marinheira de primeira viagem, foi apresentada à dele — uma mulher bonita e elegante — e achou ótimo isolar-se numa bolha de conversa feminina que mantinha lá fora o ambiente que a intimidava. As conversas corriam paralelas. Em algum momento foi inevitável que fizéssemos a pergunta adiada desde que um reconhecera o outro, *o que você está fazendo aqui?* Aliás, não é essa a pergunta, que ninguém faz pois todo mundo sabe a resposta, mas algo como: *e aí, costuma vir muito aqui?*

Bem, em resumo sua história era parecida com a minha, com a diferença de que ele não havia recuado quando sentiu que aberrações despertavam contrapartidas em seu íntimo e que as terminações nervosas de sua sensibilidade eram destruídas a cada descarga de explicitude sexual a que se submetia. Ao contrário, ele não apenas prosseguira, deixando-se conduzir com gosto a todo desvão da sexualidade para onde seu capricho o arrastasse, como desenvolvera uma espécie de teoria a respeito, que me expôs em detalhes nos outros encontros que tivemos, teoria que em seus momentos mais imaginativos — e receio que mais dementes — me fazia lembrar a do jurista alemão que documentou a própria psicose no fim do século XIX, o dr. Daniel Paul Schreber, apelido pelo qual passei a chamá-lo de brincadeira. Foi por meio de Dario (e de suas amigas e amigos) que tive acesso, ainda que indireto, a um outro mundo, ainda mais oculto, enigmático e fechado do que o primeiro, que eu visitara nos meus tempos heróicos. O que alguma vez eu cogitara fazer, ele provavelmente havia feito, e para cada pergunta que me ocorria ele tinha duas, três respostas, nem sempre coerentes entre si. Tinha pretensões a ser professor, psicólogo "sensitivo", estudioso de história oral, aquarelista, escritor (começara um diário de suas experiências sexuais, que fora impaciente demais para manter), mas as dissimulava alegando ter frustrado todas as suas inúmeras vocações, entre elas a de publicitário, na qual havia alcançado um êxito passageiro. Para disfarçar a calvície precoce, usava os cabelos quase raspados, o que lhe dava um aspecto de alguém que tentasse parecer menos idade do que tinha. Estava em forma aos quarenta anos.

Típico aluno mediano que depois se destaca na vida profissional, ele se casou com uma mulher encantadora que conheceu na faculdade, publicitária ambiciosa como ele. A velocidade com que a carreira de ambos progredia não dava margem a disputas de poder: ganhavam bem, estavam construindo uma casa de campo e planejavam um filho quando aconteceu o impensável. Da maneira mais clássica e ridícula, tão estereotipada que ele ficaria anos sem conseguir mencionar o episódio a praticamente ninguém, Dario surpreendeu a mulher com outro homem em casa, um antigo namorado que ele conhecia de passagem e imaginava desaparecido fazia milênios. Não chegou a abrir a porta do quarto enquanto o outro se refugiava no armário, como ocorre nos melodramas e nos cartuns, mas quase isso, a ponto de ainda ouvir o corre-corre e perceber as roupas mal compostas. O impensável, que desde então constituiria um eterno mistério para ele, era que ela não emitira sinal nenhum, não parecia enfastiada, não adiara nenhum plano, não alegava dores de cabeças, nada. Acrescentou, ao me contar isso, que gastara muito tempo e dinheiro em terapeutas até conseguir falar sobre o assunto. Contar e recontar a história era um exercício que passou a lhe fazer bem.

Depois de um surto de paixão desesperada, em que ele a submeteu a um regime de presentes caros, declarações de amor e sexo assíduo, quando estava prestes a "recuperá-la" ou sentia que isso estava acontecendo, desistiu. O cristal da confiança recíproca havia sido quebrado. Não acreditava mais na mulher nem quando ela dizia que era preciso comprar açúcar porque o que tinha acabou. Separaram-se e ele mergulhou num demorado inverno afetivo, durante o qual o ressentimento se estendeu a todas as mulheres. Afastou-se de tudo, negligenciou o trabalho, os amigos pararam de telefonar. Queria afogar as mágoas em sexo, o mais impuro possível, o mais abjeto que pudesse agüentar. Queria desmascarar as mulheres, compreendia agora a jogada delas. O amor romântico havia sido inventado para atendê-las, eram elas as beneficiárias mais óbvias da monogamia, por causa de suas exigências implicantes o sexo sempre estivera contido num leito estrangulado por interditos, obrigações e negaças. Quando o homem finalmente se acostumava a essa disciplina rigorosa, quando lhe acontecia enfim o milagre de amar, era para descobrir que tudo não passava de mais uma encenação no grande teatro do fingimento feminino onde, como nos palcos antigos, atrás da tela de cada cenário havia outra e mais outra.

Adquiriu o hábito de correr para casa na sexta-feira como se quisesse aproveitar cada minuto ou tivesse um encontro marcado (às vezes tinha), numa cadeira em frente ao computador. Ali, protegido pelo anonimato do *nickname* com que cada pessoa entra nas salas de bate-papo virtual, dedicava-se a aliciar mulheres disponíveis no éter daqueles espaços infinitos. Para escolher com quem conversaria — ou teclaria, na gíria dos usuários —, começava por descartar apelidos pretensamente provocantes, tais como

Fogosa ou Gata Insaciável, marca registrada de mulheres sem imaginação sexual. Excluía também os melosos, como Carinhosa ou Moranguinho, e fugia como o diabo da cruz de coisas como Solitária, Carente e Toda Sua. Aprendeu que as incontáveis Curiosa eram as que não tinham curiosidade nenhuma. Passou a preferir apelidos como Andréia 35 SP, nos quais ficava implícita, pelas indicações sumárias de idade e lugar, a seriedade de propósito, talvez a possibilidade de um encontro. Não resistia, porém, a *nicks* engraçados, como Lady Murphy ou Mulher de Fino Trato.

Uma série de estratagemas desenvolvidos nos diálogos que mantinha com tais mulheres logo permitia identificar se de fato não eram homens fazendo-se passar por mulheres e até mesmo se eram mulheres que diziam a verdade ou pelo menos não mentiam demais. Aplicava testes de coerência, para ver se a pessoa repetia exatamente, por exemplo, um dado numérico que dera antes. Começou a reconhecer as perguntas e respostas típicas de eventuais homens travestidos sob *nicks* femininos, de mulheres maduras, de esposas que teclavam no PC do filho, de adolescentes curiosas. Gostava de excitá-las e passou a selecionar suas parceiras de conversação virtual entre as que mais correspondiam aos estímulos de sua imaginação cada vez mais elaborada e de suas abordagens sempre mais habilidosas, tendo a grata surpresa de constatar que muitas vezes elas eram também as que se expressavam num português mais articulado.

Não importava tanto, então, se a mulher fosse feia ou bonita, gorda ou magra, alegre ou triste, desde que houvesse um coração de mulher na outra ponta da madrugada, às vezes insone enquanto o parceiro de carne e osso ressonava no quarto ao lado, compelida pela urgência da libido a exibir as fantasias mais inconfessáveis, que o álcool às vezes ajudava a liberar e a insônia tornava persistentes, assumindo ali, onde ninguém expõe sua identidade e tem por isso tão pouco a temer, que mesmo a mulher no alto do pedestal pode, *quer* ser arrastada até aqui embaixo, onde ele, Dario, chafurdava. Mas não havia tanta solenidade assim. Era um jogo fascinante e tolo como todo jogo, quase sempre bem-humorado, em que um homem "criativo", como suas parceiras virtuais costumavam qualificar sua prosa, quase sempre se saía bem, desde que lhe dessem a atenção de algumas frases para que se fizesse notar pelo senso de humor, pela aparente displicência, pelos prenúncios de uma imaginação realmente lasciva. Também era um jogo no sentido de que seu desfecho era imprevisível, às vezes a pessoa não respondia a seu convite ou sumia da sala de repente no auge da conversa, ocasiões estas em que ele jamais tinha como saber se dissera algo errado, se alguém entrara no recinto *real* onde a outra pessoa teclava, se a conexão dela havia simplesmente caído, como acontecia no passado, bem mais do que hoje. Se a conversa se prolongava e ele conseguia excitar a mulher e até fazê-la gozar (e um homem como ele achava que havia desenvolvido técnicas, também, para saber com razoável certeza se um orgasmo virtual era fingido ou não), considerava uma partida ganha. Tinha para ele um efeito extasiante produzir convulsão de tal modo intensa e íntima sem nem ao menos encostar na pessoa, que talvez estivesse a milhares de quilômetros de distância, mas sobretudo se regozijava com a evidência de que tantas mulheres seriam depravadas se pudessem sê-lo secretamente. Ficava assim esclarecida uma dúvida que ele tinha desde que começara a pensar.

A dinâmica psicológica era a do jogo: se perdia, queria tentar uma desforra; se ganhava, ficava animado para mais uma partida. Assim corriam as horas e num instante já era dia, mas ele continuava nas salas. Dissipava fins de semana a fio, às vezes com a mesma calça de pijama dia e noite, rodeado de pratos sujos e latas de cerveja. Tudo o que não fosse relacionado ao sexo virtual se tornara tedioso, estúpido, vulgar, e sua vida parecia composta de uma série de obstáculos, que ele tratava de reduzir e abreviar, entre uma sessão nas salas de bate-papo e a seguinte. A rotina dos fins de semana começou a contaminar os outros dias. Mas àquela altura ele já tinha, como chamá-las, parceiras? Clientes? Amigas virtuais? Fossem o que fossem, eram periódicas, chegavam a marcar dia e hora como fariam com o dentista. Boa parte delas estava interessada em masturbação rápida, asséptica e eficiente; essas ele dispensava depois de uma ou duas noitadas eletrônicas, perdulário como um Don Juan. As que mais o interessavam eram as que tinham um precipício sexual na alma e aceitavam jogar-se lá dentro de mãos dadas com ele, assustadas e divertidas ao mesmo tempo, como se gritassem ao cair de olhos fechados. Se para tanto ele tivesse de solapar aos poucos a resistência mais empedernida, tanto melhor, mesmo que a tarefa consumisse sua paciência e seu sono, mesmo que ele investisse tantas vezes na pessoa errada, que no meio do caminho acabava se entediando por falta de imaginação ou se afastando por excesso de pudor, pois essas vicissitudes eram mais do que compensadas por aqueles casos em que as via se converterem passo a passo em perfeitas libertinas, ainda que de camisola e trancadas a sós no segredo de suas, digamos, alcovas.

Uma vez entrou com um *nick* de mulher numa das salas, para *estudar a concorrência*, conforme me explicou. Foi abordado por um sujeito chamado Ronaldo, que o convidou para teclarem numa sala vazia, onde teriam mais privacidade. Ele foi. Quase sem que ele percebesse, enquanto fazia perguntas e comentários triviais, o outro começou a lhe dar instruções. Pedia que fizesse coisas objetivas, que o requisitavam a se movimentar pelo aposento, ir buscar objetos etc. Esclarecia que não haveria problema se "ela" não pudesse atender o que ele pedia, receberia novas ordens ou passariam a teclar sobre outro assunto. O importante, dizia Ronaldo, era que "ela" fosse sincera e verdadeira em suas respostas. Se mentisse, dizendo obedecer quando na verdade não cumpria o que ele solicitava pela tela, o jogo perderia a graça para "ela" e também para ele, que era experiente e não demoraria a perceber a mistificação. Deixou o sedutor falando sozinho na sala, perguntando-se, provavelmente, se a conexão da suposta parceira "caíra". Seu coração martelava. Havia aprendido algo fundamental com Ronaldo — conforme ele veio a saber mais tarde, um *nerd* de vinte e poucos anos que morava com os pais e desenvolvera essa técnica de manipulação consentida em que o sexo à distância quase se materializa sem os inconvenientes de fazê-lo. Mesmo depois de constatar que a técnica não era uma invenção de Ronaldo, que evidentemente centenas, milhares de pessoas pelo mundo afora faziam uso de variações dela em atuações eróticas na net, sempre se referia ao fantasma desse *nick* como se por trás dele se escondesse um Arquimedes, um Copérnico.

Passou a teclar também nas demais noites da semana, depois de dia, nas horas de almoço — quando se deu conta havia adquirido um novo vício e estava teclando a qualquer hora. Por meio de uma sedução que alternava suavidade e linguagem chula, de preferência nos momentos em que esses atributos *não* eram esperados, envolvia um batalhão de balconistas, atendentes, secretárias ociosas e professoras no intervalo das aulas, mulheres que haviam entrado nas salas de sexo para dar uma espiada e iam ficando, mesmerizadas pelo modo como ele conduzia a conversação. Às vezes entretinha duas delas (é possível teclar *reservadamente* com cada pessoa), como se jogasse duas partidas de xadrez ao mesmo tempo. Não dizia grosserias, não fazia exigências, não se incomodava que abandonassem a conversa. Propunha coisas. Por exemplo, que tal se ela agora se levantasse, fosse ao banheiro, tirasse a calcinha, guardasse a peça na bolsa e voltasse? (No meio da operação ela deveria verificar se sua vagina estava de fato "encharcada".) Se ela lhe perguntasse por que faria isso, como acontecia com freqüência, respondia algo como *apenas por fazer* ou *porque você nunca fez* ou *porque vamos compartilhar esse segredo*. Em circunstâncias normais está claro que ninguém obedeceria, mas não se tratava tanto de obedecer como de aceitar um desafio sem maiores conseqüências, que parecia a decorrência surpreendente mas inevitável de uma conversa que desde o início tivera um cunho atrevido. Uma coisa era falar de fantasias ou "encená-las" no texto, outra, completamente diferente, era saltar da tela para o real — ninguém imaginaria que o pulo pudesse ser tão curto. Pedia às vezes que ela se masturbasse disfarçadamente sob as roupas ou se trancasse no banheiro para escrever com batom certas palavras no próprio corpo. Tinha boas razões para crer que coisas assim de fato ocorriam de vez em quando.

Ele começara a freqüentar as salas especializadas em sadomasoquismo, atraído inicialmente por aquela sua curiosidade onívora e logo depois surpreso ao descobrir panorama tão exótico, amplo e diversificado, num ambiente em que as convenções sexuais não ficavam suspensas por brincadeira, como nos clubes e encontros de casais, mas eram retorcidas e arremedadas, configurando um mundo de pernas para o ar que os participantes pareciam levar bastante a sério. Freqüentei, na fase das "pesquisas", esse tipo de sala, onde uma atmosfera ritualística e um jargão altamente específico intimidam o curioso. Quase sempre ele entra, vê aquela lista de *nicks* estranhos — mudos como seres das profundezas do oceano camuflados entre as rochas à espera de uma presa —, faz uma intervenção desastrada, não obtém resposta e sai.

Mas o navegador persistente descobre que essa ilhota idiossincrática oculta um continente a perder de vista. Quando associa sadomasoquismo a açoites e calabouços medievais, o leigo não está errado, embora pense como o turista que, tendo subido o Pão de Açúcar e o Corcovado, acha que conheceu o Rio de Janeiro. Os adeptos preferem a sigla BDSM (alusiva a *bondage*, dominação, submissão, sadismo e masoquismo), mas ela tampouco é capaz de englobar as dezenas de variantes que se reúnem de uma forma ou de outra sob essa extensa rubrica, como se o homossexualismo houvesse adquirido tamanha proeminência na condição de principal desvio da conduta sexual que quase todos os demais se vissem obrigados a buscar refúgio sob um mesmo guarda-chuva alternativo. A distinção preliminar é entre dominação/submissão, em que prevalecem os laços psicológicos, e sadismo/masoquismo, em que predominam os físicos. Um(a) *dominador(a)* pode dar ordens a que um(a) *submisso(a)* gosta de obedecer, pode humilhar o outro, submetê-lo a privações e até castigos corporais, desde que leves. Já na relação entre *sádico* e *masoquista*, o essencial é o prazer que ambos sentem ao infligir/sofrer graus crescentes de dor física.

Os dois campos se confundem na prática. Por mais que a masoquista, por exemplo, permaneça indiferente na presença do sádico, sem respeitar nem temer sua "autoridade", haverá dominação, mesmo que puramente física. E por mais que um submisso seja obediente e se preste aos desejos do dominador, haverá ocasiões em que adotará, às vezes de propósito, comportamentos que dão ensejo a castigos físicos. Conhecer e seguir as regras estipuladas é considerado tão estimulante quanto ver o outro violá-las a seu bel-prazer. Só aparentemente a pessoa que faz o papel passivo, submisso, fica inativa. O desafio do masoquista é dobrar o sádico, mostrando uma resistência à dor maior que a capacidade dele para fazer doer. O desafio do submisso é manipular o dominador, ensinando-o a navegar pelo mapa das suas reações. É como se o jogo de poder subjacente a toda relação amorosa fosse trazido à tona para ser encenado na forma de caricatura. Em volta dessas duas grandes tribos se agregam outras, menos importantes, compondo toda uma taxonomia da perversão. A mais numerosa é a dos *podólatras*, os adoradores de pés. São submissos de uma espécie particular, que se limitam a cuidar, beijar e adorar os pés de suas *rainhas*, as quais se comprazem por sua vez em pisoteá-los, sem ter necessariamente o cuidado de evitar os órgãos genitais. Dado o caráter quase sempre ingênuo de seu fetiche, são tratados com certo desdém não apenas pelas donas dos pés, mas pelos integrantes das demais tribos, embora se beneficiem de uma vantagem: sua fixação é inofensiva o bastante para que possam se entregar a ela em contextos públicos, nos salões das concorridas festas que costumam promover.

Há uma variedade de outros *fetichistas*, obcecados por lingerie, pêlos pubianos, incesto, grávidas, couro, correntes, algemas, facas, simulação de estupro, legumes. A mais inconcebível dessas tendências talvez seja a dos masoquistas que têm compulsão por sofrer cócegas. Mas há ainda os *zoofilistas*, interessados em sexo entre humanos e animais (não apenas cavalos ou cães, estes eventualmente treinados para "cobrir" mulheres, mas até cobras e enguias usadas para fins de penetração), e os entusiastas do *sexo bizarro*, que envolve fezes ou urina, chamada pelo poético eufemismo de *chuva dourada* — todos grupos minoritários, situados na franja do espectro da sexualidade possível e vistos com a devida reserva pelos demais. Mesmo nas perversões majoritárias há especialidades. Os *bondagistas*, por exemplo, são dominadores que se dedicam às técnicas de amarrar mulheres de modo a deixá-las imobilizadas, às vezes suspensas por cordas no ar, sem causar acidentes vasculares. Ficam assim por um bom tempo, ostentando os intrincados desenhos formados pelas cordas de nylon, que permanecem depois por algumas horas como espectros gravados na pele nua. Existem concursos em que novas "instalações" são apresentadas a um público seleto. As dominadoras que apreciam a *inversão*, outro exemplo, costumam vestir o submisso (nesse caso chamado de *sissi*, em alusão à imperatriz do filme) com roupas femininas, maquiá-lo e eventualmente possuí-lo, fazendo uso de invejáveis falos presos à cintura. São chamados de *cross-dressers* (*CD*s) os fixados em usar roupas do sexo oposto. A lista ficaria muito incompleta se não fosse mencionada a categoria dos *switchers*, os curingas desse baralho, dispostos a desempenhar o papel de dominador ou submisso conforme a ocasião, o parceiro e a própria impaciência...

Ao ultrapassar os umbrais desse mundo, uma das noções a ser alteradas é a que organiza o desejo em função de preferências de gênero. Todos os qualificativos que usei até agora são comuns de dois gêneros, aplicáveis na flexão masculina ou feminina. Há homens e mulheres que dominam pessoas de qualquer sexo, como se esse critério não precisasse ser levado em conta. Lembro-me de uma dominadora que se referia de forma zombeteira à parada do orgulho gay, na época em que a manifestação ganhava destaque como evento público na cidade, como *aquele monte de* baunilhas *lá na avenida Paulista* (baunilhas são as pessoas que só fazem sexo "normal"). Mais espantoso ainda, grande parte dos sádicos e dominadores não desenvolve nenhuma atividade propriamente sexual com seus parceiros. Alegam que um *senhor* não se rebaixaria a fazer sexo com uma *sub*, nem ela costuma alimentar tal expectativa, que deveria satisfazer em outro departamento, com o marido ou namorado, que muitas de fato têm, levando duas vidas paralelas. Não saberia estimar quantos desses dominadores são menos castos do que impotentes, nem quantas de suas colegas são lésbicas que extraem prazer da humilhação imposta a homens que se deixam escravizar. Existem ainda os partidários da dominação *24 por 7*, a saber, 24 horas por dia, sete dias por semana, que muitos recusam até porque já vivem de certa forma sob esse regime, sendo casados na vida baunilha. Nos casos em que existe uma ligação duradoura, o parceiro é orgulhosamente chamado de *dono* pela submissa. Quando os contatos se limitam a *sessões* esporádicas, ela o chama de *senhor, lord* ou *mestre*, tratamento este que Dario dizia detestar, por trazer lembranças de desenhos e seriados para crianças.

As *pony girls*, outra tribo dessa heterogênea nação, constituem um exemplo máximo de como suas práticas podem se afastar de qualquer atividade reconhecível como sexual. O sexo fica plasmado numa minuciosa fábula de dominação, ao mesmo tempo coerente e absurda, levada às últimas conseqüências em cada pormenor. Como o nome indica, essa categoria de submissas é composta de mulheres que durante as sessões envergam arreios, cabresto, penacho e cauda, e são "adestradas" como pôneis, aprendendo a puxar charretes, saltar obstáculos, disputar provas com outras "éguas" do plantel e até arar a terra. Por mais que o funcionamento de um haras assim, ao ar livre, onde *pony girls* são exibidas, inseminadas e vendidas certamente não passe de fantasia insana, modalidades parciais, domésticas, dessas estranhas práticas ocorrem. Uma aficionada me fez chegar às mãos um volumoso manual referente ao assunto, mimeografado, mas que pelo conteúdo mais parecia um tratado inglês sobre equitação — tão inacreditável quanto a tara em si era que alguém se desse ao trabalho de escrever aquilo. Essa mesma pessoa informou que os apetrechos usados por pôneis de verdade são compatíveis com as dimensões do corpo da mulher, mas que existem *adereços* — palavra que designa, aliás, tanto jóias como arreios — feitos para uso humano e importados da Alemanha.

Seria tentador, mas precipitado, concluir que mulheres submetidas a tais situações são vítimas indefesas que fariam bem em pedir proteção às autoridades. A maioria das subs são mulheres ativas, até dominantes na vida cotidiana. Demorei a compreender, se é que cheguei a isso, como é possível que por vezes uma mesma mulher concilie suas convicções feministas com a condição de *escrava* da qual se mostrava tão envaidecida. A explicação parece a dos contratualistas do século XVIII: o que fazem é de seu livre desejo, e só alienam parte do controle sobre o próprio corpo porque podem resgatá-la quando quiserem. Alegam que a descoberta de que seria possível realizar suas fantasias em condições de segurança e sigilo havia ampliado suas possibilidades e enriquecido suas vidas. Deixemos aos psicólogos debater os mecanismos que levam a esses e outros comportamentos sexuais incomuns. Suas teorias a respeito, por excelentes que sejam, filtrariam um relato que tento fixar de maneira tão viva e direta quanto conseguir.

Passo a palavra a Minerva, uma submissa requintada e cheia de espírito. "É essencialmente um jogo erótico, baseado em papéis consensuais de dominação e submissão. É ao mesmo tempo um jogo divertido e sério, porque elaboramos conscientemente o papel a partir de fantasias eróticas profundas, que nunca conhecemos por completo. É um jogo de espelhos também, em que cada papel é a materialização da fantasia do outro. Transformamos fantasia em realidade — ou criamos nossa própria realidade compartilhada. O sexo baunilha mobiliza apenas o desejo físico, deixando de lado as faculdades intelectuais e imaginativas. O SM estimula a observação, a análise, a crítica e a fantasia. Do mesmo jeito que um abrigo se transforma em arquitetura, comida vira gastronomia, roupa é moda, palavra é poesia — as alegrias do sexo baunilha se transfiguram no sexo SM", diz Minerva. Essa mulher extraordinária descobriu que tinha tais curiosidades depois de dois casamentos, ao folhear por acaso uma revista onde havia ilustrações sobre o assunto. A submissão consentida talvez potencialize a libido, sobretudo em certas mulheres, por recolocar todo o simbolismo da repressão a serviço do desejo, em vez de confrontá-lo.

Grande parte do repertório de que são feitas as sessões de dominação reproduz o discurso repressivo ouvido ao longo da infância, cheio de proibições, reprimendas e ameaças: a submissa é tratada como "mocinha" que fará jus a prêmios caso se "comporte bem", ou merecerá castigos sempre que se revelar manhosa, atrevida ou negligente. A diferença é que esse arsenal agora trabalha a favor do desejo, e não contra ele, ao mesmo tempo que "boa" e "má" conduta de certa maneira trocam de lugar — se a submissa é chamada de "vagabunda", por exemplo, conforme o contexto isso deveria ser tomado como um elogio que caberia talvez agradecer, mostrando-se uma garota educada, assim como uma crítica poderia vir expressa numa pergunta assim: *deu para se fazer de recatada agora?* Nas salas virtuais, quando acontecia às vezes de algum pára-quedista entrar e perguntar se alguma "gatinha" estava a fim, uma logo respondia no *aberto*, para que todos pudessem ler: *aqui não tem nenhuma gatinha, só cadelas!*

A cultura sexual "normal" incumbe a mulher de estabelecer limites, fazer escolhas, administrar a entrega de seu corpo, tomar uma série de decisões que são solicitadas pela insistência do desejo masculino, ao qual não convém ceder de imediato. Estabelecido o consentimento prévio numa relação de submissão, que implica um laço de confiança difícil de surgir, mas capaz de gerar uma intimidade única quando acontece, a mulher deixa de ser "responsável" pelo que vai ocorrer entre quatro paredes. O outro manipula seu corpo e suas sensações do mesmo modo como um virtuose — ou um músico medíocre... — tocaria seu instrumento. Se existe alguma verdade na noção de que homens desejam e mulheres gostam de ser desejadas, ela culmina nesse tipo de relacionamento. O foco de todas as atenções é a materialidade do corpo da mulher, a ser inspecionado, disciplinado, adornado, escancarado e desfrutado. Ao contrário das aparências, o dominador é um coadjuvante e a submissa é uma narcisista. Quase não chega a surpreender que às vezes a mulher seja utilizada durante a sessão tão-somente como "objeto" decorativo, de preferência associado a uma função utilitária — quando seu dorso ou ventre serve como "mesa" para copos, por exemplo —, exatamente como faria um Pigmalião às avessas, que mudasse mulheres em estátuas.

Por volta de dois terços das submissas, talvez, são mulheres acima do peso. Esse era o caso de Norminha, a primeira parceira que se revelou disposta a uma sessão real de submissão sexual consentida com Dario. Nenhum dos dois jamais havia feito aquilo. Ela era uma mulher grande, vistosa, divertida, com fisionomia árabe. Encontraram-se num bar, acalmaram-se mutuamente, cada um foi removendo as hesitações do outro. Ela lhe mostrou uma foto de seu filho. Como calouros que seguem o manual à risca, conversaram sobre *limites* — as fronteiras intransponíveis de cada um — e combinaram *palavras de segurança*, expressões em código que, usadas durante uma sessão, alertam o dominador de que ele está exorbitando ou significam que a *sub* quer interromper a experiência. Ela se perguntava se ele não seria um psicopata; ele, se conseguiria apresentar alguma ereção. No quarto do motel, deu-lhe algumas instruções banais, que ela cumpriu. E então, de uma maneira tão diversa do amor romântico, que em geral requer insinuações e carinhos a título de "aquecimento", eles imediatamente passaram a colocar em prática algumas das coisas que tinham visto em imagens nas salas virtuais. Entre tantas sensações de uma voluptuosidade estonteante, que lhe traziam de volta relâmpagos de fantasias mal esquecidas que ele enfim compreendia, como se agora elas reluzissem por inteiro, adornadas com todos os mistérios antes apenas entrevistos, algo que lhe pareceu inédito foi ter o controle do tempo sexual, acostumar-se à idéia de que não seria preciso ter pressa nem se adaptar a um ritmo que não fosse o seu próprio, sabendo que a outra pessoa estaria ali, à disposição. Junto a esse poder vinha a responsabilidade pela produção e direção do "espetáculo".

Tente imaginar a cena: não é difícil perceber que a relação de dominação sexual está sempre à beira do ridículo. Cabe ao dominador saber o que pretende, fixar de antemão os passos que dará naquele dia, ter em mãos os objetos que serão necessários e que não precisam chegar aos extremos das máscaras asfixiantes ou das máquinas dotadas de pistão em cuja ponta se acopla um falo de borracha. Podem ser inocentes utensílios que todo lar abriga: chinelos, réguas, barbantes, canetas, velas, pregadores de roupa, esparadrapo... (Certa vez eu quis saber ingenuamente como conseguiam coleiras e a resposta foi a mais óbvia, pet shops, claro, onde mais haveria coleiras, como a imaginação é preguiçosa quando não está espicaçada por um desejo imperioso!) Um dominador experiente saberá dar começo, meio e fim a uma sessão — se for talentoso, ela terá uma lógica, como se desdobrasse variações harmônicas em torno de um só tema musical. Caso a submissa perceba hiatos na condução dos trabalhos, sinta que o outro está indeciso ou constate que cometeu erros, nessa atividade em que toda atenção com acidentes é pouca, o encantamento pode desaparecer de repente, pondo fim ao teatro da dominação, que também depende da convicção íntima dos atores. Para encerrar o contrato, basta que a *sub* devolva a coleira ou que o dominador a requisite de volta.

Àquela primeira aventura seguiram-se outras, com mulheres impulsivas, aventureiras e libidinosas (as que não tinham essas características nunca abandonavam a solitária segurança do mundo "virtual"), mulheres que Dario aprendeu a escutar, pois era da imaginação fecunda de todas as suas vozes que extraía o material a ser condensado nas práticas que começou a desenvolver e aperfeiçoar. Aprendeu também a descobrir novas formas de beleza, a identificar em quase toda mulher um aspecto ou detalhe encantador. Teve a sorte de encontrar duplas que realizaram com ele a fantasia freudiana na qual a experiência infantil de apanhar demanda a presença de outra criança, que testemunha o castigo ou também deverá sofrê-lo. Nessas sessões coletivas, era como se sua vertigem se multiplicasse por dois (ou por quatro, se pensarmos no parcialismo masculino em torno de nádegas e seios). Notou que mulheres mais jovens, quem sabe por motivos de origem hormonal, gostavam de desobedecer, como se testassem os limites da má-criação. Certa vez, uma garota ruiva e atraente, muito instruída para seus vinte e poucos anos, foi amarrada à cadeira. Ele deixou o quarto por um minuto e ao voltar só encontrou as cordas esparramadas no chão — ela havia desaparecido. Quando se preparava para começar o que lhe parecia uma busca entediante e infantil pelos aposentos a porta bateu; ela acabava de trancá-lo dentro e dava gargalhadas do lado de fora. Respirou fundo. Cumprimentou-a pela inventividade. E disse que agora já estava satisfeita e podia abrir a porta. Como recompensa pela travessura, ela ganhou chineladas até seu respeitável traseiro ficar vermelho e inchado como uma abóbora. Mas esse era um comportamento perigoso, que forçava as fronteiras do consenso rumo a uma terra de ninguém onde o dominador poderia perder o sangue-frio no esforço de restaurar sua autoridade abalada.

Dario chegou a desistir mais de uma vez. Concluía que os obstáculos eram sobre-humanos, que enfrentava sozinho os exércitos coligados e invencíveis da repressão. Revivia as infinitas vezes (quase todo dia, na verdade) em que contemplava à distância, sofrendo um despeito que doía quase fisicamente, aqueles bandos esvoaçantes de mulheres apetitosas, lindas, bem vestidas, seguras o bastante do próprio fascínio sexual para poder se permitir até este luxo, o de fingir que não se importavam com isso. Sabiam que no momento em que estalassem um dedo teriam o mundo a seus pés, as vadias. Sentia-se o Portnoy do romance de Philip Roth, como se fosse o único obcecado por sexo neste mundo de criaturas plenamente satisfeitas consigo mesmas e para as quais a atividade sexual tinha sua devida importância, sim — afinal aquelas mulheres eram estonteantes antes de mais nada por serem saudáveis como uma manhã de primavera —, mas não a ponto de deixar seus genitais em carne viva de tanto se masturbarem.

As salas de SM viviam lotadas e não faltavam mulheres interessadas em sessões de domínio virtual. Mas era quase sempre raro, difícil e demorado conseguir um encontro ao vivo. E quando isso enfim acontecia, alguma coisa quebrava o encanto, nem sempre porque a candidata estava acima do peso. Às vezes não parava de falar, uma nuvem de nomes suburbanos, casos familiares, infortúnios profissionais e sentimentalidades sem o menor interesse. Às vezes era tão inexperiente que ele tinha vontade de começar explicando sobre pólen e abelhinhas (como pedagogia radical para esses casos chegou a distribuir exemplares das confissões sexuais de Catherine Millet, a francesa que descreveu sua pasmosa vida de desregramentos com objetividade de anatomista). Às vezes a mulher simplesmente morava longe demais. Ou tinha um tique que ele não tolerava. Ou desistia na última hora, de preferência na porta do motel: *desculpe, mas não vou conseguir fazer isso, vamos voltar...* Encontrou certa vez, por milagre, uma mulher que parecia perfeita, mas ela estava saindo de uma tumultuosa relação com um dominador, *o primeiro e último na minha vida*. Da mesma forma que o arrivista acredita, a cada passo de sua escalada mundana, que agora sim conseguiu finalmente chegar à alta sociedade, mas sempre suspeitando da existência de um círculo ainda mais restrito e elegante que permanece não apenas inacessível, mas desconhecido por ele, Dario imaginava que em algum lugar haveria um eldorado de libertinas bonitas, esclarecidas e cheias de imaginação sobre as quais ele jamais colocaria as próprias patas.

  Mesmo assim, a possibilidade de encontrar em pessoa mulheres com esse tipo de inclinação sexual teve uma conseqüência saudável. Ele percebeu que estava curado do vício eletrônico que o mantivera por tantas horas colado à tela, como um demente. Notava também que as salas de sexo eram freqüentadas por levas de pessoas, que entravam uma primeira vez, tornavam-se assíduas durante alguns dias, semanas, no máximo meses, e depois sumiam. Cansavam da brincadeira, arrumavam um namorado na vida real ou desistiam diante do obstáculo tremendo de dar o passo seguinte e ir até um shopping encontrar um desconhecido. Se o pior acontecer, se o sujeito for um tipo abusado, um violento, um assaltante, um chantagista, o que faz uma azarada nessas circunstâncias? Até na Delegacia da Mulher vão rir de seu caso: *fui agredida por um desconhecido com quem me encontrei depois de conhecê-lo em salas de sadomasoquismo virtual...* Felizmente para as medrosas, a libido ataca em ondas periódicas. Nada mais comum, dizia Dario, do que seduzir uma mulher durante a madrugada, revirar suas fantasias pelo avesso e ensinar-lhe várias outras que nunca tinham passado por sua cabeça e que a fazem suar, tremer, ofegar, *toda molhadinha*, como elas dizem, sentada feito uma bacante em frente ao computador. Depois de horas disso, depois de ela fazer juras de amor eterno e planejar os detalhes de um encontro real com ele no dia seguinte, quando chega o esperado dia seguinte ela simplesmente some. Seu e-mail fica mudo. Seu celular não atende. Tinha caído a ficha. *Estou ficando louca. Voltei bêbada da festa. Estou carente. Preciso dar um jeito na minha vida etc.*

Agora ele entrava nas salas especializadas não mais que de vez em quando, senhor de seus desejos e do que procurava: a submissa ideal. Dizia que procurava uma agulha de ouro no palheiro, tomando os cuidados possíveis para não topar com algum escorpião. Tantas candidatas se apresentavam, aparentemente disponíveis, que ele desenvolveu uma espécie de formulário. Começou como brincadeira. Logo ficou claro que ser submetida a um questionário no qual sua intimidade seria esquadrinhada por um desconhecido, que depois a aceitaria ou rejeitaria sem maiores explicações, era um passatempo extremamente divertido para muita mulher com inclinação submissa. Iniciava as questões como um funcionário do IBGE, perguntando idade, altura, peso, etnia, estado civil. Em seguida avaliava a experiência sexual da postulante, quantos parceiros tivera, seus hábitos de masturbação, se sentia atração por mulheres etc. Só depois entrava nas fantasias e possíveis vivências relacionadas ao fetiche. Apresentava então possibilidades concretas, sonhos eróticos que poderiam se tornar realidade e aos quais a candidata deveria atribuir notas de acordo com seu interesse pelo exercício em questão. Ele fazia os cruzamentos necessários e extraía suas conclusões. Por exemplo, uma mulher que tivera dez ou vinte parceiros dificilmente não seria atraente. Muitas informavam, envergonhadas, que seu escore era um parceiro, dois. O.k., chatas, inexperientes, mas estavam falando a verdade. Formulou o que chamava por piada de *constante de Dario*, cálculo em que se tomava o número de parceiros fornecido pela mulher e se multiplicava esse algarismo por dois para assim obter o número real. Com base na observação empírica, acreditava poder afirmar que a maioria das interrogadas se masturbava várias vezes por semana, tinha medo de sexo anal, alimentava fantasias de ir para a cama com dois homens e superestimava os próprios talentos para chupar. Um número expressivo — atenção, fabricantes — utilizava tubos de desodorante e cabos de escovas de cabelo como objetos de uso íntimo.

Como já disse, ele era fanático por teorias. Há cientistas para quem as diferenças entre o comportamento sexual masculino e o feminino remontam a fatos biológicos. Homens tendem a ser promíscuos porque dispõem, por exemplo, de um reservatório inesgotável de espermatozóides a semear, enquanto mulheres são mais seletivas porque contam com apenas algumas centenas de óvulos fertilizáveis. O vínculo da mulher com a prole, mais profundo que o da paternidade, que só apareceu tardiamente, como decorrência de um dado grau de civilização, condiciona a propensão feminina a valorizar a estabilidade de relações com um parceiro exclusivo. Outros estudiosos enfatizam, ao contrário, a mediação cultural, o peso das construções ideológicas sob as quais uma suposta diferenciação orgânica, "natural", mesmo que existisse de modo unívoco, seria irreconhecível. Esse debate é interminável e vem de longe. Num livro instrutivo sobre os desencontros entre as representações do sexo como ente físico e como fantasma cultural na crônica da medicina (*Inventando o sexo — Corpo e gênero dos gregos a Freud*, Relume Dumará, 2001), o historiador americano Thomas Laqueur reconstitui uma polêmica dos séculos XVII e XVIII, relativa à ausência do cio na espécie humana.

Para sustentar sua idéia de que no estado de natureza, anterior ao estabelecimento da sociedade, vigorava a "luta de todos contra todos" na qual o "homem é o lobo do homem", Hobbes argumenta que nossos ancestrais primitivos também se digladiavam para disputar as fêmeas, a exemplo dos outros animais, mas com resultados muito mais devastadores, pois já começavam a dispor de utensílios capazes de ampliar o dano que poderiam causar uns aos outros. O casamento, bem como as demais instituições sociais, teria surgido como meio de estabelecer uma trégua sexual entre homens beligerantes. Em resposta, Rousseau, sempre complacente, invocou a ausência do período de cio entre as fêmeas humanas, que estão aptas para o encontro sexual a qualquer tempo, circunstância feliz que a seu ver dispensaria os combates, comuns entre os machos das demais espécies, obrigados a disputar uma vaga nos intervalos estreitos do cio. Já Pufendorf, outro contratualista, extraiu do mesmo raciocínio a conclusão oposta: havendo mais oportunidade sexual, haveria mais ocasião de conflito.

Nada disso vem muito ao caso, exceto como ilustração pitoresca do tipo de discussão em que Dario "Schreber" metia a colher. Não estava interessado no que escreveram os clássicos, nem nas hipóteses mais recentes da biologia social ou que nome tenha, a menos que viessem como apoio de suas especulações. Tinha sua própria teoria, uma bricolagem de senso comum e idéias alheias da qual nenhuma objeção era capaz de demovê-lo. Afirmava, em resumo, que num tempo longínquo e mitológico todo sexo era dominação. Machos submetiam, possuíam e engravidavam fêmeas — e todo mundo era feliz. Em algum momento as fêmeas se uniram aos machos submissos. Viram que a união fazia a força e impuseram restrições cada vez maiores ao livre acesso sexual. Os submissos e os pouco interessados em sexo ganhavam com isso, pois as oportunidades passavam a se repartir de forma mais equânime. Mas, por meio desse acordo primordial — nada menos do que o primeiro de todos os pactos —, eram as mulheres, claro, quem mais lucrava ao criar diques de proteção contra a ameaça que cada uma representava para as demais, incluindo as jovens, que um dia sofreriam, também, a concorrência de fêmeas mais novas. *Pena que os homens tenham tanta vontade de enfiar o negócio deles em várias mulheres, daqui por diante vão ter de escolher um buraco só e ficar com ele...* Esse marco inaugural teria sido mais ou menos concomitante, não me pergunte por quê, com a domesticação do fogo e a invenção das línguas. Pode pôr o tabu do incesto junto, se quiser. Era a Revolução Baunilha, a primeira e maior de todas. Dario havia lido uma reportagem sobre a vida sexual dos chimpanzés e estava tudo lá, era exatamente assim que as fêmeas daquela espécie agiam ainda hoje, sob os olhos de quem quisesse ver, as malandras, forjando intrigas e fazendo suas aliançazinhas com os mais fracos por meio das quais promoviam verdadeiros golpes de Estado e se tornavam o fiel da balança no equilíbrio político da *porra da comunidade*.

Ele estava empolgado, mas ainda não tinha terminado. Depois de haver criado o espetáculo da civilização há alguns milhares de anos (para ser congruente com aquela parte sobre o fogo e as línguas ele provavelmente deveria recuar essa data algumas centenas de milhares de anos), depois de ter inventado todas as proibições sexuais que ocorreram a suas cabecinhas, eis que as mulheres passam a sofrer de uma nostalgia inexplicável que fica ali, formigando. É a mesma nostalgia que levou aquelas adoráveis Desdêmona, Ofélia e Julieta a se entregarem com uma sofreguidão de devassas, que agita tantos corpos femininos ardentes entre os lençóis de todas as eras — como deve estar acontecendo agora mesmo no quarto da vizinha ao lado —, que explica a lascívia das mocinhas pelo bandido, das beatas pelo padre, das alunas pelo professor, das adolescentes pelo cafajeste malvisto pelos pais, das vovós pelos piratas dos filmes antigos, das patricinhas pelo rapper, das casadas pelo amante, das putas pelo gigolô... Pense nas bacantes, nas bruxas, nas histéricas. Pense nas Bovarys, nas Karêninas, nas Capitus. Não está na cara? Uma nostalgia do magma sexual de onde viemos, quando éramos apenas corpos, não indivíduos. Sentem falta, em bom português, daqueles tempos em que um homem chegava por trás e metia sem cerimônias quando elas estavam agachadas catando no chão a *porra das raízes silvestres*. O que era aquela fina casca de verniz de uns poucos milhares de anos comparada à eternidade em que vivemos como nossos amigos chimpanzés? Não se apaga um passado desses... Eterno retorno. A volta do reprimido. Saudade das cavernas. Por isso as fantasias de submissão são comuns entre as mulheres, mesmo que a maioria não saiba disso. Muitas das que sabem escondem até de si mesmas. Uma ínfima minoria de legítimas heroínas *pratica*, ele concluía, como se arrematasse a demonstração irrefutável da porra de um teorema.

Nossa época é tolerante quando se trata de ridicularizar os dogmas da Inquisição espanhola ou das tribos africanas, mas reage com ira semelhante quando os dogmas vilipendiados são os *nossos*... Eram clamorosas, de toda forma, as falhas daquela velha misoginia de sempre, ora disfarçada em teoria visionária. Por exemplo: se existe um fato na origem da instituição do casamento, só pode ser a descoberta da atribuição de paternidade. Assim, foram os "homens", muito mais do que as "mulheres", os "inventores" da monogamia, que no mínimo os beneficiaria igualmente, ao dificultar que a fêmea gastasse energia e tempo com a prole de outro — mas a discussão inteira não tem sentido. Era inútil ponderar que as "kareninas" não eram trânsfugas da grande bacanal paleolítica, que elas estavam, precisamente ao contrário, apaixonadas. (Sua irritante resposta seria: *como já haviam estado pelo marido, como estariam de novo todo dia, se a sociedade as deixasse.*) Era óbvio, ademais, que no seu ponto de vista vicioso estava impressa a marca do acontecimento traumático com a esposa que ele adorava. As opiniões de Dario não eram compatíveis, aliás, com uma de suas principais queixas em relação às submissas que havia conhecido. Lenta, imperceptivelmente, elas passavam a agir como baunilhas. Reclamavam atenções. Demandavam sua presença. Queriam que se lembrasse de datas. Implicavam com que mantivesse contato com outras submissas. Quase exigiam exclusividade, e chegavam a ter a cara-de-pau de fazer cenas de ciúme. O que era isso agora, nostalgia da civilização? *Se for para ser assim prefiro uma esposa rabugenta!* Além disso, ele intuía um quê de astúcia e cinismo femininos em algumas delas, como se dissessem: *tudo bem, posso ficar rebolando e latindo au! au! se é disso que você precisa para esse troço ficar duro e você ser feliz*, enquanto pensavam em como os homens são as eternas crianças que todo mundo sabe que são.

No fundo, Dario continuava a procurar. Desde o começo, via nas salas de SM virtual que certas pessoas se conheciam, formavam grupos que mantinham encontros periódicos num bar temático. Mas ele havia se afeiçoado a seu método de navegação eletrônica, difícil, trabalhoso, em que tateava aparentemente às cegas, guiado pelo tirocínio desenvolvido em tantas horas de vôo. Uma espécie de orgulho profissional o impedia de mudar de estilo, o que não teria sido difícil. No começo dos anos 90, um minúsculo grupo de simpatizantes estabeleceu contato por intermédio de uma daquelas redes precárias que antecederam a internet. Sob a liderança de uma matrona de personalidade destemida, Berenice, e de seu então marido, Geppeto, passaram a organizar reuniões festivas numa pizzaria, onde constituíram um grupo que cresceu até ser solenemente denominado SIM. Eram quinze, vinte pessoas que se propunham a estimular o conhecimento de assuntos ligados ao SM e propiciar a aproximação de pessoas com fetiches compatíveis. Introduziram o código dos três princípios básicos — as práticas devem ser sãs, seguras e consensuais. (Conforme pude apurar, a maioria dos dominadores e sádicos — mas não todos — respeita os limites previamente combinados. Ao longo desses anos, houve pelo menos dois casos de homens que tentaram chantagear submissas casadas. Embora raras, podem ocorrer práticas que, mesmo sendo consensuais, ultrapassam todos os limites do que seria aceitável, como eletrochoques, queimaduras, cortes, perfurações e outros danos à incolumidade do corpo.) Os encontros do grupo passaram a ser chamados de *munch*, que não vem a ser o nome escandinavo para alguma perversão cabeluda, mas tão-somente o verbo "mastigar" em inglês. Comiam, bebiam e conversavam.

Anos mais tarde, o núcleo dirigente do grupo SIM, Berenice à frente, abriu um bar, o famoso Nirvana. Foi instalado numa espaçosa casa de um bairro de classe média tradicional, aberto para quem quisesse entrar e ostensivamente voltado ao fetichismo SM e afins. Havia uma *sex shop* na entrada, e nos fundos, no que seria o pátio externo do sobrado, um telhado plástico cobria dez ou doze mesinhas também de plástico. Junto ao balcão do bar, terminais ligados à internet, de onde o estabelecimento difundia seu credo. No andar superior, um salão havia sido aparelhado com espelhos, barras de madeira em forma de X e traves presas ao teto. Ali ficava a visitada coleção de chicotes da Rainha Berenice. Ali ocorriam as *play parties*, cerimônias exclusivas a que eram admitidos apenas os iniciados, conhecidos dos donos da casa, nas quais cenas de dominação, humilhação e sadismo leve ocorriam aos olhos de umas vinte pessoas, desempenhadas por duplas ou trios oriundos da própria platéia. O bar prosperou. Nesse ambiente mais ou menos restrito, passou a vicejar certa endogamia, trocas de parceiros e parceiras dentro do próprio grupo. Uma pessoa do meio me disse: *não é o mundo que é pequeno, nos é que somos poucos...* Mais de cem freqüentadores, porém, podiam passar pelos munchs, que começavam sábado à tarde e iam até alta madrugada de domingo. De vez em quando havia também festas específicas, para *dommes* — as dominadoras — e seus escravos, por exemplo, ou para os onipresentes podólatras. Dizem que a freqüência crescente de meros curiosos, arrebanhados com a expansão da internet, teria feito os praticantes se afastarem do bar. Uma crise sobreveio na cúpula do negócio, o casal se separou, o Nirvana foi vendido. Virou ponto de encontro de *rainhas* profissionais, mulheres que cobram para distribuir umas chicotadas e sapatear em cima dos pagantes.

Mas o movimento, como diria aquele simpático casal do interior, não morreu. As facções remanescentes continuam promovendo grandes reuniões, agora em casas noturnas alugadas e "fechadas" especialmente para esses encontros. Fui a um deles, num desses bares que imitam saloons e onde poderia tocar música country. Àquela altura, eu já compreendia muitas coisas até então confusas, como se as peças de repente fossem para o lugar. Compreendia que aqueles maridos ansiosos por entregar as próprias mulheres eram — mesmo sem saber — submissos em busca das sublimes torturas do ciúme experimentadas por Séverin, o herói da novela *A Vênus das peles*, de Sacher-Masoch — escritor austríaco do século XIX que viria a dar seu nome à coisa. Alguns deles talvez fossem, ao contrário, dominadores que não se cansavam de conceber utilizações para os corpos sob seu jugo. Compreendia a cena das palmadas que tanto me chocou naquele fim de noite no clube de casais. Às vezes me divertia a contemplar o mundo baunilha para descobrir inclinações fetichistas sob comportamentos inocentes — Lady Thatcher, por exemplo, é *domme*, ao passo que

Tony Blair é *sub*, para ficar em dois exemplos da Inglaterra, o país da palmatória e dos internatos.

Quando chegamos à festa, o bar estava cheio de um tipo de gente que não devia destoar muito da freqüência do local nos dias "normais". Pensei nas irmandades sexuais de Proust que continuam a circular por aí, trocando seus sinais cifrados que um profano jamais identificaria, se ao menos pudesse imaginar que existem. Uma linda loira desfilava imperturbável, sorriso Colgate nos lábios cheios, levada para cima e para baixo por um brutamontes que a puxava por uma coleira invisível. Num canto, algumas mulheres vestidas a caráter, deitadas de bruços sobre cavaletes, eram flageladas por outras mulheres, sem dar um pio. Uns poucos assistiam, sentados em cadeiras ao redor. Noutro canto estavam os bondagistas, em pé ao lado de seus móbiles, fazendo poses de artista da Bienal. As submissas suspensas pareciam seres mitológicos, metade pássaros, metade mulheres, aprisionadas numa rede estendida entre as copas das árvores. Fora isso, era uma festa num bar barulhento. Havia muitas senhoras que pareciam ter se enganado de endereço e entrado ali em vez de no salão de bingo, mas essas eram as mais entrosadas e circulavam numa animação de chá beneficente. Pedi para me apontarem algumas "celebridades" presentes e pude contemplar à distância, com a excitação reverente de um fã que lutasse contra o ímpeto de pedir autógrafos, os seres humanos em carne e osso por trás de alguns dos *nicks* cuja lenda havia chegado até meus ouvidos: Rainha Clara, Madame Lurdinha, Fêmea de Botas, Milord, Barbarella 33, Senhorita Aprendiz...

Quanto a Dario, ele encontrou a sua "agulha de ouro no palheiro" — quase se pode dizer que ela estava no lugar mais óbvio e que por pouco não tropeçou nela. Uma mulher bonita, inteligente, educada, engraçada, cultivada, carinhosa, imaginativa, licenciosa, submissa *e com uma linda bunda*. Conforme ele tentou me explicar certa vez, ao contrário do que seria normal nas rotinas do mundo baunilha, neste mundo as relações acarretam um aprendizado em que a imaginação é posta à prova de forma cada vez mais exigente. Depois de fazer a libido freqüentar aquelas altitudes embriagantes é imprescindível *não deixar a peteca cair*. Parecia muito empenhado nisso, todo cheio de graças e atenções para com a mulher vestida de preto que o acompanhava naquela noite em que o reencontrei no clube pela primeira vez — era a tal "agulha de ouro". De repente me recordei de um trecho da famosa reportagem sobre os chimpanzés, que eu li por insistência dele. Num zoológico, o treinador não conseguia colocar um determinado macaco para fora da gruta quando amanhecia. O treinador consultou o cientista sobre como proceder — parece piada, mas não é — e o outro foi incisivo: o macaco deveria sair como os demais. Passaram-se uns dias e o treinador voltou, exultante, para dizer que havia conseguido. Todo dia, de manhã, dava ao animal uma linda banana dourada, que ele agarrava para então deixar obedientemente a toca, lépido e satisfeito. Ao que o cientista perguntou: *escuta, você está treinando o macaco ou ele está treinando você?* É o que me ocorre agora ao vê-los juntos na retina da memória, quase de mãos dadas como dois baunilhas. Quando me perguntava quem seria aquela mulher misteriosa que entretinha em sua redoma protetora a minha acompanhante, esta se voltou para mim com um sorriso sapeca: *vamos lá me mostrar as salas?* Quando e onde isso vai terminar?, pensei, ao tomá-la pela mão suada de nervoso em direção aos antros escuros para além do corredor...

    A atividade sexual é um vício como qualquer outro, embora neste caso as drogas sejam produzidas dentro do próprio organismo. A analogia com o vício vem a calhar pois o sexo é um buraco sem fundo, uma vertigem que não entrega as promessas com que acena. Todos os investimentos, expectativas e fantasias que depositamos ali terminam tragados na sua voragem impiedosa, atrás da qual não existe nada. Depois de explorar léguas de pele, tantas superfícies sedosas e tantas mucosas orvalhadas, de perseguir o desejo sem jamais conseguir agarrá-lo por completo nem saciá-lo em definitivo, de acalmar nossas feridas narcísicas lançando mão de doses cada vez mais cavalares de euforia sexual, quando já estamos esgotados de procurar sempre mais adiante e sem perceber levantamos o último dos véus — então o sexo subitamente se mostra na sua forma irredutível, sem encantamento, como aquilo que é: a mais fugaz felicidade, a mais alegre das decepções. A carne volta a ser apenas carne. Após hipnotizar os sentidos e usar o corpo para seus desígnios insondáveis, fazer dele uma cômica marionete e convulsioná-lo como se o submetesse a eletrochoques, a seleção natural — ou Providência Divina, tanto faz o nome — abandona sua matéria exausta como se já não servisse para nada. Somente uns poucos casais que conseguem atravessar mais ou menos incólumes as tempestades da paixão erótica e seu tumulto de desenganos e alucinações chegam ao remanso de uma ternura suave, quase espiritual. Inacreditável que não houvesse um meio mais simples de fazer com que crescêssemos e nos multiplicássemos.

O abismo

Já tinha ouvido falar no assunto por alto, sem prestar atenção. Mas um belo dia, enquanto brincava no raso da piscina, escutei os adultos, que tomavam Campari nas cadeiras de vime, comentarem que alguém tinha morrido. Depois de duas ou três perguntas, respondidas com a displicência com que se fala às crianças, entendi que todo mundo um dia morreria. A conversa continuou, eu fiquei em silêncio. Não penso que seja um exagero retrospectivo dizer que tudo mudava a partir daquele momento. Como não havia sido informado daquilo antes? Lembro de ver com novos olhos as refrações luminosas tremulando no cubo azulado da piscina, antes tão plácido e amigável, como se fossem aparências festivas a disfarçar um mundo subitamente deformado, hediondo. O assunto não saía da cabeça, cheguei a fazer uma cena antes de todo mundo ir almoçar, sendo consolado com os panos quentes de praxe.

Nossa casa ficava numa rua deserta, sem vizinhos, e meus pais não freqüentavam clubes nem as respectivas famílias, a não ser em datas imprescindíveis. Essas circunstâncias fomentaram meu temperamento introspectivo. Como tantas outras crianças problemáticas, eu sentia que o mundo externo era um ambiente hostil e ameaçador. Essa hostilidade pouco se manifestou na forma de eventos objetivos, exceto as contrariedades a que mesmo uma criança mimada tem de se acostumar e que exercem sobre ela impacto tão desproporcional. Certa atmosfera de superproteção doméstica aguçou uma sensibilidade que já era excessiva. Isso mal transparecia, pois todo o meu esforço era o de me mostrar "normal", tão adaptado quanto possível. Recolhido ao esconderijo dos pensamentos, porém, tinha ócio e disposição para praticar minha filosofia infantil, cujos rumos se tornavam sombrios. Se olhasse fixamente uma cena, a sala de estar, por exemplo, às vezes me ocorria uma alucinação arrepiante. Era capaz de invocar e manter por alguns instantes uma sensação muito viva de que aquelas coisas não estavam na minha cabeça, mas existiam de verdade lá fora, com sua aspereza assustadora e a brutalidade de sua matéria, inevitáveis no seu ser. Era como se naqueles momentos eu as visse através de olhos que não fossem os meus. *Compreendia* com um calafrio que tudo não apenas estava ali, mas continuaria a estar e acontecer depois que eu desaparecesse. Saber, bem mais tarde, que aquilo tinha nome, que era o desespero de Kierkegaard, o absurdo de Camus e outras designações igualmente abstratas, não tornava minha lembrança primitiva menos aterradora, sempre que eu conseguia, num esforço de memória, evocar seu rastro.

Na adolescência, como também é comum ocorrer, os caudalosos devaneios da minha introspecção muitas vezes desaguavam no suicídio heróico. Dispor do próprio destino, no momento mesmo em que as pessoas mais ficam à mercê dele, era para mim o máximo em matéria de dignidade e afirmação pessoal. Abrir mão do bem mais precioso, enquanto tantos fariam tudo para retê-lo a qualquer preço, incensava os belos sentimentos onde eu gostava de espelhar meu narcisismo naquela época. Imaginava n circunstâncias em que o suicídio seria a opção mais nobre, e adulava minha auto-estima, esmagada pela implacável combinação de vaidade e autocrítica, entregando-me a tais fantasias. Outras vezes eu a testava, perguntando-me se seria capaz de me sacrificar por tal pessoa querida, por tal causa meritória, por uma criança ou uma mulher. Repassava, então, cada passo de minha execução, diante de um comitê de fiscalização meio burocrático, meio divino, como nas histórias de Kafka, até recuar horrorizado ou seguir em frente e me absolver de existir.

Os adolescentes são apreciadores da solenidade da morte, perante a qual costumam ostentar aquela gravidade circunspecta, em que a morbidez foi cuidadosamente camuflada, com que fazem suas estréias em enterros, sempre escandalizados com a informalidade de atitude dos "mais velhos" nessas cerimônias. Aos quinze anos chegaram a mim os ecos longínquos da mania de Werther, que provocou uma onda de suicídios entre jovens depois da publicação da novela, os quais se matavam a tiro de pistola e envergando fraque azul e colete amarelo, como o lamentoso herói. Não cheguei a esses extremos de engajamento romântico, mas depois de ler o livro fiquei obcecado pela cena e, no colégio, passava recreios sozinho entre os ciprestes, árvores que aparecem na cena do enterro profano de Werther. Gostava de escutar seus sussurros de seda na brisa, como se revelassem em linguagem cifrada o maior de todos os segredos, e sua longevidade de pedra se projetasse numa ponte entre a vida e o mistério da morte.

Por volta daquela época meus pais acharam boa idéia me encaminhar a uma psicóloga, mulher muito inteligente e de personalidade forte. O caráter vazio das minhas inibições, às quais faltava uma motivação marcante, não a estimulava como terapeuta. Talvez isso já fizesse parte de meu diagnóstico e a atitude dela fosse parte do tratamento, mas era assim que eu me sentia: incapaz de parecer são e tampouco de funcionar como paciente. Ela preferia adolescentes reais, com desajustes reais: faltava legitimidade, digamos, à minha condição melancólica. Fui encaminhado a uma terapia de grupo em que eu parecia um diplomata num covil. Filhos de lares convertidos em infernos, de pais violentos e mães negligentes, garotas que odiavam seus corpos, garotos com problemas de motricidade, *nerds* de todos os tipos: os obesos, os repetentes, os disléxicos — estávamos todos lá.

Eu passava por dois suplícios: o primeiro, ainda na sala de espera, quando era envolvido nas altercações entre meus turbulentos colegas, que fatalmente terminavam em troca de socos e pontapés, arrasado porque a superioridade que via em mim mesmo não valia nada entre eles, que nem seriam capazes de reconhecê-la caso parassem de se esbofetear. O segundo tormento era quando não conseguia passar despercebido em meu mutismo durante a sessão e me tornava a bola da vez, devastado de vergonha. Logo tomei contato com os métodos da dra. Neuza. Havia uma menina de uns doze anos cujo sintoma, parece, era uma ojeriza excessiva às funções excretórias e reprodutivas do ser humano. A terapeuta submeteu essa garota, sob gargalhadas histéricas dos demais e meu olhar estarrecido, a um penoso tratamento de choque. Após exigir de um menino desbocado que discorresse sobre detalhes escatológicos na linguagem chula que ele tanto gostava de usar na sala de espera, virou-se para a garota tímida e perguntou-lhe à queima-roupa: *Quer dizer que sua mãe não gosta de mim? Que ela se refere a mim como "aquela puta da Neuza"?* Eu a compreendia: naquele ambiente fora-da-lei, se ela não entrasse chutando a porta do saloon e falando grosso, terminaria linchada. Mas era um pesadelo.

Mais de dez anos depois, em meio a uma crise pessoal qualquer, procurei novamente a dra. Neuza. Sentia-me atraído pela aura que cercava aquela mulher tão autoconfiante e pelos encantos do consultório onde ela atendia, uma edícula além do jardim, no fundo da casa, envolta na neblina das minhas percepções distorcidas de criança. Ela parecia ter nascido para interpretar sonhos, tamanha a sua imaginação nessa arte cabalística. O que eu pensava me levar de volta a seu consultório, porém, era o saudável antiintelectualismo que vigorava ali, contrapeso adequado a minhas inclinações demasiado cerebrais. Eu costumava dizer que seu método era o "joelhaço" daquele personagem cômico de Luis Fernando Verissimo, o psicanalista de Bagé. As lamúrias autopiedosas dos neuróticos, os circuitos de trivialidades a que se deixam acorrentar, sua incapacidade de romper com o vício em que se convertem os sintomas e a infinita preocupação que têm consigo mesmos, ainda que desfigurada por toneladas de culpa — tudo isso despertava nela uma impaciência que beirava a irritação. Pois a dra. Neuza me recebeu numa noite de inverno em sua impressionante poltrona de couro, ainda mais venerável pelo uso que a deixara macilenta, seu corpo sólido envolvido nas mesmas mantas andinas que me eram familiares, quando parecia uma pitonisa atrás da qual crepitavam as labaredas da lareira, que de fato estava acesa naquela noite, serviu chá e informou calmamente que havia abandonado a clínica. Confessou que havia errado e já não acreditava na psicanálise. Nos anos 70, incentivara mulheres que se sentiam oprimidas a se separar, emancipando-se do marido, das convenções da sociedade e da submissão ancestral. Achava agora que havia arruinado suas vidas.

Antes feminista e de esquerda, como era comum em sua geração, minha psicóloga se mostrava ultraconservadora em todas as acepções possíveis e com coerência tão minuciosa a ponto de quase defender o tabaco, que na época da minha visita começava a se tornar um vilão mundial, duvidando dos estudos que o responsabilizavam por tantos malefícios. Pediu um cigarro, quis saber se eu tinha me casado e, informada de que não, perguntou que alternativa eu tinha em mente, *virar veado?* Odiava mais do que nunca o eufemismo e o remorso, essas duas formações reativas, e continuava sendo uma nietzschiana a seu estilo. Gostava de repetir que as crianças de rua não eram tanto um problema da sociedade, mas dos irresponsáveis que as haviam concebido. Ela voltaria a clinicar e eu ainda ficaria por um outro período a seus cuidados. Desta vez, perguntei apenas se poderia ver minhas antigas fichas. Ela disse que não, e como eu quisesse saber por quê, exemplificou. Ressaltando que falava em tese e não do meu caso específico, disse que, se acaso alguma tendência para o suicídio estivesse identificada nos meus testes, saber disso teria o efeito perverso de reforçá-la. Aquilo caiu como uma charada insolúvel: eu nunca poderia saber se ela falava mesmo numa hipótese ou se encontrava uma forma de me alertar do risco, sem os inconvenientes de fazê-lo abertamente.

Como a maior parte das pessoas, tive ocasiões de desespero íntimo em que pude perceber na própria pele que não é necessário um atestado psiquiátrico para alguém se matar. Conforme as circunstâncias, poderia ocorrer quase com qualquer um. O suicídio se encontra em algum ponto estatístico no cruzamento entre eventos aptos a desmantelar uma vida "normal" e a baixa tolerância para com reveses "normais". Existe uma propensão neuroquímica a induzir os estados depressivos que favorecem o suicídio, assim como um dinamismo psíquico que reverte toda a capacidade de agressão contra o próprio eu.

Dizer isso, no entanto, esclarece pouco. Esses processos ainda são mal compreendidos, tendo a psiquiatria de se contentar com os efeitos obtidos pela administração de substâncias cujo desempenho ela conhece, sem conhecer a natureza dos distúrbios a ser tratados. Nos termos da metáfora que compara o cérebro ao piano e o psiquismo à música, continua inacessível a partitura eletroquímica que vincula um ao outro, se é que não estamos equivocados ao persistir nessa longa tradição filosófica que distingue duas coisas onde provavelmente só existe uma. Se pretendemos adotar uma atitude tão científica quanto possível, deveríamos supor que a cada pensamento, a cada partícula de memória, emoção e sonho, corresponda um registro químico qualquer, mas talvez essa suposição mesma seja fonte de equívoco; talvez a infinidade de registros interligados e dinâmicos seja a própria coisa, e não um mero suporte, e o que chamamos de mente não passe de seu fantasma, como um halo fosforescente.

Sendo a mente um lugar tão complexo, cada suicídio é tão individual quanto cada pessoa. O sarampo, por exemplo, pode atacar todas as suas vítimas de maneira idêntica, mas o suicídio é um nome atrás do qual se emaranham as mais diferentes motivações, desde o "suicídio racional" daquele que se mata por ser portador de doença grave e incurável (o que poderia incluir casos em que a enfermidade é uma depressão severa) até o colegial que se suicida após ter sido reprovado nos exames — e por trás das motivações aparentes haverá, talvez na maioria dos casos, camadas de outras. O desespero que leva ao suicídio parece extrapolar a condição humana (animais de laboratório, quando submetidos a situações de extremo confinamento, passam a se mutilar), o que sugere a existência de um dispositivo de autodestruição nos organismos vivos, conforme uma das intuições da psicanálise. Depois de haver creditado o suicídio à agressão deslocada contra o *ego* ou, mais exatamente, contra a *autoridade parental* introjetada no ego, Freud passou a vê-lo como manifestação de uma força destrutiva mais universal, que chamou de *pulsão de morte*, presente em todo ser vivo.

Atingir esse enigmático ponto crítico depende não apenas de variações entre pessoa e pessoa, ou numa mesma pessoa ao longo do tempo. Depende das expectativas que atuam como pano de fundo, estando alguém que espera (ou está acostumado a) obter altas doses de gratificação na vida mais vulnerável a decepções do que outro que mantém expectativas mais modestas. Dificuldades objetivas que se abatem sobre as pessoas podem precipitar uma crise autodestrutiva, mas também podem aguçar o impulso de sobrevivência e rebaixar o sofrimento psíquico a segundo plano, ao menos temporariamente. As variáveis parecem numerosas demais para que possa haver qualquer certeza a respeito. Adulto, eu mantinha a idéia à distância, como uma espécie de último recurso que não teria escrúpulos em utilizar, se fosse o caso, embora duvidasse de ter a coragem. Minha imagem do suicida já não era a do herói romântico nem a do galã existencial, mas estava contaminada pela vulgaridade da nossa época e se associava à figura do *loser*, "perdedor", o personagem que não encontra lugar nos modelos competitivos e nos estereótipos do êxito que predominam em toda parte, aquele que todos estamos sendo violentamente compelidos a não ser e sobretudo não parecer. Basta lembrar a extensa lista de celebridades que se matam, ainda embriagadas de sucesso, para expor o ilusório dessa noção e o quanto todos somos, de alguma maneira, autênticos *losers*.

Estive no local de um suicídio pouco depois do fato. Não vi o corpo, ou melhor, vi num relance de espelhos uma pessoa sentada, cabisbaixa, indiferente ao alagamento escuro e vítreo a sua volta, imóvel como se estivesse numa brincadeira de esconde-esconde à espera do momento em que as crianças entrariam cautelosas para explodir em gargalhadas ao encontrá-la, apontando para ela. A luz do crepúsculo entrava pelas persianas mal cerradas e cortava a penumbra como barras de ouro transparente, dando uma cor de mel aos aposentos. Passei os olhos pelo tampo da escrivaninha, onde o pó começava a se depositar lentamente, pelas fotos emolduradas, pelos livros nas estantes, pelos armários abertos, tudo ainda tão fresco de rebuliço humano, assombrado que uma pessoa há pouco estivesse ali, tendo entrado pela mesma porta que eu, respirado o mesmo ar que eu ainda respirava — e de repente se arremessasse numa viagem ainda maior do que entre duas galáxias sem se despedir. Palavra nenhuma poderia esclarecer, justificar, exprimir gesto tão radical.

Um autor americano, Mark Etkind, se deu ao trabalho de reunir em livro todos os bilhetes de suicídio que julgou curioso publicar, desde celebridades até magnatas, donas-de-casa e bombeiros (... *Or not to be — A collection of suicide notes,* Riverhead Books, 1997). Com poucas exceções, como a do bilhete de Virginia Woolf para o marido, cheio de serena compreensão sobre a doença depressiva que recrudescia, ninguém se sai muito bem neste que faria jus ao título de o mais ingrato dos gêneros literários: *Se é possível amar no além, vou amá-la após a morte/ O que Deus tiver para mim é melhor que tudo isto/ Que você se lembre para sempre que eu te amei mas morri te odiando / Te vejo em breve/ Por nenhum motivo a não ser que estou com dor de dente/ Desembarco por aqui/ À sobrevivência dos mais aptos.* A poeta americana Sylvia Plath, que se matou depois de uma vida de internações e tentativas, escreveu apenas: *Chamem o dr. Horder,* referindo-se a seu psiquiatra. Um professor acrescentou um PS destinado a seus alunos: *Crianças, se houver erros nesta carta é porque eu não a revi com cuidado.* Um adolescente que se enforcou na árvore de Natal da sala de estar pendurou um cartaz onde estava escrito *Feliz Natal!* Um homem que saltou da ponte Golden Gate, em San Francisco, teve o discernimento de alertar: *Por que eles deixam isto tão fácil para quem quer se matar? Arame farpado salvaria muitas vidas.* Desenganos e manias, preocupações banais, acusações que caem no vazio, às vezes um tom de sarcasmo ou dolorosos pedidos de perdão, às vezes uma mensagem cujo laconismo a deixa pendurada entre o solene e o ridículo. Se existe uma arte aqui, ela está mais no gesto que no bilhete.

Os vivos tampouco se saem melhor ao falar desse tabu. A cada tipo de funeral corresponde um discurso que é dado às pessoas repetir, como se recebessem o texto na entrada no velório. Quando se trata de suicídio, alguns garantem que era questão de tempo, sabiam que aquilo iria ocorrer, invocando até o testemunho de que haviam avisado os mais próximos depois daquele estranho incidente em que etc. Outros se incumbem de revelar em falso tom de confidência, nas rodinhas que se formam para ouvir, a suposta vida dupla da vítima, torturada por tais e tais problemas ou desgostos tremendos (agora já não existe razão para ocultá-los) sob as aparências de um cotidiano tranqüilo. Outros abordam o caso pelo ângulo clínico, repassam os tratamentos experimentados sem sucesso, descrevem as últimas tentativas dos médicos. E há os que pretendem roubar a cena apresentando-se rabugentos, até zangados com o morto, a quem chegam a insultar carinhosamente por lhes fazer uma desfeita dessas, como se desta vez a travessura tivesse passado dos limites.

Tais reações talvez revelem mais sobre quem fala do que sobre o suicida. Parte do mórbido fascínio que envolve o suicídio emana do ponto de interrogação no qual a pessoa desaparece. O agravo lançado como bofetada nos mais próximos, as perguntas sem resposta inspiradas pela culpa que ele semeia, o manto de reserva que cai sobre a memória do desaparecido, o receio dos parentes de que possam portar a mesma predisposição, o eventual regozijo íntimo dos desafetos — embora essas possíveis conseqüências sejam levadas em conta pelo suicida, todo esse mundo deixou de existir para ele, tal como se nunca houvesse existido antes. No entanto o mundo continua, e às vezes o gesto prolonga a vida do morto na forma de ecos que lhe sobrevivem, como no suicídio de líderes políticos, quando a vítima pretende influir no mundo dos vivos por meio de um ato de coerência final, a exemplo de Getúlio Vargas ou Salvador Allende. Essa sobrevida imaginária, ligada ao zelo pela própria reputação na comunidade, determina também o suicídio moral, quando o suicida pensa cumprir uma obrigação irrecusável, como entre os varões romanos das crônicas, para quem se matar era em certas circunstâncias um dever a ser desempenhado a contragosto, mais ou menos como o cidadão moderno paga seus impostos. São ambas modalidades de suicídio que Durkheim, no seu ensaio sobre o tema (*O suicídio*, de 1897), chamou de *altruístas*, porque decorrem de uma conexão demasiado forte que submete o indivíduo às expectativas da sociedade, típica, segundo o autor, das culturas "primitivas". No mundo moderno, diz o criador da sociologia científica, o suicídio predominante é o *egoísta*, resultado da situação oposta, na qual fraquejam os vínculos do indivíduo com a sociedade, cujas regras se tornaram múltiplas ou confusas demais em resultado de sua mutação acelerada.

Sobretudo nesses últimos casos, quando o drama do suicídio se passa nos recessos da subjetividade, a atitude é tão absoluta que ela nos separa do suicida em todos os sentidos — quase se pode dizer que desaparecem os laços de entendimento entre ele e nós. A morte é o momento mais solitário da vida e o suicídio é a mais solitária das mortes. A execução desse ato envolve uma combinação tão contraditória de desvario e lucidez, cálculo e ímpeto, desespero e método, coragem e pavor, vontade de sucumbir e impulso para agir, que sua natureza fica além da compreensão de quem nunca teve de experimentá-la. Como disse numa entrevista o ator inglês Stephen Fry, que sobreviveu a uma tentativa, é igualmente lógico ou ilógico sentir pânico de viver ou de morrer.

Muito tempo depois, num final de tarde, subi ao teto de um hotel onde estava hospedado. Era um daqueles momentos tenebrosos em que tudo parece muito pior do que é, quando todas as facetas da vida conduzem ao mesmo beco sem saída e o mundo inteiro se eriça, cheio de escárnio e insolência, numa conspiração para nos esmagar. O congestionamento de trânsito lá embaixo parecia líquido por trás da película das lágrimas, mas eram visíveis, boiando na coloração azulada do anoitecer, as manchas sangüíneas dos luminosos e das lanternas dos carros que buzinavam. Tive ímpetos de saltar, sem ter o plano de fazê-lo. Olhava para baixo e sofria os efeitos hipnóticos que a altura produz, quando atrai e repele ao mesmo tempo, como se o chão pulsasse. Flertei sinceramente com a idéia até que, durante um ou dois minutos, era como se a vivesse — com uma nitidez perturbadora imaginei ter a percepção de como seria caso de fato me afastasse da borda, tomasse impulso e me jogasse. O topo do prédio não era tão alto, talvez sete ou oito andares. Acho que foi a verossimilhança dessa altura, da qual as coisas ainda podiam ser vistas em suas proporções corriqueiras, que me fez sentir tão de perto como seria, o sangue ribombando nas coronárias e nos ouvidos, o gélido horror em seguida ao pulo, a vertigem em que a consciência entraria, talvez, em colapso, a alucinação dos fêmures cravados nos pulmões. Ouvi histórias de que nesses casos a pessoa pode se arrepender durante a queda (sabe-se por relatos de suicidas que sobreviveram, ainda que pouco tempo), como se a decisão curasse. E se for sempre assim, se o próprio ato curar a necessidade de cometê-lo? Tive uma espécie de certeza de que não faria aquilo, de que seria capaz das maiores abjeções a fim de evitá-lo, e voltei para o quarto ainda estremecendo de medo.

A idéia fantástica da cura pelo suicídio é levada às últimas conseqüências por um dos personagens mais fascinantes de Dostoiévski, o engenheiro Kirilov, que protagoniza um enredo secundário no romance *Os demônios* (1869-72). A trama envolve um grupo de estudantes de província, na Rússia czarista, que vivem em miseráveis pensões e quartos de aluguel onde floresce todo tipo de filosofia febril e ocorrem os encontros da célula terrorista a que pertencem. Cético quanto ao ativismo político dos colegas, Kirilov emerge de um período de intensa meditação imbuído de uma teoria capaz de englobar pensamento e ação, de esclarecer os enigmas do Universo e de redimir todo sofrimento, uma nova doutrina perante a qual todas as demais passavam a figurar como mera elucubração ociosa.

Da mesma forma que o filósofo epicurista Lucrécio, Kirilov pensa que todo o problema humano está no medo da morte. É o que nos torna maus e covardes, é o que nos faz sofrer do nascimento ao último gemido, é o que nos leva a oferecer sacrifícios e erguer templos a deuses imaginários na esperança vã de que possam aplacar nosso terror. Se inexistisse a morte, acaso não suportaríamos, quase de bom grado, todo sofrimento, sabendo que seria passageiro e inconseqüente? Esse medo precisa, portanto, ser extirpado de uma vez por todas, o mais cedo possível: enquanto ele não for vencido, ninguém pode ser livre ou feliz. Kirilov pensa num indivíduo prestes a ser esmagado por uma rocha gigantesca. O que ele receia? Não haverá dor, numa morte instantânea assim nem sequer há tempo para que as terminações nervosas completem seu trâmite e o impacto seja convertido em sofrimento. O que atormenta é a idéia da morte, não a morte em si. Emancipados do medo da morte, cortado esse nó górdio, descartaremos no mesmo repelão todas as misérias da existência e enfim estaremos aptos a desmascarar Deus, esse segundo fantasma que inventamos para aplacar a fúria aterradora, mas inócua, do primeiro.

A doutrina de Kirilov tem o óbvio inconveniente de que o beneficiário não estará mais aqui para aproveitar as conseqüências de sua aplicação. Fraco argumento, no entanto, sendo o tempo nada mais do que outra ilusão: um dia fomos crianças, hoje estamos aqui, logo mais estaremos à morte, como se não houvesse lapso entre esses momentos. Cada tempo presente só existe em si mesmo, incomunicável com o passado e com o futuro. A extensão contínua ao longo da qual se sucedem os momentos — a "duração", como diria Bergson — nos escapa. Tememos perder a vida? Ela já não nos pertence. Não dispomos nem mesmo de dois momentos, pois estamos para sempre enclausurados num deles, o único que jamais conhecemos, o atual. Para Kirilov, só o instante é eterno e só o suicídio revoga o poder da morte.

Como pensador coerente, de quem se espera que dê o exemplo, Kirilov deve viver de acordo com sua filosofia, o que no caso significa morrer por ela. Mas existe um coração humano, com as fraquezas humanas, sob a disciplina férrea desse cérebro de visionário e engenheiro. Ele se fecha em seu quarto, ensaia mil vezes o disparo da pistola contra a própria cabeça para se interromper sempre que está prestes a consumar a decisão, apavorado, ofegante, suando em bicas. Nesse ponto, já em meio ao frenesi no qual se resolvem seus romances, quando os acontecimentos se precipitam e os personagens quase tropeçam uns nos outros ao cruzar durante a noite, Dostoiévski acrescenta a aparição melodramática de uma garota prestes a dar à luz. Abandonada por todos, ela ainda assim rejeita o namorado e pai do bebê, amigo de Kirilov, que então se vê obrigado a assistir o parto e confrontar a deliberação suicida com sua antítese, a outra ponta do mistério. Ele persiste, porém, na mesma disposição, sempre paralisado pela incapacidade de levá-la a efeito. Informado da condição de Kirilov, o líder da célula, Piotr Stepanovich, assume o compromisso de ajudá-lo a se matar desde que o suicida deixe uma carta, reivindicando a responsabilidade por um crime que não cometera: o assassinato de um dos conspiradores, eliminado pelos demais sob suspeita, aliás mentirosa, de ser um policial infiltrado. Indiferente às frivolidades deste mundo, Kirilov aceita o trato e... o desfecho está no livro.

No verão de 1953, o reverendo anglicano Chad Varah leu no jornal que três pessoas se matavam por dia em Londres. Em vez de virar a página com um muxoxo, Chad Varah decidiu, segundo suas próprias palavras mais tarde, que deveria fazer alguma coisa a respeito. Ele não era indiferente ao assunto. Alguns anos antes, seu primeiro ofício na carreira de sacerdote havia sido o funeral de uma garota de catorze anos, que se matara, em estado de pânico, ao menstruar pela primeira vez. Psicólogo por formação, o reverendo vinha ministrando cursos para adolescentes e para noivos que desejavam se casar. Havia descoberto que a motivação do suicídio muitas vezes estava ligada a frustrações e fobias sexuais. Sua orientação pedagógica parece ter causado certo escândalo na comunidade, naquela época ainda puritana, pela forma desembaraçada com que Chad Varah estimulava uma ampla medida de aceitação do desejo sexual.

Ele era o que os ingleses chamam de *jack-of-all-trades*, pau para toda obra, que além das atividades de pároco e terapeuta proferia conferências e escrevia furiosamente para revistas e jornais. Pouco depois de ler a notícia sobre a taxa londrina de suicídios, Chad Varah recebeu uma proposta para ser reitor de uma paróquia na região central de Londres, St. Stephen, Walbrook, construída pelo arquiteto Christopher Wren no século XVII. O reverendo veria no convite, mais tarde, o dedo de Deus, pois uma igreja assim, com poucos paroquianos, permitiria que se dedicasse ao desafio que não lhe saía da cabeça. Precisava entrar em contato com aquelas três pessoas que a cada dia mergulhavam no mais profundo desespero — e a tempo. Como era de seu feitio, escolheu o caminho mais direto até elas, valendo-se de seus contatos entre jornalistas. No dia 2 de novembro de 1953, os jornais da cidade publicaram a notícia de que qualquer pessoa deprimida que quisesse falar com o reverendo Chad Varah deveria telefonar para Mansion House 9000, o número de St. Stephen.

O telefone começou a tocar e da noite para o dia o pastor viu sua agenda entupida de horários marcados por pessoas aflitas em busca de orientação e aconselhamento. Telefonaram, também, pessoas que haviam lido a notícia e queriam ajudar. Chad Varah não quis dispensá-las simplesmente e mandou que viessem também, sem saber o que aqueles "leigos imprestáveis", como se referia mentalmente a eles, poderiam fazer de útil. Mas as filas de espera em seu gabinete já eram tão longas que logo se encontrou serventia para os ajudantes: servir chá às pessoas, acalmá-las e dizer que o reverendo logo as atenderia. Se Chad Varah fosse outro homem, esse seria o final de uma bela história de solidariedade. Mas não escapou a seu olhar de verdadeiro psicólogo que muitas pessoas na fila de espera, depois de conversar com os atendentes que serviam chá, iam embora e não voltavam ou, quando isso acontecia, retornavam apenas para conversar com aquele mesmo atendente. Ele havia determinado aos auxiliares que se abstivessem de dar qualquer orientação aos deprimidos e solitários que vinham à igreja, tarefa para a qual não estavam, evidentemente, preparados. De novo, outra pessoa em seu lugar ficaria ciosa da própria autoridade profissional ao vê-la assim solapada e trataria de dispensar os leigos ou proibi-los de falar com os visitantes, invocando pretextos médicos para encobrir a suscetibilidade ferida. Chad Varah fez exatamente o contrário.

Alguma coisa no comportamento dos "leigos imprestáveis" estava dando certo, funcionando até melhor do que o atendimento clínico, especializado, que ele próprio prestava. Numa decisão de incrível desprendimento pessoal e não menor audácia investigativa, Chad Varah comunicou a seus perplexos assistentes, no começo de 1954, que não mais atenderia os *clientes*, como chamava as pessoas que o vinham procurando. Todo o atendimento passaria a ser realizado pelos leigos. A partir daquela data, o reverendo faria a supervisão do trabalho, encaminhando os casos de natureza claramente psiquiátrica aos serviços médicos, dedicado sobretudo a estudar o método que os leigos haviam inventado sem se dar conta. O impulso de gênio por trás dessa inspiração só pode ser bem apreciado em contraste com a personalidade de Chad Varah, que estava longe de ser uma pessoa modesta ou apagada. Como é comum entre indivíduos empreendedores, o reverendo tem excelente opinião sobre si mesmo. Numa entrevista concedida em 2001 à jornalista brasileira Ana Saggese, na qual se mostrou desenvolto e briguento aos 89 anos de idade, ele reivindicou com orgulho a invenção dos serviços de prevenção do suicídio e atacou com gosto os atuais dirigentes da organização que fundou, acusando-os de imprimir a seus rumos um tom religioso que sempre fez questão de banir. Como todo criador de uma disciplina, de uma escola, de um movimento, ele luta para manter a ortodoxia do credo e a fidelidade dos epígonos.

Que método era aquele? Proibidos de perguntar e orientar, os leigos limitavam-se a ouvir o que as pessoas tinham a dizer. Era exatamente disso que muitas delas pareciam precisar, ouvir a si próprias enquanto falavam a um interlocutor silencioso e desconhecido, mas atento. Não sendo médicos nem sacerdotes, os auxiliares deixavam a pessoa à vontade para falar sem reservas, sem intimidá-la nem interrompê-la. Procuravam simpatizar com ela sem se dedicar a "tratá-la", tarefa espinhosa que cumpria ao reverendo que logo a receberia. Chad Varah chamou esse método intuitivo de *befriending*, "ser amigo". Ele sofreria adaptações ao longo do tempo e seria objeto de dissidências e apropriações indevidas. Sua essência pode ser resumida em sete premissas de atitude: aprender a ouvir, tentar aceitar, colocar-se no lugar do outro, não julgar nem aconselhar, prestar apoio, ser sincero e manter sigilo. No início da campanha empreendida pelo reverendo, o tablóide *Daily Mirror* publicou uma reportagem sensacionalista com o título: "Pastor samaritano vai salvar suicidas". Veio daí a inspiração para o nome do serviço fundado por Chad Varah, The Samaritans, uma rede subterrânea que se disseminou pelo planeta. Em 1952, um ano antes de St. Stephen passar a receber chamadas, o médico Edwin Shneidman abriu em Los Angeles o primeiro centro de prevenção do suicídio de que se tem notícia. A organização de Chad Varah foi a primeira, porém, a prestar assistência leiga, anônima e voluntária.

A parábola do bom samaritano aparece apenas no Evangelho de Lucas (10,25-37). O Levítico, um dos cinco livros da lei mosaica, já mandava: *Amarás a teu próximo como a ti mesmo* (19,18). Na passagem de Lucas, um doutor pergunta a Jesus: *E quem é o meu próximo?* Em resposta, Jesus conta a história do homem que no caminho de Jerusalém a Jericó é assaltado e espancado por ladrões que o deixam meio morto à beira da estrada. Passa pelo lugar um sacerdote, que contorna o homem caído e continua. Em seguida passa um levita, membro de uma das doze tribos que deram origem a Israel, que também segue adiante. Mas um samaritano que vai pela mesma estrada se compadece dele, trata suas feridas e o leva a uma estalagem ali perto. Só este se mostrou seu próximo, Jesus leva o doutor a concluir. Os samaritanos eram uma comunidade situada ao norte da Judéia, que os hebreus não absorveram e com quem mantinham diferenças religiosas. A importância dessa parábola para o cristianismo é que ela expande a *regra de ouro* para além do círculo do povo eleito, abraçando todos os homens. A aceitação anônima do outro também seria uma característica do trabalho desenvolvido por Chad Varah e seus seguidores.

Em nossa época, de confiança irrestrita no saber especializado, o método dos samaritanos não apenas vai contra a corrente como pode até ser considerado temerário. Parte da instituição *psi* não o aceita até hoje, nem mesmo na condição de apoio secundário a terapias e medicamentos ministrados por profissionais. O contato com o cliente, quase sempre uma pessoa em estado vulnerável, põe nas mãos do voluntário um poder imprevisível que pode ser bem utilizado ou não, que pode até mesmo ser mal empregado por má-fé, já que a *relação de ajuda* fica protegida por rigoroso compromisso de sigilo. Embora o serviço dos samaritanos consistisse no início em entrevistas pessoais, que são admitidas até hoje, a maior parte dos atendimentos passou a acontecer por telefone. Não se anotam nomes nem quaisquer dados da pessoa que aparece ou liga em busca de ajuda, nem mesmo seu número de telefone. Os postos de atendimento normalmente só recebem chamadas. Não se sabe o que aconteceu à pessoa que ligou, não se sabe de onde ela telefonava. Qualquer controle a ser exercido por alguma instância externa violaria a regra do sigilo. Para ser efetivo, demandaria um tipo de vigilância que logo haveria de se converter numa rede de espionagem policial. A solução adotada pelos samaritanos é de uma simplicidade engenhosa. Cada voluntário é responsável por seu atendimento, cada um fiscaliza a si mesmo.

Dito assim, soa como mera retórica. No entanto, o voluntário tem de se submeter não somente a um curso preparatório como a um calendário de compromissos e reuniões que se realizam constantemente. Além de tomar parte nos encontros periódicos de seu grupo, que seria o equivalente da célula nos partidos clandestinos, ele deve participar de outros coletivos mais amplos, que se reúnem com menos freqüência, e se engajar em eventos destinados à arrecadação de fundos. Como a assiduidade às reuniões é controlada e um determinado número de faltas leva à exclusão (para ser readmitido é necessário submeter-se a todo o curso preparatório de novo), só consegue se manter no serviço quem está realmente disposto a cumprir as regras, que são inflexíveis. Funciona em cada posto um comitê eleito por todos, responsável pela condução das atividades e com poderes para excluir voluntários. Isso não acontece com freqüência, pois o sistema de reuniões se encarrega de afastar naturalmente os curiosos, os inconseqüentes, os ciclotímicos, os que dispõem de pouco tempo e os que não se adaptaram.

A essência das reuniões é o que os samaritanos chamam de *role play*, "interpretação de papéis". Os integrantes de cada grupo, composto de cerca de sete pessoas, formam duplas a fim de simular, diante dos presentes, telefonemas nos quais um dos dois desempenha o papel da pessoa que liga para o serviço e o outro faz seu próprio papel como voluntário. Em seguida cada um deles fala das dificuldades na relação de ajuda que acabaram de encenar e que os demais são instados a comentar também. As opiniões podem variar muito, mas acaba por prevalecer o ponto de vista dos voluntários mais antigos, que têm mais credibilidade perante os outros e quase sempre sabem lidar melhor com as situações que são trazidas aos *role plays*. Estas podem tanto ser imaginadas pelo voluntário como reproduzir telefonemas efetivamente ocorridos. A prática das reuniões termina por equalizar o atendimento, pois ao mesmo tempo que, sempre por meio das situações concretas dramatizadas nos *role plays*, dúvidas são sanadas e abordagens alternativas são dadas a conhecer, começa a tomar corpo não somente um repertório de procedimentos, mas uma sensibilidade em comum. As reuniões sacodem os hábitos adquiridos durante os plantões, irrigam atitudes que se tornaram automáticas e expõem cada voluntário ao exame de seus pares, que às vezes contestam suas opções ou revelam um ângulo que nunca lhe havia ocorrido antes.

O fundador dos samaritanos diz que a seção brasileira está entre as que se conservam mais fiéis ao programa original. São duas organizações distintas, na verdade, que mantêm vínculos amistosos: os samaritanos propriamente ditos e o Centro de Valorização da Vida, o CVV. A principal diferença é que este último oferece atendimento em tempo integral, 24 horas por dia, sete dias por semana — o que justifica suas normas muito mais rígidas. Se o voluntário precisa faltar a um de seus plantões semanais de quatro horas, por exemplo, deve antes acertar-se com algum colega que possa cobrir sua ausência. Deixar o plantão desguarnecido é causa de exclusão inapelável. Fala-se de um lendário plantonista que sofreu um ataque cardíaco quando se dirigia ao posto e mesmo assim conseguiu telefonar a tempo para alguém que foi substituí-lo, evitando ser excluído, se não deste mundo, ao menos do serviço (ele sobreviveu e continuou nos quadros do CVV por muito tempo). Criado em São Paulo em março de 1962, o CVV mobiliza cerca de 2 mil voluntários nos 45 postos estabelecidos no país, oito deles na capital paulista. Recebe uma chamada telefônica a cada 34 segundos. Não admite doações, limitando-se à receita proveniente dos dez reais com que cada voluntário deve contribuir ao mês e dos recursos apurados em bailes, bingos e sorteios que promove.

Em algum momento dos anos 70 o CVV passou a sofrer influência das idéias do psicólogo americano Carl Rogers e sua doutrina da *vida plena*. Três décadas antes, Rogers havia sido um dos primeiros a teorizar sobre relações de ajuda e utilizá-las para fins terapêuticos. Sua concepção pode ser resumida na idéia de que a pessoa realiza as próprias potencialidades conforme aceita a si mesma e é aceita pelos outros. Ele preconizou um processo de crescimento interior ao longo do qual a pessoa se tornaria mais tolerante e flexível, mais aberta a experiências e mais livre para agir. Seu método era *não-diretivo*, ou seja, não determinava ao paciente o que ele deveria fazer, mas se propunha a estabelecer um diálogo por meio do qual as duas partes se desenvolvessem. Vem da influência da psicologia alternativa de Rogers o ritual que ainda hoje antecede os *role plays* nas reuniões de grupo do CVV. Chama-se vida plena. Algum dos presentes oferece como tema uma emoção — ciúme, por exemplo — e cada voluntário é convidado a dizer como se sente em relação ao assunto. Não é raro que alguém comece a chorar no meio do relato.

Embora o CVV recorra a campanhas de divulgação, elas são esporádicas e discretas. Como o suicídio tem aspectos de doença contagiosa, sempre existe a chance de a publicidade suscitar a idéia em pessoas que não estavam pensando nela — seria perverso correr o risco de desencadear impulsos suicidas a título de evitar sua consumação. Além disso, entre os *cevevianos* é considerado de bom-tom manter reserva sobre a condição de voluntário, que não deveria ser alardeada fora do meio. Alguns voluntários chegam a adotar nomes de guerra, diferentes de seus nomes de batismo. Por essas razões todo o serviço está envolto numa aura de mistério benfajezo e invisível. Quem seriam essas pessoas que não receiam aproximar-se tanto do hálito da morte? O que as levaria a descer ao mais baixo degrau do desespero, até as cavernas onde criaturas dilaceradas pela dor haveriam de se agarrar a elas num abraço de afogado? Penitenciavam-se de haver perdido assim pessoas queridas que não puderam ou não souberam socorrer a tempo? Teriam sido elas próprias vítimas daquela treva da qual conseguiram reemergir? Seriam então como especialistas no limiar entre a vida e a morte, homens e mulheres que davam testemunho, porque estiveram lá, de que existe esperança depois do horror da mesma forma que existe o dia depois da noite?

Quando me apresentei para o programa de seleção de voluntários, tive a sensação de que era admitido no encontro de uma sociedade secreta ou de um partido clandestino. Nada parecia distinguir as pessoas que vinham chegando e formavam rodas depois de passar pela mesinha onde me perguntaram o nome, em seguida escrito num crachá de papelão que me mandaram afixar com um alfinete na camiseta. Poderia ser o burburinho na entrada de uma aula de espanhol, num curso de contabilidade ou numa seção eleitoral em dia de votação. Havia idosos e jovens, alguns casais e uma ampla maioria de mulheres. Muitos dos presentes não só tinham aparência como de fato eram funcionários públicos, em geral aposentados. Havia policiais militares e bancários. Havia uma ala de senhoras, algumas delas viúvas, algumas a metade restante de um casamento arruinado. Havia garotas ambiciosas que trabalhavam, faziam faculdade e ainda ajudavam a mãe em casa. Havia nisseis e também alguns comerciantes. Quando todos estávamos reunidos numa grande sala, dez minutos depois da uma da tarde de um sábado, a primeira providência foi pedir que nos separássemos de modo aleatório em círculos de sete pessoas, embriões de futuros grupos de voluntários. Em qualquer reunião, os cevevianos sentam-se em cadeiras dispostas num círculo fechado, de modo que todos estejam voltados para dentro. Foi o que fizemos. Em cada grupo, um voluntário mais experiente faria a saudação de boas-vindas aos candidatos.

A pessoa que fez esse papel no grupo em que caí me causou uma impressão forte mas inconclusiva. Era um homem de meia-idade, calvo, de chinelos e aparência negligente. Falava de um jeito nervoso e atabalhoado, parecia sofrer de alguma dislexia e começou por enumerar tudo o que o CVV não era: nem clube de amigos, nem cenáculo de santos, nem partido político e muito menos seita religiosa. Explicou que se tratava de uma organização composta de pessoas comuns em que todos eram iguais, na qual os coordenadores cumpriam seu plantão semanal da mesma forma que os outros e onde a vaidade dos indivíduos deveria desaparecer em prol do trabalho coletivo. Relatou em seguida, sempre na sua maneira brusca, empoleirado na ponta da cadeira, um catastrófico rol de infortúnios que se desencadeara em sua vida e ao cabo do qual ele se vira sem dinheiro, sem trabalho, sem casa e abandonado pela mulher, que carregara os filhos junto. O CVV o salvara e ele retribuía a ventura de ter recuperado a possibilidade de viver, que julgava perdida para sempre, tornando-se um dedicado voluntário. Mesmo sendo canhestro ou quem sabe até por isso mesmo, seu depoimento soava despojado, genuíno. Ouvimos preleções semelhantes até o começo da noite, retomadas no dia seguinte, domingo. Exceto um jovem universitário que parecia cantor de rock e se expressava muito bem, como um carismático professor de cursinho, os demais palestrantes exibiam pouco treino intelectual, lacuna que compensavam com base em experiências de grande densidade emotiva, duramente trabalhadas, que afloravam em seus relatos.

Dessas palestras só retive a figura que eles apelidam de *triângulo das Bermudas*, cujas três pontas representam a *pessoa* que procura o serviço, o *problema* que ela traz e o *sentimento* que está implícito na chamada. Ao conduzir o atendimento, o voluntário deve afastar-se dos dois primeiros e se agarrar ao terceiro vértice, o do sentimento. As regras do sigilo desaconselham o interesse sobre quem é a pessoa, o que faz, onde vive. Tudo o que é necessário saber a respeito é o que ela mesma traz à baila. O problema que a atormenta jamais deve ser menosprezado, pois obstáculos que seriam irrisórios para os demais podem torturar uma determinada pessoa. Não é raro, por exemplo, que crianças com dificuldades na lição de casa ou às vésperas de provas telefonem para o CVV. Mas quase sempre o problema não é mais que um intróito no qual a pessoa encadeia um desfile de desgraças, ou termina por constatar, como é freqüente nas terapias de fala, que suas angústias escondiam outro problema, subjacente ao primeiro. Quer nos pareçam reais ou imaginários, não podemos remediar seus problemas. O que a relação de ajuda pode aliviar é o sentimento que devora a pessoa naquele momento, possibilitando que ela venha a apaziguá-lo, de maneira paliativa, quando o compartilha com um desconhecido.

O curso se estendeu por mais oito sábados. Ficamos sabendo da existência de muitas pessoas que os cevevianos também chamam de *clientes*, mas num sentido diferente daquele adotado por Chad Varah. Aqui eles são os que querem falar sempre com um mesmo voluntário, depois de um atendimento proveitoso que receberam da parte dele, o que não é proibido, mas deveria ser desestimulado, evitando-se estabelecer relações de dependência. Ficamos cientes do hábito de outras pessoas de reter o voluntário ao telefone e fomos informados de que uma relação de ajuda que se prolonga por mais de uma hora tende a perder rendimento, cabendo encerrá-la com tato, mas também com franqueza, se a pessoa não dá sinais de desligar. Explicaram que, além do telefonema, a única forma de contato admissível entre a pessoa que busca ajuda e o voluntário é a visita ao posto de atendimento, precedida ou não de consulta telefônica, visita que deve ser aceita até o horário noturno e, a critério do voluntário, durante a madrugada. Para esses encontros existem nos postos onde os plantonistas se revezam uma minúscula saleta com duas cadeiras, sendo expressamente recomendado ao voluntário sentar-se próximo à porta, depois de acomodar o visitante na outra cadeira. Não se tem registro de ataques físicos durante esses contatos, mas não custa prevenir.

Essas e outras diretrizes jamais foram transmitidas diretamente, mas eram ilustradas por meio dos *role plays*, que ocupam, assim como nas reuniões periódicas dos voluntários, quase todo o tempo de aprendizado no curso de admissão. Os instrutores submetem os calouros a situações em que são induzidos a violar procedimentos, simulando, por exemplo, uma pessoa que não desiste enquanto não obtém algum conselho ou que apela ao voluntário para se encontrarem com urgência num café ou que deseja passar o fone à esposa, para que ela também fale, o que não é aceito: cada atendimento, além de sigiloso, é estritamente individual. Como chamadas de conteúdo sexual ocorrem com freqüência, candidatas são expostas a simulações de telefonemas libidinosos e seus colegas são assediados por supostos homossexuais. Nesses casos o voluntário é instado a conversar com a pessoa sobre o sentimento que a leva a procurar sexo telefônico. Se a pessoa insiste em usar o telefonema como forma de excitação, cabe ao voluntário pedir licença e desligar.

Calculo que muitos se perguntavam, como eu mesmo, que atitude tomar caso ligassem pessoas prestes a dar fim à própria vida. Embora o tema do suicídio apareça nas conversas telefônicas como possibilidade palpável, é incomum que alguém procure o CVV no auge de uma crise suicida. A maior parte dos estados depressivos demolem antes de mais nada a aptidão da vítima para agir — e matar-se requer uma determinação tremenda. As tentativas parecem ser mais comuns na perigosa recuperação que costuma se seguir aos vales depressivos, quando as garras do sofrimento mental ainda estrangulam, mas sem paralisar. Os voluntários são reservados quanto a esse delicado problema. Se a pessoa diz que tem um revólver carregado sobre a mesa enquanto conversa ao telefone ou que já despejou o veneno em pó no copo d'água com açúcar que tem diante de si, antes de mais nada você deve acreditar nela. O que ela vai fazer dali por diante não depende de você. Somente ela pode tomar essa decisão que não seria justo, mesmo se fosse possível, jogar no colo do voluntário. Se ela quiser conversar você estará ali para ouvi-la com atenção, procurando compreender o que ela sente e aliviar, se for possível, seu tormento. Você estará ali quando ela telefonar durante o plantão, ao menos enquanto permanecer no CVV e o telefone não estiver ocupado. Mais do que isso não pode nem deveria tentar fazer.

Ensaiava-se bastante, por outro lado, um tipo de situação temida pelos voluntários: os telefonemas dos chamados *manipuladores*. Não se tomam notas nos plantões, mas é obrigatório anotar quantas chamadas foram feitas no turno de cada um, depois registradas numa contabilidade oficial, separando-as nas seguintes categorias: *atendimento, engano, pedido de informações, mudo* (quando a pessoa fica silenciosa, às vezes por vários minutos, do outro lado da linha), *desliga* (quando ela o faz tão logo o telefonema é atendido), *recado* (para alguém do posto) ou *trote*. Chad Varah dizia que simplesmente não existem trotes; se a pessoa ligou é porque alguma necessidade emocional conseguiu se expressar sob o álibi da brincadeira. O mesmo poderia ser dito dos manipuladores, a quem não é reservada, porém, nenhuma coluna na estatística do serviço, até porque é muito difícil ter certeza de que se está lidando com um deles. O ex-vigia noturno que desempenhava as funções informais de decano no posto onde eu viria a atuar — Nóbrega, um homem de sabedoria e dedicação extraordinárias —

alertava para a possibilidade de tais pessoas encarnarem verdadeiros personagens, construções fictícias elaboradas em detalhe, vindo a representar em certos casos todo um leque deles, cada qual carregando a sua respectiva cruz, que telefonavam de quando em quando para certos voluntários, eventualmente durante anos. São consideradas pessoas extremamente habilidosas no manejo de palavras e emoções. Demorei para atinar com o objetivo de um manipulador. São mitômanos que gostam de inventar histórias, são criminosos que nunca cometeram um crime (o escritor italiano Cesare Pavese, que se matou, disse que o suicídio é o assassinato dos tímidos), são atores frustrados? Talvez sejam pessoas que experimentam uma sensação de poder ao ludibriar aquele batalhão de bem-intencionados, talvez se sintam ressentidas com a aura de contrição farisaica de quem se posta do outro lado da linha como se dissesse: *pode desabafar até explodir, tenho felicidade suficiente em minha vida pessoal para agüentar qualquer tranco...* Seja isso ou aquilo, o propósito dessa insólita categoria de pessoas se realiza quando conseguem levar o voluntário a cometer erros, manifestar sentimentos agressivos e sofrer. Fazê-lo chorar equivale a um troféu.

 Parecia uma fauna estranha, e eu me perguntava se os voluntários seriam muito diferentes. Numa das preleções, ouvi um deles definir o serviço como *um bando de loucos cuidando de outro bando de loucos.* Não seria talvez o mesmo bando ocupando os dois lados do balcão? Cheguei a cogitar se parte dos telefonemas não seria feita por voluntários em suas horas de desespero e até mesmo se os membros da coordenação não fariam chamadas a esmo, como anônimos, para monitorar o atendimento, o que é negado de maneira escandalizada. Muitos de meus colegas eram homens e mulheres de boa-fé levados a ajudar o próximo por solidariedade. Muitos buscavam no voluntariado uma forma útil de preencher o tempo, e quem sabe encontrassem, na consolação do sofrimento alheio, algum tipo de conforto para o seu próprio, um pouco como se fosse o roto abraçado ao rasgado. Muitos se encaixariam no perfil dos solitários, sofredores e depressivos — para alguns deles o CVV se tornaria uma família. A maioria estava ali por uma combinação de todos esses impulsos.

Eu mesmo andava obcecado naquela época pelo suicídio de Sylvia Plath, escritora que se matou em 1963, aos trinta anos, após sucessivas crises de depressão e tentativas malsucedidas. É famoso o poema em que ela escreveu: *Dying/ Is an art, like everything else./ I do it exceptionally well./ [...] I guess you could say I've a call.** Seu único romance é autobiográfico (*A redoma de vidro*) e descreve a sensação de estar o tempo todo oprimida pela redoma do título, "asfixiada em minha própria respiração ácida". Nos anos de juventude, ela parecia acordar toda manhã pensando em como trataria de se matar naquele dia. Poucos relatos transmitem, com a intensidade do de Sylvia Plath, tamanha sensação de dor psíquica, tão intolerável que o suicídio passa a ser considerado sob prismas temerários — como dever de consciência, ato de misericórdia, gesto de rotina e obra de arte. Literatura e suicídio convergem em sua obra, que extrai parte de sua força da radicalidade do evento tão arduamente perseguido, elaborado e consumado. É possível conceber uma beleza moral no suicídio, desde que se admita que ele traduz a assunção da mais completa responsabilidade sobre o próprio eu, como se morrer de forma acidental ou impensada fosse próprio dos animais — haveria também uma beleza estética? A possibilidade do suicídio seria como uma condensação da existência, um ponto de ruptura sempre iminente a partir do qual todas as coisas irradiariam sua expressão definitiva, seu sentido último?

Um ou outro postulante abandonou o curso, mas a grande maioria dos quase trinta inscritos o concluiu e foi admitida. Existe

---

* Tradução literal: *Morrer/ É uma arte, como tudo o mais./ Eu morro excepcionalmente bem./ [...] Acho que se pode dizer que tenho um dom.*

uma carência crônica de voluntários, pois em redor do núcleo central de abnegados circula um contingente flutuante de pessoas que entram e saem. Recebi meu crachá definitivo, uma cópia da chave do posto e pude escolher, na tabela dos horários disponíveis, o meu plantão. Sentia-me agora parte de mais uma confraria secreta. A discrição dos voluntários, sua paciente disciplina, a noção de que integravam um trabalho maior para o qual cada um contribuía, em condições iguais, com uma minúscula fração de esforço, a idéia de que todos estavam ali para aprender com o sofrimento alheio e se possível mitigá-lo — esses aspectos todos conferiam ao serviço um quê de sagrado. Estava apreensivo quanto à minha capacidade para prestar atendimento e ao mesmo tempo ansioso por travar contato com as *pessoas*, como são simplesmente chamados os que desesperam, os que estão caídos à beira da estrada, os outros.

As regras do atendimento implicam o mais rigoroso sigilo. A identidade da pessoa que procura o serviço deve ser preservada; quase sempre ela permanece desconhecida. Mas seu relato tampouco pode vir a público, sendo comum que um voluntário novato, ao se referir numa reunião de grupo a certa pessoa que telefonou no plantão passado, seja logo interrompido por algum colega mais experiente que lhe propõe simular um atendimento parecido e deixar de lado a pessoa específica que chamou. Os fatos, muitas vezes dolorosos, sempre íntimos, pertencem àquela pessoa, que precisou dividi-los naquele momento com você, não na semana seguinte com o grupo. Não acredito, porém, que comentar os tipos mais freqüentes de telefonemas, agrupando-os conforme determinadas características em comum e falando deles genericamente, possa quebrar as regras que aceitei observar.

O domingo à noite sempre foi o momento mais terrível da semana para mim e acredito que para a maioria das pessoas. Era a hora em que o fim de semana começava a acabar, geralmente dissipado em inexplicável perda de tempo, e se aproximava o momento angustioso de voltar ao colégio semi-interno, estabelecimento que na minha percepção neurastênica aparecia como mistura de presídio e caserna para crianças. Também era a hora na qual os deveres de casa, adiados pelos melhores pretextos possíveis desde a noite de sexta, se apresentavam como desafios invencíveis, que eu continuava entretanto a adiar de hora em hora até ir dormir tarde, escandalizado com minha irresponsabilidade, depois de fixar o despertador para as quatro e meia da manhã, quando sabia que *teria* de enfrentá-los. O pôr-do-sol do domingo, com aqueles restos de narração futebolística escapando pelos radinhos de pilha, era algo que parecia doer fisicamente.

No ano em que entrei para o cvv haviam introduzido uma novidade, o *padrinho*, voluntário mais experiente que acompanharia o atendimento inaugural de cada novato. Fui recebido em meu primeiro plantão dominical às seis da tarde por Werner, designado para atuar como meu padrinho, que me esperava em pé na soleira da porta. Homem de seus sessenta anos, tímido a ponto de quase não abrir a boca, Werner era um voluntário extremamente organizado e meticuloso, que durante sua presença no posto mantinha o lugar em funcionamento como faria um oficial alemão num submarino de guerra. Ele me mostrou as dependências: uma saleta com as mesinhas e os telefones para a dupla de atendentes, separados por uma divisória que não chegava ao teto, e onde havia também uma estante e um mural de avisos. Completavam as instalações um pequeno banheiro no fundo e, ao lado da porta de entrada, o cubículo onde ocorrem os atendimentos pessoais. Toda a área não chegaria a cinqüenta metros quadrados. O padrinho passou a descrever as tarefas. Ao chegar, deveria consultar minha pasta — cada voluntário tem a sua, guardada na estante — a fim de verificar se haveria recados para mim. (A minha estava cheia de bilhetes de voluntários veteranos, desejando-me boas-vindas e boas relações de ajuda.) Em seguida, deveria consultar o livro do dia, para me inteirar de convocatórias e outros comunicados oficiais. Então, deveria pegar papel e caneta no armário da estante, anotar numa coluna as categorias em que se organizam as chamadas telefônicas, a fim de quantificá-las, e sentar-me à mesinha, onde o telefone havia sido deixado fora do gancho pelo voluntário precedente. Vi que no armário havia álcool e algodão, utilizados, conforme soube depois, por quem quiser desinfetar os telefones. Na passagem para o banheiro ficava uma velha cafeteira, que os voluntários se cotizam para abastecer de café.

Tive um calafrio quando, depois de respirar fundo, recoloquei o fone no gancho. Poucos segundos depois o telefone tocou e eu atendi: *CVV, boa noite.* Manipulava o aparelho como um aprendiz na técnica de explosivos que desarmasse sua primeira mina — e a presença do "coronel" Werner às minhas costas não contribuía para reduzir meu nervosismo. Procurei me limitar ao básico, mais preocupado em escapar à censura do meu padrinho do que em fazer de fato um bom atendimento. Nos intervalos entre as ligações, ele tecia críticas que me pareceram típicas de seu temperamento burocrático, mas com as quais eu evidentemente concordei de imediato, até porque não havia muito tempo para debate, logo o telefone tocava de novo. Depois de duas horas de atendimento, eu disse que iria até a esquina comprar um refrigerante (queria fumar), mas Werner me impediu, de forma polida e determinada, informando que as regras proíbem que o voluntário se afaste do posto durante as quatro horas do plantão. *Nem para fumar?* Não, fumar era permitido, mas depressa e do lado de fora da porta, nem tão perto que a fumaça pudesse entrar pela janela, nem tão longe que a distância configurasse deserção do posto.

Tonica, a voluntária com quem dividi o plantão durante o ano em que trabalhei no CVV, era uma viúva que morava sozinha e praticamente só saía de casa para vir aos domingos ao posto. Era uma dessas pessoas que irradiam uma serenidade intuitiva, prática. Os outros a consideravam uma voluntária exemplar pelo desprendimento e pela constância dos quase vinte anos que vinha dedicando ao serviço. Convivemos durante muitos meses, mas conversamos pouco, porque os telefones não param de tocar e certas ligações demoram quarenta minutos, uma hora — às vezes mais. Uma única vez ela me deu um conselho. Disse que achava que eu estava dedicando tempo demais a uns poucos clientes, que deveria evitar telefonemas tão extensos para não aprofundar a dependência que começavam a desenvolver.

Como não posso falar das pessoas que ligavam (e mesmo os voluntários mencionados aqui aparecem com nomes que não eram os seus), farei uma tentativa de esboçar categorias de telefonemas. Havia os casos que eu passei a chamar mentalmente de *pontuais*. A pessoa enfrentava um problema concreto, não tinha a quem recorrer para conversar a respeito naquele momento ou não desejava fazê-lo com alguém conhecido, e então telefonava para o serviço. Normalmente essa pessoa está calma, embora angustiada. Ela se confronta com uma situação do tipo "ou isto ou aquilo" e grande parte de sua angústia pode ser conseqüência tanto de a decisão estar em suas mãos como, ao contrário, de estar fora de seu controle. Essa pessoa costuma pesar prós e contras para solicitar sua posição: *o que você faria se estivesse no meu lugar?* Às vezes acontece de a pessoa reclamar da atitude evasiva que o voluntário tem de adotar, tão parecida com a de quem não quer se comprometer dando uma opinião num tema espinhoso. Mas esses são os atendimentos menos difíceis. O outro dialoga e raciocina com você. Na maioria das vezes tudo o que ele necessita é verbalizar os pensamentos em voz alta a fim de aclará-los para si mesmo — você está ali como interlocutor imaginário que deve se dar por satisfeito se não atrapalhar o roteiro que a outra pessoa precisa percorrer. O desfecho mais comum desses atendimentos, que não se estendem por mais de quinze ou trinta minutos, é a pessoa agradecer, antes de desligar, dizendo que agora suas opções lhe parecem mais claras. Não tenho dúvida de que o CVV é muito útil nesse tipo de caso.

Uma segunda categoria seria composta de telefonemas *cíclicos*, nos quais se enquadra a maioria das chamadas feitas por clientes. São pessoas que repisam as mesmas queixas e repetem uma só história. Parte delas é vítima de sofrimentos e privações que deixariam qualquer pessoa aniquilada; outra parte costuma sofrer intensamente por causa de situações que a maioria dos mortais saberia enfrentar ou talvez nem considerasse problemas graves. Algumas dessas pessoas não apenas extraem certo alívio da repetição implacável dos mesmos dramas nos quais sua vida está aprisionada, mas quase se aborrecem quando o voluntário ventila possíveis alternativas, como se a intromissão viesse estragar o enredo. Parece que estão dizendo algo assim: *ligo uma vez por semana para o CVV a fim de repassar a tragédia da minha vida e vem você me roubar esse último prazer?* Nem por isso seu sofrimento é menos real. Tais pessoas ensinam ao voluntário uma preciosa lição de humildade, que o faz reconhecer os limites de sua atuação, mostrando que o atendimento pode ser estéril ou simplesmente não avançar além de certo ponto. Mais importante do que isso, porém, elas ensinam o atendente a se livrar do próprio sentimentalismo, camada superficial que não resiste ao primeiro teste de realidade e muito menos ao desgaste da rotina. Na primeira vez em que ouvi um relato especialmente trágico, de uma pessoa muita meiga e sobre a qual se desencadeara desde cedo um mundo de desventuras sucessivas, que haviam manietado gravemente suas possibilidades como ser humano, eu chorei. Fui tão discreto quanto possível, mas tive a impressão de que a pessoa havia percebido e até se mostrava satisfeita com a reação, que atestava meus bons sentimentos e pela qual decidiu me premiar tornando-se minha cliente. Na segunda vez em que me relatou a mesma história eu a escutei compungido; numa das vezes seguintes me surpreendi bocejando.

Quer dizer que é disso que são feitos nossos melhores impulsos? Um relato que se repetia como renovação periódica de um acúmulo de desgraças — como indício de que o raio pode cair, sim, duas, três vezes numa mesma árvore — deveria avivar meus bons sentimentos, mas o resultado era oposto, o hábito os anestesiava como faz com tudo o mais, sufocando-os numa insensibilidade que chegava a assumir contornos de impaciência. Se eu me forçasse não seria ainda pior? Fazer papel de bonzinho enquanto dirigia impropérios mentais à pessoa que me alcançava poucos minutos antes de terminar o plantão num telefonema que prometia durar a eternidade? Qual a alternativa? Perseguir outra vez aquela autêntica compaixão que uma vez eu sentira e da qual chegava a me envergonhar agora? Mas isso não fazia do interlocutor uma espécie de artista da piedade, empenhado em recolher lágrimas a título de aplausos?

Só o fato de que pensamentos assim me ocorressem era o bastante para eu me odiar. E o que dizer de mim mesmo? Acabava de ficar provado que eu não era movido por sentimentos de verdadeira solidariedade. Talvez estivesse entre aqueles tantos que se consolam das próprias afliçõezinhas verificando ao vivo que existem outras muito piores. Talvez eu me sentisse *bom* porque dedicava algumas horas da minha semana ao sofrimento alheio, não com o objetivo de me jactar para terceiros — seria vulgar —, mas para entreter os caprichos de um superego birrento e infantil. *É tudo vaidade*, como diz o Eclesiastes (1,2). Olhava para Tonica e dizia a mim mesmo que ela era feita de outro material, que essas elucubrações culposas simplesmente não lhe ocorriam, ocupada demais que ela estava em obedecer a um impulso silencioso, sem afetações de altruísmo, que se provara sério ao longo dos anos e estava imune a frivolidade, bisbilhotice e lamúria. Às vezes ela desligava depois de um longo telefonema e desabafava: *ai, como é chato esse cara!* Ela podia.

Entender que as pessoas se afligem pelas razões mais variadas e aprender a respeitar todas elas é um aprendizado. Mas os atendimentos mais difíceis eram aqueles em que o voluntário ouve o relato de uma situação que ninguém deixaria de considerar terrível, capaz de abalar de maneira profunda, talvez irremediável, o mais "normal" dos indivíduos. Quando acontecia algo assim, eu ficava acabrunhado, mais silencioso do que de costume, perguntando-me o que poderia ser dito de verdadeiro àquela pessoa sem piorar seu estado de ânimo. Eram conversas que eu pontuava de monossílabos, aos quais aprendi a dar diversas conotações alterando de modo imperceptível o tom da voz: *entendo, claro, sei, é verdade, sim...* Voltava para casa me consolando com a idéia de que ser ouvida fizera algum bem àquela pessoa. Também era bom receber elogios e agradecimentos, melhor ainda reagir a eles com discreta humildade, mudando imediatamente de assunto, por exemplo — e de novo eu me indagava quem estava de que lado do balcão, quem ajudava quem.

Saía às vezes do plantão num estado de alegria íntima, quando sentia que fizera um atendimento afetuoso ou simplesmente havia conversado com uma pessoa divertida. Certa vez alguém ligou apenas para dizer que estava muito feliz naquele dia. Mas havia noites em que eu chegava em casa com as vozes da tristeza ressoando na cabeça e me consolava imaginando que a vida talvez fosse uma espécie de educação para a solidão que só se completa na morte. Quanto à utilidade do serviço para os clientes, tinha dúvidas. Tornavam-se dependentes, viciavam-se naquele outro tipo de "amizade virtual". Encontravam no CVV um simulacro das relações pessoais que não conseguiam estabelecer em suas vidas e que talvez minasse sua já pequena disposição para buscá-las. Ainda assim, não era preferível que pudessem contar com essa muleta em vez de remoer a própria solidão na frente da TV?

Um terceiro tipo de ligações era o de pessoas em estado de agitação e franco desespero. Podiam ser telefonemas confusos durante os quais fica mais ou menos explícito que a outra pessoa eventualmente bebeu, tomou comprimidos ou está sob um surto delirante. Às vezes ela discute com o voluntário e chega a insultá-lo, às vezes fala mal de algum colega dele. Existem casos em que a pessoa desfia uma narrativa complexa e difícil de compreender. Ouvir com paciência é quase tudo o que se pode fazer nessas ocasiões. São os atendimentos menos frutíferos e deixam o voluntário às voltas com uma sensação de impotência. Em cada posto do CVV há uma lista de telefones úteis, incluindo plantões de emergência e serviços psiquiátricos públicos, que podem ser fornecidos se a pessoa que ligou pedir, o que é raro. Entre esses números de telefone estão os de toda uma rede de voluntariados semelhantes ao CVV: os Alcoólicos Anônimos (AA), organização fundada em 1934 cuja filosofia exerceu evidente influência sobre os samaritanos, assim como os mais recentes Neuróticos Anônimos (NA) e as Mulheres que Amam Demais, conhecidas pela sigla MADA.

A propósito, no posto onde trabalhei havia 78 voluntários, dos quais 65% eram mulheres e 35%, homens. Proporção semelhante se verifica do outro lado da linha, entre as pessoas que procuram o CVV. As estatísticas mostram que as mulheres estão mais sujeitas a doença depressiva do que os homens. Também são mais freqüentes entre elas as tentativas de suicídio — mas não os suicídios consumados, mais comuns entre os homens. Esta última evidência se explicaria, ao menos em parte, pelo fato de mais homens recorrerem a meios agressivos e certeiros, como armas de fogo, recurso pouco empregado por mulheres. Minha impressão é que homens têm propensão a engolir os próprios sentimentos ou expressá-los de maneira física (eventualmente violenta), ao passo que nas mulheres eles tramitam com mais facilidade sob a forma verbal. Não me parece que as mulheres tenham mais necessidade de apoio, mas que se sentem menos constrangidas em pedir ajuda e estão mais habituadas a falar sobre o próprio sofrimento.

Um ano depois deixei o serviço, um pouco a contragosto. Não tinham passado despercebidos os sutis efeitos terapêuticos que o voluntariado exerce sobre o *voluntário*. O problema não era o tempo dedicado ao atendimento semanal, mas a rotina de reuniões sobre reuniões. Estava perto de ser expulso por faltas. Além disso, não me adaptei ao que me parecia um excessivo rigor na disciplina interna, uma atmosfera de coesão algo totalitária em que todos observavam e criticavam todos. Houve momentos em que me sentia um membro do Partido Comunista Chinês durante a Revolução Cultural. Talvez eu fosse individualista demais para me encaixar na colméia. Reconhecia, por outro lado, que se não fosse aquela mentalidade draconiana, preservada quase milagrosamente década após década, o atendimento se esgarçaria. Quando passo perto do posto onde trabalhei ou penso nos plantões de domingo à noite, sinto uma sombra de melancolia que não é desagradável — uma espécie de saudade. Talvez volte um dia, se tiver a chance. Nunca participei de nenhuma estrutura tão bem organizada como o CVV. Nunca conheci um grupo de pessoas tão abnegadas. Nunca vi trabalho realizado mais a sério.

Certos locais se tornam santuários macabros a seduzir levas de suicidas. Circunstâncias geográficas favoráveis atraem os pioneiros e depois a própria fileira de precursores se encarrega de alimentar o fluxo. Um desses lugares é o monte Mihara, um vulcão ativo no Japão. No inverno de 1933 duas adolescentes de Tóquio subiram à beira da cratera. Depois de pedir segredo à outra, explicando que desejava ser incinerada e subir aos céus na forma de fumaça, uma das garotas se atirou no precipício. A história se espalhou e logo outras moças seguiram atrás, atirando-se também. Já no ano seguinte 160 pessoas pularam, apesar de o local estar sob vigilância da polícia. Surgiu uma sinistra infraestrutura de comércio e turismo em volta do monte. Quando a beira do vulcão foi afinal interditada, cerca de mil suicidas haviam se matado ali. A fantasia de que multidões assim formam uma espécie de irmandade, reunida por um laço invisível, dramático, quase místico, talvez dê o triste conforto de pertencer ao menos a esse grupo e reduza a solidão profunda em meio à qual o suicida rumina e decide.

Outro desses pontos de atração é a Golden Gate, em San Francisco. A cada duas semanas, em média, uma pessoa pula dessa ponte para atravessar em quatro segundos a altura de 66 metros (equivalente a um edifício de 22 andares) até a superfície do Pacífico. Apenas 1% sobrevive. Desde que a epidemia começou, três meses depois da inauguração da ponte, em 1937, calcula-se que pelo menos 1200 pessoas tenham saltado. Surgiu uma liga que organiza apostas sobre a data da próxima queda. Em 1973, a imprensa local fez contagem regressiva para o suicida número 500. Em 95, a mesma coisa se repetiu na expectativa do milésimo, afinal declarado extra-oficialmente, pois a contabilidade da polícia foi suspensa a pedidos pouco antes. Existe fiscalização para impedir os saltos, mas ela evita não mais do que dois terços das tentativas. Numa reportagem publicada pela revista *New Yorker* em 2003, Tad Friend relata a incrível resistência das autoridades em construir uma barreira física que prejudicaria a vista, mas impediria de vez os suicídios. Pesquisas de opinião indicam que metade dos habitantes de San Francisco é contrária à barreira. A ponte é o último dos "templos" do suicídio ao qual o acesso continua relativamente livre. Uma aura "romântica" cerca o lugar, como se o gigantesco arco de metal suspenso por cabos que se projetam na perpendicular em direção às nuvens, estendido sobre o oceano na extremidade do continente, em meio a um cenário maravilhoso, fosse a passagem etérea para algum mundo mágico.

Essa visão edulcorada escamoteia os horrores do suicídio, a começar pelos acidentes da própria execução do ato. Pessoas que sobreviveram depois de se jogarem de lugares altos relatam que se arrependeram imediatamente após saltar. Circula entre os especialistas o dito segundo o qual o suicídio é uma solução permanente para problemas quase sempre temporários. Numa queda como a da Golden Gate, ocorrem fraturas múltiplas e as costelas se rompem para dentro, estraçalhando os órgãos internos. Às vezes a pessoa só morre algumas horas depois do choque. Há casos de pessoas que tentaram acabar com a vida disparando contra a própria cabeça e ainda assim sobreviveram, talvez em conseqüência de algum desvio produzido por tremores na mão. No relato clínico de um caso assim, a pessoa afirmou se recordar do clarão fulgurante, seguido por uma onda de dor indescritível, que ela comparou a ter passado um braço ou uma perna num moedor de carne, enquanto sentia a consciência se esvair junto com borbotões de sangue que jorravam pelos ferimentos abertos no rosto pelo impacto do projétil. Anos depois, continua o testemunho, a simples lembrança desse momento medonho fazia voltar o espectro da dor. Noutro relato, o de uma adolescente que despejou gasolina nas próprias roupas e no interior do carro onde se trancou, o primeiro fósforo riscado negou fogo. Ao riscar o segundo palito, ela ouviu uma explosão, um ruído ensurdecedor, seguido também de dores inarráveis por todo o corpo, que se dobrou instintivamente. Seguiram-se duas outras explosões que fizeram recrudescer as chamas e a agonia. Ela raciocinava e sentia esses tormentos ao mesmo tempo. Como o cheiro do combustível a deixasse enjoada, prendeu a respiração, evitando assim, sem sabê-lo, que seus pulmões fossem queimados. Conseguiu abrir a porta do carro e saltar para fora, onde passantes a socorreram. Mesmo um método "banal" como abrir os pulsos apresenta dificuldades: o sangue coagula depressa, o que eventualmente obriga o suicida a ferir diversas vezes o mesmo lugar, em tentativas que podem se estender por horas até a pessoa desmaiar pela perda de sangue. Esse é, aliás, um dos meios menos eficazes de atingir o objetivo, com apenas 5% de êxito. Quando Montaigne, repetindo Sêneca, escreveu que a natureza *criou um só meio de entrar na vida, mas cem de sair dela*, omitiu que por nenhum deles é fácil atravessar. É provável que não exista método absolutamente seguro e que somente o suicídio assistido nas controvertidas clínicas destinadas a esse fim, a que recorrem pessoas desenganadas pela medicina, seja de fato livre de riscos e indolor — fisicamente.

Quem se mata? Há estatísticas para todos os gostos. Nos Estados Unidos ocorre um suicídio a cada dezoito minutos, cerca de 30 mil por ano. No Brasil, no ano de 2000, foram registrados 6778 casos (um suicídio para cada quatro mortes no trânsito). A desproporção nos números entre os dois países em relação às respectivas populações talvez se deva, ao menos em parte, a omissões piedosas ou pragmáticas da causa da morte nas notificações médicas, assim como a uma apuração mais ou menos criteriosa das mortes acidentais. Parcela dos desastres automobilísticos nos quais o motorista se acidenta sozinho, por exemplo, são suicídios camuflados. Quedas, bastante propícias a confusões desse tipo, são computadas pelo Ministério da Saúde brasileiro numa modalidade à parte. Estima-se que ocorra um suicídio para cada dezesseis tentativas consideradas "sérias". A taxa mundial de suicídio nas últimas décadas teria mais do que duplicado — é difícil estabelecer o quanto desse aumento se deve à obtenção de registros mais exatos. Tentativas de suicídio de mulheres são pelo menos duas vezes mais prováveis do que entre homens, mas a consumação é quatro vezes mais freqüente entre eles. Por outro lado, mulheres estão duas vezes mais sujeitas a depressão severa do que homens. Calcula-se que até 90% dos suicidas deixem alguma pista de sua intenção no prazo de poucas semanas antes do fato. Pessoas idosas se matam mais; entre os jovens, no entanto, as tentativas são mais comuns. São raríssimos os suicídios de crianças com menos de doze anos. Não parece haver correlação significativa entre classe social e suicídio. Mas existe uma sobreposição relevante entre suicídio e dependências químicas como o alcoolismo. Pessoas com QI alto são mais propensas a se matar. Profissionais como escritores, artistas, médicos e policiais também. Mais esclarecedor do que esse amontoado de índices, porém, é o conjunto de descobertas que a ciência vem realizando em torno do ainda pouco conhecido funcionamento neuroquímico do cérebro e das relações cruciais que mantém com a depressão e com sua manifestação mais aguda, o impulso suicida.

Entre os neurônios, as células do sistema nervoso, existem espaços chamados sinapses pelos quais transitam mensagens na forma de impulsos eletroquímicos. Dezenas de substâncias exercem múltiplas funções como portadoras de mensagens e são por isso chamadas de neurotransmissores, entre os quais figuram a dopamina, a serotonina e a norepinefrina. Constatou-se uma correlação entre a baixa disponibilidade dessas substâncias nos interstícios dos neurônios e a incidência de perturbações psíquicas que na maioria das vezes estão presentes no comportamento suicida, em especial a depressão e o transtorno bipolar, antigamente denominado psicose maníaco-depressiva, que se caracteriza pela alternância de períodos de impulsividade com outros de prostração e apatia. Já nos anos 1950, verificou-se que determinada droga concebida para tratar tuberculose deixava os pacientes alegres e otimistas. Essa droga inibia a ação de uma enzima, presente no cérebro, que por sua vez tornava inativos os neurotransmissores liberados pelas sinapses. Outros medicamentos, que deram origem aos antidepressivos mais modernos, bloqueiam a reabsorção, pelas extremidades dos neurônios, dos neurotransmissores que irrigam os espaços entre eles. Patamares reduzidos de serotonina "livre" entre os neurônios estão associados a comportamentos agressivos no homem e em outros primatas. As pesquisas sugerem que os níveis de produção e distribuição dessas substâncias dependem em parte de fatores hereditários e estão sujeitos também ao impacto de fatores externos, ambientais. Uma crise pessoal — a perda de uma pessoa querida, uma frustração percebida como decisiva — pode desencadear um colapso nos níveis de neurotransmissores e precipitar uma crise depressiva.

Essas descobertas, ainda que parciais e insatisfatórias, têm uma importância transcendental. Contribuem como nenhuma outra evidência para esvaziar o carisma romântico do suicídio e liquidar a atmosfera de mistério existencial que sempre o cercou. Reduzem o suicídio — ao menos na grande maioria dos casos — a um problema clínico e essencialmente tratável. Os mais respeitados especialistas no assunto, como a psiquiatra americana Kay Redfield Jamison (autora do excelente *Quando a noite cai — Entendendo o suicídio*, Gryphus, 2002), recomendam a combinação de antidepressivos e apoio psicoterapêutico como a melhor estratégia para controlar doenças depressivas e prevenir os surtos de extremo sofrimento psíquico que arrastam ao suicídio. Na última década houve acentuada evolução nos medicamentos, que já não apresentam os efeitos colaterais de antes.

De alguma forma, é como se os neurotransmissores conduzissem os estímulos correspondentes às sensações de prazer e desprazer. Deficiências nesse trânsito desencadeariam uma redução dos níveis de prazer ou um incremento nos de dor, distribuídos ao longo de uma escala contínua, compelindo o indivíduo muitas vezes a buscar compensações na dependência de substâncias químicas que passa a consumir compulsivamente — álcool, outras drogas e até mesmo o cigarro.

Andrew Solomon, que sobreviveu a uma tentativa pouco depois de participar do suicídio assistido da própria mãe e escreveu um livro exaustivo sobre o tema (*O demônio do meio-dia — Uma anatomia da depressão*, Objetiva, 2002), conta que era capaz de cair em choro convulsivo, quando estava sob as garras da depressão, apenas porque o sabonete tinha acabado no meio do banho, como se a doença pusesse uma lente de aumento sobre cada contrariedade para fazer dela uma fonte de sofrimento lancinante. A grande maioria das pessoas que tentam o suicídio concluiu que não conseguiria (ou não valeria a pena) continuar vivendo sob tamanha dor. Por outro lado, o avanço da psiquiatria medicamentosa, que esvaziou em parte o prestígio das terapias que atuam por meio da fala, abre perspectivas inquietantes quanto a uma possível "reengenharia emocional" voltada a produzir seres humanos artificialmente felizes. Algo assim já começa a acontecer na forma do uso crescente de antidepressivos por parte de pessoas "normais", ansiosas por melhorar seu desempenho na corrida pela felicidade.

Mesmo assim, o suicídio guarda um enigma residual. Outro especialista, o já mencionado dr. Edwin Shneidman, autor de vasta obra sobre o problema e criador dos centros de prevenção norte-americanos que antecederam Chad Varah, reduz o peso do componente neuroquímico e chama a atenção para um núcleo psicológico irredutível, quase determinista, onde teria origem a dinâmica dos comportamentos autodestrutivos. Esse núcleo estaria enraizado na infância mais remota, em pleno romance familiar freudiano, quando a criança estabelece, ainda livre das limitações do realismo adulto, uma comunhão de intimidade aconchegante e secreta com os pais. Se por obtusidade, desatenção ou incapacidade objetiva os pais não conseguem corresponder a essa demanda, que fornece à criança, quando bem atendida, seu primeiro modelo de experiência prazerosa, é como se toda a aptidão para sentir prazer e suportar o sofrimento ficasse comprometida, à semelhança de um órgão do corpo que não fosse estimulado nos primeiros anos de vida. Com base numa intensa experiência como clínico e pesquisador, Shneidman ressalta que o suicídio decorre em última análise da enorme quantidade de dor psíquica produzida quando uma série de necessidades psicológicas, ligadas à auto-apreciação e comuns a todo ser humano, são seguidamente frustradas.

Como jornalista, eu não poderia deixar de mencionar um aspecto muito controvertido: a divulgação de suicídios pelos órgãos de comunicação. Não existe dúvida de que casos sensacionais, noticiados com estardalhaço, dão ensejo a imitadores. Minha opinião é que a mídia deveria se obrigar a certas renúncias na cobertura de suicídios e temas correlatos, como na prática já ocorre na grande maioria dos casos. Só me parece admissível noticiar suicídios quando o fato implicar de alguma forma o interesse público ou envolver celebridades que despertem curiosidade irrefreável. Seria bom que essas notícias omitissem detalhes mórbidos e prestassem algum esclarecimento científico. Informações sobre os meios práticos para cometer suicídio não deveriam ser publicadas. Mas o debate desimpedido sobre os mecanismos psicológicos do suicídio e os modos de preveni-lo é a melhor maneira de enfrentar a questão. Adquiri a convicção de que saber mais sobre o fantasma do suicídio pode ser o caminho para dominá-lo. Ajuda a dissipar a névoa de fantasia e ignorância que tanto obscurece os terrores que acompanham esse ato de desamparo extremo, como impede de ver que o suicídio não somente pode, mas deve ser evitado. Shneidman deduz a moralidade dos esforços contra o suicídio da natureza ambígua de todo sentimento humano e do caráter irreversível do ato, para concluir que, em benefício da dúvida, é imperativo lutar pelo prosseguimento da vida. Solomon cita o filósofo George Santayana: *Que a vida vale a pena ser vivida é a mais necessária das presunções, e se não fosse pressuposta, seria a mais impossível das conclusões.*

O suicídio do autor seria o coroamento espetacular deste livro, capaz de dotá-lo da máxima coerência e de expandir seu espírito de investigação participativa para além de todos os limites. Ao mesmo tempo, ajudaria nas vendas. Quando informava qual seria o tema do último capítulo, quase sempre me perguntavam se eu pretendia me suicidar para escrevê-lo. Às vezes fantasiava se alguém na editora não estaria desconfiado de que, tendo entregue os últimos originais, eu acrescentaria o verdadeiro ponto final fora de suas páginas. Solução audaciosa, mas não propriamente inédita — parece que já não é possível fazer nada pela primeira vez. Em 1770, o poeta inglês Thomas Chatterton matou-se no quarto de uma hospedaria em Londres, por ingestão de arsênico, a fim de chamar a atenção para a própria obra literária.

Quem ainda não imaginou a própria morte, quem nunca especulou sobre o próprio enterro? Quando essas visões me vinham à mente, eu costumava prolongá-las para ver aonde iam dar. Pensava nas pessoas se dispersando após a cerimônia, talvez para cumprir o ritual de quase todas as culturas que manda comer após sepultar alguém, numa celebração antropofágica destinada a reafirmar os direitos da vida sobre a morte. Fantasiava depois alguns retardatários conversando animadamente no final de uma missa — e a partir desse ponto minha memória entre os vivos começaria a desvanecer aos poucos, episódios seriam descritos de forma deturpada pelo esquecimento, meu nome seria cada vez menos pronunciado, meu aniversário lembrado por um número minguante de pessoas. Quanto tempo demora para que todo vestígio deixado por alguém desapareça da face da Terra? Há pouco tempo recebi de uma tia com quem sempre tive afinidades um pacote de antigas fotos de família. Dentro havia chapas que recuavam pelas gerações até por volta de 1880. Olhei espantado para aqueles ancestrais irreconhecíveis que faziam poses imponentes, suas fisionomias pouco mais do que um clarão difuso, o fantasma de um instante perdido na eternidade do passado. Mais uma geração e todos seriam completos desconhecidos. Com ajuda de anotações nas fotos, identifiquei alguns antepassados em linha direta. Mesmo o vínculo biológico era tênue e mais cedo ou mais tarde viria a desaparecer: na melhor das hipóteses restava apenas um oitavo do legado genético de cada um deles em mim.

Depois que saltei de pára-quedas e este livro começou a tomar forma, eram tantas as incursões que eu gostaria de fazer e relatar que estabeleci um conjunto de critérios. Foi na época do Dogma, a escola de cineastas nórdicos que se impôs uma série de renúncias tecnológicas como estratégia para realizar um cinema mais autêntico. Criei por imitação o meu próprio "dogma". Cada episódio do livro deveria narrar uma vivência capaz de atrair qualquer pessoa, não fosse pelos riscos psicológicos envolvidos. Essa vivência deveria estar radicada no corpo. Cada reportagem dissecaria ao mesmo tempo uma comunidade organizada como seita, com crenças, hierarquia e linguagem próprias. Os textos seriam redigidos na primeira pessoa e não viriam acompanhados de fotos minhas. Jamais repetiria nenhuma das "experiências". E assim por diante. Da mesma forma que os cineastas do Dogma, violei pelo menos uma dessas regras em todos os capítulos. Com o tempo, percebi que eu vinha associando cada ensaio a um pecado capital, atraído, talvez, pela coincidência numérica (a saber, de acordo com a seqüência na qual aparecem os capítulos: ira, preguiça, avareza, orgulho, gula, luxúria e inveja). Uma pessoa que leu parte dos originais comentou que parecia um exercício de expiação religiosa escrito por um ateu. Eu preferia pensar que minha descida até os círculos do inferno pessoal — meus "trabalhos de Hércules", como os chamava de brincadeira, eram uma paródia de auto-análise.

    A cena de suicídio que fui obrigado a presenciar talvez tenha me curado para sempre — quem sabe não seja excessivo julgar que o sacrifício daquela pessoa inadvertidamente me salvou. Se persistia alguma inclinação autodestrutiva, oculta sob o projeto do livro, sua realização parece tê-la dissipado. Havia ampliado minhas faculdades para sentir e compreender, desafiado meus pesadelos inconfessáveis e me achava agora um pouco mais à vontade dentro de mim mesmo. Pensava na divisa de Emerson, *I must be myself.* Ainda tomado pelos mesmos temores de sempre, mas de coração mais leve, sem atribuir importância tão peremptória seja à vida, seja à morte, eu me voltava para os dias que estão por vir com a confiança de que poderia, com alguma sorte, se quisesse, torná-los melhores para mim e para os outros.

ESTA OBRA FOI COMPOSTA EM MINION PELA SPRESS E IMPRESSA
PELA GRÁFICA BARTIRA SOBRE PAPEL PÓLEN SOFT DA COMPANHIA SUZANO
PARA A EDITORA SCHWARCZ EM DEZEMBRO DE 2003